Economica Laterza
133

Dello stesso autore
in altre nostre collane:

Machiavelli nella cultura europea
dell'età moderna
«Collezione Storica»

Il partito nell'Unione Sovietica. 1917-1945
«Saggi Tascabili Laterza»

Giuliano Procacci

Storia degli italiani

VOLUME SECONDO

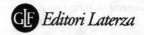

GLF *Editori Laterza*

© 1998, Gius. Laterza & Figli,
solo per la lingua italiana

Nella «Economica Laterza»
Prima edizione, con una Postfazione
dell'autore, 1998
Terza edizione 2001

Edizioni precedenti:
«Universale Laterza» 1968
«Storia e Società» 1975
«Biblioteca Universale Laterza» 1983

Proprietà letteraria riservata
Gius. Laterza & Figli Spa, Roma-Bari

Finito di stampare nel maggio 2001
Poligrafico Dehoniano -
Stabilimento di Bari
per conto della
Gius. Laterza & Figli Spa
CL 20-5455-8
ISBN 88-420-5455-0

PARTE SECONDA

I

L'ITALIA E I LUMI

L'Italia e l'Europa.

Dai tempi del trattato di Cateau-Cambrésis fino agli inizi del secolo XVIII la carta politica della penisola non aveva subito delle modificazioni di rilievo. Nell'Italia settentrionale il ducato di Savoia era riuscito ad annettersi alcuni lembi del Monferrato, e in quella centrale lo Stato pontificio, dopo l'acquisto di Ferrara nel 1598, aveva incamerato i superstiti principati indipendenti di Urbino (1631) nelle Marche, e di Castro nell'Alto Lazio (1649). Questo era tutto o quasi. Nel complesso perciò per quasi centocinquant'anni l'assetto politico e le frontiere interne della penisola erano rimasti immutati e la pesante tutela spagnola era riuscita a tenere a freno ogni ambizione e iniziativa dei singoli Stati. Nello stesso senso agì nella seconda metà del secolo XVII il predominio francese in Europa. Non si dimentichi che in seguito ai trattati di Cherasco nel 1631, il Piemonte, il più dinamico e guerriero degli Stati italiani, era ridotto a poco più che un protettorato francese.

Tale situazione mutò radicalmente agli inizi del secolo XVIII. La guerra di successione spagnola (1700-13), riducendo la Spagna a una potenza di rango secondario e ridimensionando le ambizioni della Francia di Luigi XIV, riaperse nuovamente le porte dell'Italia al gioco delle più diverse influenze. La penisola, con il suo mosaico di piccoli

Stati e di dinastie senescenti e esautorate, divenne, nell'ambito della politica di «equilibrio» europeo inaugurata dai trattati di Utrecht e di Rastadt, uno dei campi di azione preferiti dalla diplomazia delle grandi potenze nel suo incessante lavoro di rimaneggiamento e di compensazione degli interessi dei vari Stati. Se una determinata potenza era costretta a fare delle concessioni o a rinunciare alla candidatura di un suo protetto a questo o a quel trono d'Europa in favore del candidato di altri, vi era sempre un ducato o uno Stato italiano in cui il pretendente sconfitto potesse essere collocato. Non vi fu così praticamente conflitto internazionale, dalla guerra di successione spagnola, a quella polacca e austriaca, che non producesse qualche mutamento nell'assetto politico italiano. Accadde così che nel giro di pochi decenni alcuni Stati o province italiani si trovassero a passare più volte da una sovranità all'altra. La Sicilia ad esempio fra il 1714 e il 1734 passò dai Savoia all'Austria ai Borboni di Napoli, mentre il ducato di Parma, dove nel 1731 si era estinta la dinastia dei Farnese, passò tra il 1734 e il 1748 dalla signoria dei Borboni a quella dell'Austria e nuovamente a quella dei Borboni. Sarebbe troppo lungo ricostruire nei suoi dettagli e nella sua successione cronologica la serie di questi mutamenti e di questi trapassi e, del resto, avremo modo di accennarvi più avanti a mano a mano che parleremo della storia dei singoli Stati italiani nel corso del secolo. Per ora basterà constatare che alla data del trattato di Aquisgrana (1748), che concluse la guerra di successione austriaca, la maggior parte degli Stati italiani si trovava ad essere soggetta a una dominazione o a una dinastia diversa da quella dalla quale era governata agli inizi del secolo. Lo Stato di Milano era passato dalla dominazione spagnola a quella austriaca; Mantova aveva perduto la sua indipendenza ed era stata inglobata anch'essa nella Lombardia austriaca; Parma era passata dalla signoria dei Farnese a quella dei Borboni; Firenze da quella dei Medici, la cui dinastia si era anch'essa estinta nel 1737, a quella dei Lorena; il Napoletano e la

Sicilia, dopo due secoli di soggezione alla Spagna, avevano recuperato l'indipendenza sotto la dinastia dei Borboni e la Sardegna infine non era più un possedimento spagnolo, ma una parte del regno sabaudo. I soli Stati che continuassero a reggersi sotto le stesse dinastie di prima erano il ducato estense di Modena, le repubbliche di Venezia, Genova e Lucca, il Piemonte dei Savoia e, naturalmente, lo Stato pontificio. Dopo questo totale rimaneggiamento, nella seconda metà del secolo, sino alla discesa di Napoleone Bonaparte, l'Italia godette di un lungo periodo di pace e il suo assetto non subì altre modificazioni rispetto alla sistemazione di Aquisgrana.

Il risultato più importante dei rivolgimenti, cui l'Italia era stata soggetta nella prima metà del secolo XVIII, non consistette però soltanto nelle modificazioni territoriali e dinastiche e nel mutamento che queste ultime produssero nei rapporti di forza tra i vari Stati, e nemmeno nel restringimento dell'area sottoposta alla dominazione straniera, ridotta ora alla sola Lombardia, ma anche e soprattutto nel fatto che era stata posta fine all'isolamento e al provincialismo in cui due secoli di dominazione spagnola avevano mantenuto il paese. Le nuove dinastie che si insediarono sui troni di Firenze, di Napoli e di Parma erano sì straniere ai paesi loro assegnati, ma proprio per questo assai più europee e meno provinciali delle vecchie casate indigene. Quanto ai funzionari austriaci in Lombardia, essi erano, come vedremo, infinitamente più capaci e dotati di una mentalità moderna dei precedenti governatori e viceré spagnoli. E non è un caso che gli Stati italiani che presentano nel corso del secolo un quadro di maggiore animazione e vitalità furono proprio quelli, oltre alla già ricordata Lombardia austriaca, governati dalle nuove dinastie straniere. Gli altri, quelli che conservarono i precedenti reggitori e ordinamenti — Venezia, Genova, lo stesso Piemonte, per non parlare dello Stato pontificio — continueranno, quali in maggiore, quali in minore misura, a percorrere la strada della decadenza e dell'isolamento provinciale.

Ma non si trattava soltanto per l'Italia settecentesca di un maggior inserimento politico nell'Europa dell'età dell'equilibrio e dei patti di famiglia, ma anche di un'integrazione economica in un mercato percorso dalle grandi. correnti del commercio dell'epoca.

Anzitutto attraverso il mare. Il primo porto franco della penisola, era stato, come si è visto, quello attivissimo di Livorno. Anche Venezia si era messa nel 1661 su questa strada, ma la timidezza e le limitazioni con cui la decisione era stata attuata contribuirono a ridurne di molto gli effetti e i risultati. Ma fu nel corso del secolo XVIII che l'istituto del porto franco conobbe una straordinaria fortuna. L'esempio venne nel 1717 dall'emporio di Trieste, città dell'Impero, ma successivamente altre città della penisola imitarono l'esempio di Livorno e di Trieste. Ad Ancona il porto franco venne istituito nel 1732 e anche in questo caso i risultati non si fecero attendere: da una media di 57 arrivi negli anni 1727-31 si passò nel quinquennio 1732-36 a una media di 108 e, sia pure con oscillazioni, il numero delle navi giunte nel porto non cessò di aumentare per tutto il corso del secolo fino a toccare una media di 169 nel quinquennio 1792-96. Altri porti franchi istituiti nel corso del secolo furono quelli di Civitavecchia (1748) e di Messina che si vide restituire da Carlo di Borbone le prerogative perdute in seguito alla rivolta del 1674. Allo sviluppo dei porti e delle comunicazioni marittime corrispose anche un parallelo sviluppo delle strade e delle comunicazioni terrestri. L'evento più importante nella animatissima storia stradale italiana del secolo XVIII fu probabilmente la costruzione, condotta a termine nel 1771 dal governo di Maria Teresa, di una prima carrozzabile alpina che, attraverso il passo del Brennero, raggiungeva la pianura padana e di qui, attraverso Modena e il valico appenninico dell'Abetone, raggiungeva Firenze. Questa nuova dorsale che, passando quasi interamente su territori della casa d'Austria o di principi ad essa imparentati (i Lorena di Toscana) o alleati (gli Este di Modena), non poteva non esercitare una forte attrazione e numerosi furono i tentativi e i progetti intesi a raccordare ad essa altri centri e porti della penisola. Massa, ad esempio, fu unita con Modena da una carrozzabile realizzata da Francesco III d'Este e Livorno fu collegata con Pistoia attraverso un canale navigabile. Non venne realizzato invece il progetto del matematico e letterato milanese Paolo Frisi di collegare la capitale lombarda alla nuova strada attraverso la via d'acqua del Po.

L'Italia rinsaldava così i suoi legami economici con l'Europa, entrava definitivamente attraverso i suoi porti e le sue carrozzabili alpine a far parte del circuito e del mercato europeo. Ma ciò che merita soprattutto di essere sottolineato è il fatto che questo reinserimento nell'economia europea coincide con una delle fasi di più impetuosa espansione della medesima. Col secolo XVIII siamo, come è ben noto, nel pieno della « rivoluzione agricola », che trasformò il volto di larga parte delle campagne del continente, e alla vigilia della grande rivoluzione industriale inglese; siamo nel secolo della fisiocrazia e di Adam Smith e nell'età in cui la scienza pura dei Galilei e dei Newton si trasforma nella scienza applicata dei Watt e degli Arkwright. Siamo in una parola nel secolo dei « lumi »: dopo la lunga e travagliata crisi del secolo XVII, l'Europa moderna, l'Europa borghese, è ormai lanciata al predominio e alla conquista del mondo.

Ed è di questa Europa che l'Italia è ogni giorno di più parte integrante ed è di questa prosperità che essa si trova a beneficiare. Rimane però da vedere in che misura agli stimoli e sollecitazioni esterne corrisposero dei fermenti e delle spinte dall'interno.

Agricoltura e riforme.

Il settore dell'economia e della società italiana che si trovò più direttamente investito dalle conseguenze dell'inserimento dell'Italia nel mercato europeo fu senza dubbio quello dell'agricoltura. Non si vede del resto come avrebbe potuto essere diversamente: i tempi in cui l'Italia riforniva l'Europa di prodotti pregiati e di merci orientali erano — e lo abbiamo illustrato — definitivamente tramontati. Ciò che l'Europa del secolo XVIII chiedeva all'Italia erano i prodotti agricoli necessari per nutrire la sua popolazione sempre crescente e le materie prime necessarie per alimentare le proprie manifatture.

L'Italia fornì gli uni e le altre. La seta greggia innanzitutto: buona parte della materia prima impiegata nelle fiorenti tessiture di Lione proveniva dal Piemonte e dalla Lombardia. Esportatrici di cospicui quantitativi di seta erano anche le regioni del Mezzogiorno e in particolare la Calabria, per quanto nel corso del secolo, a giudicare dai non molti dati a nostra disposizione, sembra che tale commercio abbia subito una drastica riduzione. Un notevolissimo incremento, sempre nel Mezzogiorno, conobbe invece l'esportazione dell'olio, che, oltre che per l'alimentazione, era richiesto in quantità sempre maggiori dalle prospere manifatture di sapone marsigliesi. Da una media quinquennale di 51.974 salme esportate negli anni 1760-64 si passò, attraverso un processo di progressione quasi costante, alle 95.648 degli anni 1790-94. Oltre alla seta del Piemonte e della Lombardia e agli oli del Mezzogiorno, altre voci del commercio di esportazione degli Stati italiani erano, negli anni in cui il raccolto era stato abbondante, il grano e il vino. La fortuna di taluni vini tipici italiani ha inizio proprio nel secolo XVIII: ricordiamo il caso del Marsala siciliano, il cui lancio sul mercato internazionale fu dovuto essenzialmente all'iniziativa di un inglese, John Woodhouse.

La crescente richiesta da parte del mercato europeo di prodotti e di materie prime agricoli, congiunta a quella di un mercato interno anch'esso in fase di espansione, non poteva naturalmente non esercitare sull'agricoltura italiana un forte stimolo nel senso di una sua mercantilizzazione e rianimazione e tutti gli indici a nostra disposizione, da quello dei prezzi dei prodotti a quello del valore dei terreni e del livello dei redditi, sono concordi nel testimoniarcelo. Nel Mantovano i prezzi del grano, del mais, del fieno, del riso e del vino mostrano, in varia misura e con la discontinuità tipica dei prodotti agrari, una netta tendenza all'ascesa e altrettanto si ricava dall'analisi dei dati sui prezzi del Vercellese. In quest'ultima regione, che era già allora la maggior produttrice di riso italiana, tra il 1761 e il 1790 il prezzo dei terreni risultò triplicato: segno evidente che la coltura della terra diveniva ogni giorno di più un affare. Potremmo continuare ancora nell'esemplificazione, ma la concordanza dei dati a nostra disposizione ci dispensa dal farlo. Varrà piuttosto la pena di segnalare il sostanziale isocronismo che l'andamento dei prezzi italiani manifestò nei confronti di quelli europei nel loro complesso, sintomo anche questo di un'avvenuta e non reversibile integrazione dell'economia italiana in quella europea.

Si venne così gradualmente determinando una vera e propria corsa alla terra, sulla cui portata nulla ci può meglio ragguagliare che la storia demografica della penisola nel corso del secolo. Come nel resto d'Europa anche in Italia (ancora un caso di isocronismo), il movimento della popolazione è nel corso del secolo XVIII nettamente ascendente e nel complesso si è calcolato che tra gli inizi e la fine di esso la popolazione della penisola passò da 13-14 milioni a 18. Ciò che però vale la pena di esser particolarmente notato è il fatto che le campagne beneficiarono nel complesso in misura maggiore che non le città di questo incremento e che nella storia demografica di un paese fortemente urbanizzato come l'Italia ciò rappresentava una sintomatica inversione di tendenza.

Certo alcune città italiane videro accrescersi nel corso del secolo la loro popolazione: è il caso di Napoli — la più popolata metropoli europea dell'epoca — che sul finire del secolo aveva raggiunto i 400.000 abitanti, di Palermo che raggiunse i 140.000, di Roma che contava nel 1740, 162.000 abitanti. Eccezionali sono i casi di Torino, promossa a capitale di un regno bellicoso e di una amministrazione fortemente centralizzata, la cui popolazione raddoppiò, tra le date del 1702 e del 1761, da 43.000 a 92.000 abitanti, e di Catania, un altro tra i porti italiani che più profittarono della favorevole congiuntura economica, i cui abitanti alla data del 1798 risultarono triplicati rispetto a quelli del 1713: 45.000 in luogo di 16.000. Ma vi furono anche delle città in cui la popolazione rimase stazionaria e altre addirittura in cui essa diminuì: tra le prime la stessa operosissima Milano (114.000 abitanti nel 1714 e 131.000 nel 1796); tra le seconde Venezia (da 138.000 nel 1702 a 137.000 nel 1797), Firenze e Genova. Nell'insieme, a una data che approssimativamente possiamo fissare attorno al 1770, esistevano in Italia 26 centri con popolazione superiori a 20.000 abitanti dei quali 5 al di sopra dei 100.000: una situazione sostanzialmente non modificata rispetto al secolo XVI.

Tutt'altro discorso deve invece essere fatto per le campagne. In Piemonte nel breve periodo compreso tra il 1700 e il 1734 la densità della popolazione passò da 44,18 per km² a 56,40, e nella terraferma veneta fra il 1776 e il 1790 da 68,7 a 73,5, mentre in Lombardia tra il 1749 e il 1766 si ebbe un aumento di popolazione assoluta del 25 per cento, da 900.000 a 1.122.000 abitanti. Assai rilevante è pure l'incremento demografico che si può registrare nel regno di Napoli e, come del resto risulta dalle cifre complessive fornite più sopra, nelle altre regioni della penisola.

Ritorno alla terra dunque: il fenomeno è talmente profondo e generale che la coscienza di esso non tarda a manifestarsi. L'agricoltura è di moda nel Settecento italiano. I poeti ambientano le loro favole in Arcadia e qualcuno giunse a scrivere dei poemi sulla coltivazione del riso o della canapa. Le accademie e le società agrarie si moltiplicano attraverso tutta la penisola: la più celebre fu quella fiorentina dei Georgofili fondata nel 1753, vero e proprio sinedrio della possidenza toscana. Gli scritti dedicati all'agricoltura non si contano e tra i maggiori esponenti della

cultura settecentesca non furono pochi coloro che si occu-
parono in qualche modo di problemi connessi con la questione del rifiorimento dell'agricoltura. Tra gli altri il grande
Genovesi, autore di una prefazione al trattato *L'agricoltore
sperimentato* del toscano Cosimo Trinci, nella quale possiamo leggere quest'elogio dell'agricoltura che da solo può
valere a rievocare efficacemente gli entusiasmi del secolo:

> Questa sol'arte esercita il corpo, ne ricrea le forze, fa re-
> spirare un'aura più elastica, allunga la vita. ... Questa nutrisce
> le dolci speranze, i semplici e onesti amori, genera l'umanità
> e la dolcezza di una vita compagnevole, ma senza maschera. Ne-
> mica della furberia, dell'alterigia, della guerra. Se Dio mede-
> simo n'avea fatto lo studio dell'uomo innocente perché credere
> che non possa essere l'amabile occupazione del reo? Son tentato
> a credere che appunto quest'essersene distaccato ed aver tirato
> dietro a pensamenti voti, sia una delle pene a cui la nostra stol-
> tezza è quaggiù condannata.

Parlando di ritorno alla terra non si è peraltro esaurito l'argomento. Occorre ancora precisare di quale tipo di
ritorno si trattasse e in quali forme esso venisse attuato;
se cioè in quelle di un'agricoltura tradizionale e estensiva,
intesa a strappare alla terra — a quanta più terra possibile — il massimo dei prodotti e gli uomini che vi fati-
cavano il massimo di lavoro con il minimo di spesa e di
retribuzione, oppure in quelle di un'agricoltura intensiva e
razionale, fondata su di un calcolo economico degli investimenti e della rendita, più moderna e più borghese. Di
fatto, come ci sforzeremo di dimostrare nei paragrafi successivi, l'una e l'altra tendenza furono operanti e spesso
si intrecciarono, anche nell'ambito di uno stesso Stato. La
storia agraria del Settecento italiano è storia sì di bonifiche e di opere idrauliche, ma anche di disboscamenti indiscriminati e di altrettanto indiscriminati assalti ai terreni
comuni e ai pascoli collettivi. In essa vi è posto sia per
le illuminate iniziative dei fittabili lombardi che per la
« reazione » signorile e la rapacità dei proprietari meridio-

nali; sia per l'introduzione di nuove colture che per una estensione irrazionale della cerealicoltura a terre povere e marginali; sia per la nascita di aziende agrarie di tipo capitalistico che per la sopravvivenza del vecchio latifondo assenteista. Ché anzi se non si tengono presenti queste contraddizioni e questi contrasti, si rischia di comprendere ben poco dell'evoluzione dell'agricoltura settecentesca; e non soltanto di essa.

Gli uomini e le forze sociali che premevano nel senso di favorire il progresso agrario e operavano ai fini di una trasformazione capitalistica dell'agricoltura non tardavano infatti a rendersi conto che non ci si poteva limitare a promuovere bonifiche, a introdurre nuove colture e migliorie tecniche e neppure a decretare la libera circolazione dei grani. La questione fondamentale era quella di colpire alla radice tutto un sistema di *ancien régime* economico e di liberare in tal modo le forze più dinamiche e più moderne. Si trattava di ridurre e di castigare le posizioni di rendita assenteista e parassitaria della nobiltà e del clero, di porre fine agli istituti anacronistici del fidecommesso e della manomorta, che vincolavano vastissime estensioni di terreno a un'assurda condizione di inalienabilità. Si trattava di farla finita con i privilegi vincolistici e calmieristici dei grandi centri urbani. Ma per questo occorreva essere disposti ad affrontare ed abbattere la sin troppo prevedibile opposizione dei privilegiati, a scalzare le loro posizioni di potere all'interno dello Stato, a diminuirne il prestigio e l'ascendente. Occorreva togliere ai nobili ogni residua giurisdizione privilegiata, limitare l'influenza del clero negli affari dello Stato e la sua funzione nella formazione dell'opinione pubblica, occorreva sopprimere le corporazioni cittadine. Occorrevano in una parola delle «riforme».

Il problema della terra rinviava così a quello dello Stato: se voleva essere vittoriosa o anche soltanto efficace, la lotta contro l'*ancien régime* doveva necessariamente trasferirsi dal piano economico a quello politico e far leva su una mobilitazione generale dell'opinione pubblica illuminata nella battaglia per le riforme. Ma, nel secolo dei lumi, le guide naturali dell'opinione pubblica erano i « philosophes », gli intellettuali. Ancora una volta ci imbattiamo così nell'eterno problema del ruolo di questi ultimi nella storia d'Italia.

Gli intellettuali italiani nell'età dell'Illuminismo.

Inserita politicamente e economicamente nell'Europa, l'Italia partecipa anche della « rivoluzione culturale » illuminista. Il termine potrà sembrare scarsamente pertinente o addirittura « impertinente » e in una certa misura lo è. Ma non si dimentichi che la storia della cultura settecentesca non si esaurisce nel catalogo dei suoi *leaders* intellettuali e delle vette da essi raggiunte, ma è anche la storia della prima promozione culturale di massa di cui sia stata teatro l'Europa moderna. E questo intendevano dire gli uomini dell'epoca quando parlavano dei « lumi » e della loro avanzata vittoriosa e del loro incontenibile progresso.

L'Italia, lo ripetiamo, non fa eccezione alla regola e anch'essa si trovò a fronteggiare le esigenze di un consumo culturale in rapida espansione. Basta dare un'occhiata a quanto accade nel mercato del libro per convincersene. Esso attraversa infatti una fase di autentico *boom*. Gli editori e gli stampatori si moltiplicano, i loro cataloghi si arricchiscono, le tirature aumentano in misura cospicua, le pubblicazioni a carattere periodico sono sempre più numerose e assumono un carattere sempre più specializzato: riviste letterarie, riviste di « agricoltura arte e commercio », di medicina, riviste femminili, « novelle », « memorie », « magazzini », « gazzettini », « giornali enciclopedici », « mercuri » e via dicendo. Le opere straniere vengono tradotte in gran copia e con notevole tempestività. La mole della grande *Encyclopédie* di Diderot e D'Alembert non spaventò gli stampatori italiani; al punto che se ne procurarono ben due edizioni, la prima a Livorno e la seconda a Lucca. L'*Histoire de Charles XII* di Voltaire fu tradotta nel 1734, a soli tre

anni dalla sua pubblicazione in Francia, e la *Nuova Eloisa*
di Rousseau nel 1764, due anni dopo la prima edizione gi-
nevrina. Molte di queste traduzioni vennero pubblicate in
edizione pirata, con la indicazione di luoghi di stampa fittizi
o immaginari (Filadelfia, Amsterdam, Cosmopoli) per sfuggire ai rigori della censura. Ove neppur questo fosse possibile, rimaneva sempre la possibilità di procurarsi l'opera
nell'originale: nel secolo XVIII erano infatti ormai molti
gli italiani colti che conoscevano il francese ed erano addirittura in grado di scriverlo. In questa lingua Goldoni e
Casanova scrissero le loro memorie, il Galiani scrisse di
economia e il Baretti di critica letteraria. Questa larga conoscenza del francese e, in misura minore, dell'inglese, favoriva naturalmente la circolazione delle opere straniere nella
penisola e procurava nuovo lavoro alla censura. Tra il 1758
e il 1794 i deputati veneziani alle dogane fermarono per
dodici volte degli invii di opere di Rousseau e per nove
volte quelli di opere di Helvétius. Ma la loro non era una
fatica molto efficace.

Al *boom* del libro si accompagna quello degli spettacoli teatrali. Tra i grandi teatri italiani la maggior parte
ha origini settecentesche. Tra di essi la Scala di Milano,
che venne inaugurata nel 1778, e la Fenice di Venezia inaugurata nel 1790. Accanto a questi nomi illustri una pleiade
di teatri minori. Nella sola Venezia se ne contavano varie
decine. Agli scrittori di teatro non mancava certo il lavoro
e si comprende come potesse accadere che un autore particolarmente fortunato — Carlo Goldoni — potesse assumere e rispettare con il suo pubblico l'impegno di scrivere
sedici commedie nuove per una sola stagione.

La nascita e la crescita di un nuovo largo pubblico
di consumatori costringeva i produttori di cultura, gli intellettuali, ad uscire dal loro isolamento, poneva loro nuovi
problemi e nuove responsabilità. Come comunicare con questo nuovo pubblico? E innanzitutto con quale linguaggio?
Come in tutte le stagioni di intensa vita collettiva della
cultura e dell'*intellighenzia* italiane la vecchia questione della

lingua tornava a riproporsi. Sulla necessità di depurare la lingua letteraria italiana dai sovraccarichi e dalle amplificazioni secentesche e di rompere con la tradizione cruscante di un purismo e di un fiorentinismo grettamente conservatori tutti, tranne pochi retrivi, erano d'accordo. Alcuni, come Pietro Verri e Cesare Beccaria e i collaboratori della rivista milanese « Il Caffè », si spingevano più lontano sino a sostenere che la lingua italiana si sarebbe sicuramente avvantaggiata da un giudizioso adattamento al lessico e alle forme della trionfante lingua francese.

Perché — essi scrivevano — se italianizzando le parole francesi, tedesche, inglesi, turche, greche, arabe, sclavone noi potremmo rendere meglio le nostre idee, non ci asterremo di farlo per timore o del Casa, o del Crescimbeni, o del Villani, o di tant'altri, che non hanno mai pensato di erigersi in tiranni delle menti del XVIII secolo... Protestiamo che useremo ne' fogli nostri di quella lingua che s'intende dagli uomini colti da Reggio Calabria sino alle Alpi.

Un italiano moderno, anche se francesizzato, sarebbe stato insomma uno strumento di comunicazione più funzionale, più fruibile e, in definitiva, più nazionale di una lingua pedissequamente letteraria. Era, se vogliamo, una posizione estremista ma, appunto in quanto tale, aveva il merito di rendere evidenti i dati fondamentali del problema, la necessità cioè di colmare il fossato esistente tra la lingua dei chierici e quella dei semplici, tra l'italiano letterario e quello parlato.

Ma tale impresa non poteva essere condotta a termine che attraverso un lungo processo di esercizio e di affinamento e il secolo passò senza che essa avesse raggiunto un definitivo grado di maturazione. Nell'attesa, anche scrittori chiaramente consapevoli della loro responsabilità verso il loro pubblico continuarono a ricorrere a dei ripieghi. Goldoni, ad esempio, ricorse spesso nelle sue commedie a un dialetto veneziano ingentilito e « civile », come ad una so-

luzione in definitiva più soddisfacente e più ricca di comunicativa di quanto non fosse un italiano letterariamente
stereotipo.

Ma se il problema del *come* parlare e comunicare con
i lettori e con gli spettatori non poté essere risolto o
dette luogo a soluzioni controverse e approssimative, il problema di *cosa* dire non lasciava adito a molti dubbi. Ciò
che il nuovo pubblico dell'età dei lumi chiedeva agli uomini
di lettere, ai compilatori di « magazzini » ed ai librai era
di essere edotto e di essere tenuto al corrente delle acquisizioni e dei progressi realizzati dalla nuova cultura illuminista in tutti i campi del sapere. Esso esigeva una cultura moderna, aggiornata, politecnica, premeva nel senso di
un superamento del tradizionale iato esistente tra cultura
umanistica e cultura scientifica. Gli illuministi italiani si sforzarono di corrispondere a queste esigenze e una rapida carrellata attraverso gli argomenti e i titoli della loro produzione potrà valere in qualche modo a farsi un'idea della
estensione e della serietà del loro impegno.

Vi troviamo innanzitutto un cospicuo numero di opere
dedicate a quella che è per eccellenza la « scienza nuova »
del secolo dei lumi: l'economia. Degli *Elementi di economia politica* scrisse Cesare Beccaria, delle *Meditazioni sull'economia politica* il suo amico Pietro Verri, un *Dell'economia nazionale* il bizzarro e geniale monaco veneziano Gian
Maria Ortes, delle *Lezioni di commercio e di economia civile* il napoletano Genovesi. Ma l'economia, per quanto nuova,
era una scienza vasta: di qui la pubblicazione di opere dedicate a illustrare singoli aspetti e problemi di essa, dalle
monete e il loro « disordine » (Verri, Beccaria, Galiani), al
commercio dei grani (Bandini e ancora Galiani) o addirittura del pesce (Pagano), per non parlare della lunga serie
di scritti dedicati all'agricoltura dei quali abbiamo già fatto
cenno. Apparentata all'economia era la geografia: ed ecco la
copiosa letteratura di viaggi, di descrizioni: viaggi in Russia
(Algarotti), a Costantinopoli (Casti), nelle lontane e libere
Americhe (Mazzei); descrizioni di terre esotiche e lontane,

ma anche di terre che, per essere vicine, non erano meno
sconosciute, come quelle che delle regioni dell'Italia meridionale dettero Giuseppe Maria Galanti e Francesco Lon-
gano e altri illuministi napoletani, gettando per primi un
fascio di luce su un mondo di miserie e di arretratezza.
E poi ancora opere di scienza, come quelle del fisico Lazzaro Spallanzani, o di volgarizzazione della scienza come il
celebre *Newtonianesimo per le dame* dell'Algarotti; opere
di statistica, di tecnologia e di arti applicate, e ogni genere di scritti intesi insomma a contribuire alla «pubblica
felicità». Quest'ultima fra le espressioni ricorrenti nei titoli delle opere settecentesche è probabilmente la più frequente: un *Della pubblica felicità* scrisse Ludovico Antonio
Muratori, delle *Riflessioni sulla pubblica felicità relativamente al regno di Napoli* Giuseppe Palmieri, un *Della felicità pubblica considerata nei coltivatori di terre proprie* il
piemontese Giambattista Vasco. E si potrebbe agevolmente
continuare.

La quantità e il carattere utilitario e di attualità della
letteratura settecentesca della quale ci siamo limitati per
necessità di cose a dare un semplice ragguaglio, senza nemmeno tentare di entrare nel merito delle questioni trattate
e delle diverse posizioni emerse nel corso del dibattito, non
deve indurci a pensare a una produzione di second'ordine,
ripetitoria, destinata, come oggi si direbbe, a un consumo
di massa. Tra le opere che abbiamo citato ve ne sono alcune — pensiamo agli scritti di economia del Galiani e del-
l'Ortes — che per la loro originalità e vigore di pensiero
occupano un posto di rilievo nella cultura illuministica nel
suo complesso. E non appartiene a questo tipo di letteratura quel *Dei delitti e delle pene* di Cesare Beccaria che sin
dal suo titolo nitidamente classico annuncia il rigore con
cui fu pensato e scritto? Questa perorazione in favore del-
l'abolizione della pena di morte fu uno dei grandi successi
letterari dell'epoca: tradotta in numerosissime lingue essa
suscitò vivaci dibattiti e valse al suo autore persino l'offerta
di un impiego da parte di Caterina di Russia.

E neppure si deve pensare che la passione per le « scienze nuove » da cui è pervasa la cultura dell'Illuminismo italiano si sia risolta in un accantonamento o addirittura in un abbandono delle discipline tradizionali e umanistiche, né si vede del resto come ciò avrebbe potuto accadere in un secolo in cui la poligrafia era pressocché la regola. Ma, anche a prescindere da questa considerazione, è un dato di fatto che anche nelle discipline tradizionali e nell'erudizione il lavoro svolto in Italia nel corso del secolo XVIII è imponente.

Prendiamo ad esempio la storia. Non è un'esagerazione affermare che il lavoro dei grandi eruditi settecenteschi e, primo fra tutti, di Ludovico Antonio Muratori — al quale dobbiamo la compilazione del *corpus* dei *Rerum Italicarum Scriptores*, ancor oggi lo strumento di lavoro principale per gli storici del Medioevo —, ha segnato una tappa fondamentale nello sviluppo degli studi storici italiani. Ma non ci si limitò alla sola erudizione e al censimento delle fonti: opere quali la *Storia civile del regno di Napoli* del Giannone, la *Storia di Milano* di Pietro Verri e le *Antiquitates italicae medii aevi* dello stesso Muratori sono dei lavori eccellenti. Quella del gesuita Tiraboschi è la prima storia organica della letteratura italiana e quella del Lanzi è, dopo il Vasari, la prima storia della pittura italiana. La loro compilazione era anch'essa stata resa possibile da un gigantesco lavoro di erudizione e di scavo al quale dobbiamo tra l'altro il recupero di autori e di testi che la cultura precedente aveva ignorato, se non condannato: l'esempio più cospicuo è quello del Machiavelli, autore proscritto e esecrato, le cui opere uscirono per la prima volta in un'edizione quasi integrale a Firenze negli anni ottanta.

Il lavoro di ricerca storica continua dunque con immutata, anzi accresciuta lena. Ciò che muta profondamente è invece l'*animus* con il quale esso viene concepito e coltivato. Il Muratori, per riferirci alla figura maggiore e più rappresentativa dello sforzo erudito del secolo, non è, come accade sovente agli storici, un *laudator temporis acti*, ché anzi egli non perde occasione per dichiarare il suo orgoglio di essere un figlio del colto e illuminato secolo XVIII. Proprio per questo egli non cerca nel passato la consolazione delle glorie e della grandezza perduta, ma le radici di quei mali e di quegli abusi contro i quali egli combatte: gli appetiti temporali della Chiesa e la superstizione delle folle, i privilegi dei pochi e la sofferenza dei molti. Ciò che lo interessa non è perciò la storia romana con le sue guerre e con i suoi fasti letterari, ma la storia oscura e faticosa del Medioevo con le sue fazioni guelfe e ghibelline, il particolarismo cittadino e municipale, le lotte tra magnati e popolani. Di qui è nata, per quello che ha di buono e per quello che ha di cattivo, la comunità e la civiltà italiana e a nulla serve costruirle dei natali illustri. Quella del Muratori, come quella del Verri e del Giannone, è insomma una storia civile, che rinnova la grande tradizione del Machiavelli e del Guicciardini.

Un cenno infine dobbiamo dedicare anche alla letteratura del secolo XVIII. E non solo per completare il quadro sin qui tratteggiato, ma perché anch'essa è una letteratura essenzialmente civile, che avverte cioè profondamente e severamente la propria responsabilità nella formazione dell'educazione e del gusto di un pubblico di lettori nuovi e entusiasti. Non è certamente un caso che due dei « padri » della letteratura italiana del Settecento — Alfieri e Goldoni — siano stati principalmente scrittori di teatro, abbiano scelto cioè un genere letterario eminentemente pubblico. L'Alfieri lo svolse più violentemente e programmaticamente: aristocratico di nascita, viaggiatore e amatore impenitente, lettore disordinato, ma dotato di una violenta capacità di immedesimazione nei suoi testi (Plutarco, Machiavelli), egli popolò le sue tragedie di personaggi fatti a sua immagine e somiglianza, di tirannicidi e di tiranni accomunati da un medesimo senso di irrequietezza, di superuomini e di ribelli, dando così vita a un teatro anticonformista fino alla provocazione, che era la negazione di ogni concezione dello spettacolo come intrattenimento. Un carattere di intrattenimento conserva invece in misura notevole il teatro di Carlo Goldoni, ma non per questo la sua funzione civile è, anche se più sottile, meno efficace. Si è notato come gli eroi « positivi » (se questo termine può essere impiegato per gli antieroici personaggi goldoniani) delle sue commedie sono per lo più dei mercanti e dei borghesi veneziani, che attendono a esercitare onoratamente il loro mestiere con la stessa affettuosa saggezza con cui amministrano la propria famiglia e che per contro i nobili, con la loro vacua alterigia, sono sempre presentati come i rappresentanti di un mondo e di un sistema di valori sorpassato, in decomposizione. Ma non si tratta solo di questo: ciò che più conta è che Goldoni concepì e attuò la sua opera di scrittore di teatro in funzione di un pubblico « italiano », del quale facevano parte i veneziani come i non veneziani, i borghesi come i popolani, i dotti come i meno dotti. In questo consiste la novità e l'originalità della sua riforma teatrale, mediante la quale, come è noto, egli si propose di innestare sul vecchio filone istintivo e popolaresco della commedia dell'arte la disciplina del teatro come fatto colto e letterario, nel tentativo cioè di creare e di educare un nuovo gusto teatrale del « maggior numero ». Il tentativo riuscì e il suo successo, che dura ancor oggi, costituisce forse una delle più belle vittorie dell'Illuminismo italiano.

Il terzo grande del Settecento letterario italiano è l'abate Giuseppe Parini, la cui fama è legata soprattutto a un poema satirico, *Il giorno*, in cui egli descrive l'inutile giornata di un giovane patrizio lombardo. Il Parini è un letterato con un solido bagaglio di letture classiche, sensibilissimo ai problemi della forma e della proprietà del linguaggio letterario, insofferente di ogni avanguardismo, naturalmente portato dalla severa disciplina letteraria che egli s'impone, alla misura e all'autocontrollo. Ma è proprio questa sua ritenutezza che conferisce alla sua satira della nobiltà un'alta efficacia persuasiva e civile.

Cerchiamo a questo punto di radunare le fila del discorso, necessariamente disperso e sommario, fatto sin qui per tornare al punto dal quale eravamo partiti, dal problema cioè della funzione che gli intellettuali dell'età dei lumi ebbero o non ebbero nel favorire il processo di formazione e di sviluppo di un'opinione pubblica illuminata e di assecondare la sua battaglia per le riforme. Dopo quanto siamo venuti esponendo, ci sembra che la risposta non possa essere che affermativa. Sotto il segno dell'Illuminismo gli intellettuali italiani ritornarono cioè ad essere quella *koiné* che erano stati in passato e, con questa unità essi ritrovarono anche quella vocazione all'impegno civile e quel senso di responsabilità collettiva nei confronti della società che era andato in gran parte smarrito. Nella misura in cui essi riuscirono effettivamente ad essere europei, essi si ritrovarono ad essere anche italiani, quando esserlo significava soprattutto prendere coscienza della arretratezza italiana e della necessità di recuperare il terreno perduto.

II

L'ETÀ DELLE RIFORME

Il riformismo absburgico: la Lombardia.

Che la Lombardia — e la sua parte pianeggiante e irrigua in particolare — fosse tra le regioni italiane quella in cui l'agricoltura aveva raggiunto un maggiore sviluppo e un carattere più moderno è cosa che già sappiamo. E ci è anche noto che ciò era stato il risultato di una lunga vicenda di progresso agrario che, iniziatasi nell'età dei Comuni, era continuata quasi ininterrottamente sino alle soglie del secolo XVIII, superando indenne, o con danni minori che altrove, le due grandi depressioni della storia economica italiana, quelle del XIV e del XVII secolo. Nel Settecento, e nella sua seconda metà in particolare, tale vicenda non solo prosegue ancora, ma entra anzi nella sua fase più impetuosa. Non ci sembra un'esagerazione affermare che è nella seconda metà del Settecento che inizia a delinearsi nettamente quel primato economico della Lombardia che si è conservato, attraverso tutto l'Ottocento, sino ai giorni nostri.

Ancora una volta la zona che più profittò di questa nuova ondata di progresso agrario fu la Bassa irrigua, la patria del riso, delle « marcite », dei prati artificiali e dell'allevamento su vasta scala del bestiame. La favorevole congiuntura economica e il rialzo dei prezzi agricoli non mancarono anche qui di far sentire i loro effetti stimolanti e l'intraprendenza dei possidenti e dei fittabili della Bassa si trovò ancora una volta spalleggiata dalle iniziative statali nel campo della costruzione delle infrastrutture. Tutto ciò concorse a fare della Bassa padana quel modello di agricoltura moderna e razionale che all'inglese Arthur Young, un intenditore, viaggiando alla fine del secolo tra Milano e Lodi, evocava il ricordo delle campagne più evolute della sua patria. Nella pianura non irrigua, nelle zone di collina e nel Mantovano di recente incorporato nello Stato di Milano il tono della vita e della produttività agraria è più consuetudinario e meno sostenuto. Un elemento nuovo e di grande avvenire è però costituito dal diffondersi su scala sempre più vasta della coltura del gelso e dalla congiunta nascita di una industria domestica specializzata nei primi processi di trasformazione della seta grezza che, come già sappiamo, costituiva la voce principale delle esportazioni lombarde. In tal modo anche i settori meno progrediti dell'agricoltura lombarda si trovarono ad essere inseriti e integrati in un circuito mercantile e a partecipare della favorevole congiuntura.

A questo generale sviluppo produttivo non corrispondeva, o corrispondeva solo in parte, una maggiore elasticità e fluidità dei rapporti sociali e delle strutture politico-istituzionali. La parte più cospicua delle terre era occupata dalla grande proprietà e quest'ultima era in gran parte l'appannaggio del patriziato e degli ordini ecclesiastici. Nell'insieme dello Stato il 75 per cento delle proprietà superiori ai 40 ettari e il 100 per cento di quelle sopra i 200 apparteneva infatti alla nobiltà o al clero. Nel Mantovano 437 grandi proprietari e 543 istituzioni religiose si spartivano il 50 per cento della terra coltivabile, mentre il resto era polverizzato tra ben 24.000 piccoli e medi proprietari, questi ultimi in numero relativamente ridotto. La presenza borghese, di un'autentica borghesia agraria, nelle campagne rimaneva dunque piuttosto limitata ed essa si concretava essenzialmente nella figura del fittabile delle fertili terre della Bassa. Questi, pur disponendo di larghi margini di iniziativa nella conduzione del fondo e di cospicue possibilità di guadagno e di accumulazione, rimaneva pur sempre alle dipendenze della possidenza e si trovava inserito in un sistema di relazioni e di condizionamenti sociali che rendevano assai problematica la sua promozione sociale a «borghese». Lo stesso si può dire degli elementi borghesi della città, i più facoltosi tra i quali — i «fermieri» o appaltatori di imposte per conto dello Stato — avevano accumulato le loro fortune profittando di un sistema fiscale che taglieggiava gli umili e favoriva, quando non esonerava del tutto i privilegiati, ed erano quindi dei tipici rappresentanti di un Terzo stato integrato nel sistema dell'*ancien régime*. Il problema era dunque quello di adeguare il sistema dei rapporti sociali al livello raggiunto dalle forze produttive e a ciò si accinse l'amministrazione austriaca sotto Maria Teresa e Giuseppe II.

Si trattò davvero di uno sforzo imponente che si prolungò per l'arco di cinquant'anni e che si avvalse del concorso di un'*équipe* di collaboratori di prim'ordine. Ne fecero parte il toscano Pompeo Neri, che diresse i lavori per la compilazione del catasto di Maria Teresa, l'istriano Gian Rinaldo Carli, che fu presidente del Consiglio superiore dell'economia, i milanesi Pietro Verri e Cesare Beccaria, che ricoprsero varie e delicate funzioni nell'amministrazione dello Stato. Anche il Parini dette il suo contributo di collaborazione; direttore della «Gazzetta di Milano» sotto Maria Teresa, egli tenne, sotto Giuseppe II, la carica di soprintendente delle scuole pubbliche che avevano sostituito quelle rette dai gesuiti. Al coraggioso sforzo innovatore del dispotismo illuminato absburgico partecipò dunque il meglio dell'intelligenza lombarda e non soltanto lombarda.

Il punto di partenza per tutte le successive riforme fu costituito dal già ricordato catasto di Maria Teresa che, già avviato sotto il regno di Carlo VI e lasciato quindi cadere per le resistenze manifestatesi da parte dei ceti privilegiati, fu portato a termine da un'apposita giunta tra il 1748 e il 1755 ed entrò definitivamente in vigore nel 1760. Con esso il governo absburgico acquisì uno strumento sicuro, nonostante le limitazioni e le esenzioni che continuarono a sussistere, per operare un massiccio spostamento del carico fiscale sui beni immobili e sulla propria fondiaria e un alleggerimento delle imposte personali e sul commercio. D'altra parte la stima del valore delle proprietà terriere era fatta una volta per tutte e i proprietari erano così garantiti contro eventuali aumenti delle imposte gravanti sui loro beni nel caso che il loro reddito fosse aumentato in seguito all'esecuzione di migliorie. Ciò contribuì a far sì che numerosi terreni in precedenza incolti fossero messi a coltura negli anni successivi: l'operazione fiscale si rivelò così, cosa che raramente accade, economicamente produttiva.

Impostata felicemente dalla base, l'attività riformatrice proseguì per tutto il trentennio 1760-90 a un ritmo intenso e non vi fu praticamente settore della vita pubblica e della compagine dello Stato che non ne fosse investito. Si procedette innanzitutto, sulla base di una divisione amministrativa del territorio in province e comuni, a una ristrutturazione dell'amministrazione locale intesa al doppio scopo di sopprimere i contrasti tra campagna e città mediante la loro inclusione in una stessa unità territoriale e di consegnare l'amministrazione degli enti locali a quei proprietari fondiari che erano stati chiamati, con il nuovo catasto, a concorrere in modo prevalente alle entrate dello Stato. Si stabilì infatti che i « deputati » che sedevano nei vari organismi locali dovessero essere scelti esclusivamente tra i contribuenti all'imposta fondiaria.

Dalla periferia il movimento rinnovatore guadagnò il centro, investendo soprattutto il settore dell'amministrazione finanziaria, con la creazione nel 1765 di un Consiglio superiore dell'economia, sostituito poi nel 1771 da un magistrato camerale affiancato da una Camera dei conti. Sempre nel settore finanziario, dopo la riforma dei tributi diretti, si provvide anche a quella degli indiretti e delle « regalie » riscosse sino ad allora dai « fermieri ». La lotta contro costoro, che godevano di protezioni nella stessa Vienna, fu dura e vi ebbe una parte di primo piano Pietro Verri. Alla fine essa riuscì vittoriosa e nel 1770 i « fermieri » dovettero rinunciare alla loro lucrosa attività in favore dell'erario. Fin qui la preoccupazione principale che aveva presieduto alle riforme era stata quella del riordinamento fiscale e, come condizione del primo, di un riassetto amministrativo. A partire però dal 1771 una nuova ondata di provvedimenti riformatori investì anche gli altri settori e livelli della società e dello Stato. Innanzitutto quello delle relazioni tra lo Stato stesso e l'organizzazione della Chiesa e quello, ad esso apparentato, dell'istruzione e della scuola. Numerosi conventi vennero soppressi e i proventi delle loro rendite, incamerati dall'erario, vennero impiegati per riorganizzare le scuole pubbliche; la Compagnia di Gesù venne sciolta e le sue scuole chiuse. Per contro venne potenziata l'università di Pavia, una delle cittadelle del giansenismo italiano, nella quale tra gli altri professarono Alessandro Volta e Lazzaro Spallanzani. E ancora: abolizione, con una serie di provvedimenti a catena, delle corporazioni, limitazione del regime dei fidecommessi, soppressione del tribunale dell'Inquisizione, riforme della moneta. A parte va infine ricordato il grande impulso dato ai lavori stradali e' allo sviluppo delle comunicazioni: nel 1776 Milano venne collegata all'Adda per via d'acqua mediante il canale di Paderno. Né mancò, per completare il quadro degli ultimi anni del governo di Maria Teresa, l'*agrément* del mecenatismo e della cultura. Nel 1778 aprì i suoi battenti il neoclassico teatro della Scala e qualche anno dopo quello della Cannobiana. Il milanese — scriveva Pietro Verri — fu sotto Maria Teresa tanto felice « quanto è possibile esserlo sotto il governo assoluto ».

Ma la stagione del dispotismo illuminato non era ancora giunta al termine in Lombardia, ché anzi, con l'avvento sul trono di Vienna dell'insonne Giuseppe II (1780-1790), essa entrò nella sua fase più piena. Nel 1786 un vero « torrente di innovazioni » (l'espressione è dello storico Custodi) si abbatté sul Milanese: nuovi e più severi provvedimenti di tipo giurisdizionalistico, rimaneggiata la circoscrizione territoriale delle province, riformate le tariffe dei dazi e sancita la libera circolazione delle merci all'interno dello Stato, soppressi tutti gli antichi « corpi » costituiti dello Stato, compreso il venerando Senato; il tutto nel quadro di un accentramento burocratico minuzioso. A mano a mano che si avvicinava al termine della sua parabola il dispotismo illuminato austriaco si faceva sempre più illuminato, ma anche sempre più dispotismo. I milanesi ne ebbero la sensazione e Giuseppe II non fu presso di loro popolare quanto lo era stata Maria Teresa. Ce lo attesta lo stesso Pietro Verri nel suo scritto *Riflessioni sullo Stato di Milano nell'anno 1790*. Colui che era stato uno dei protagonisti del moto riformatore ci appare in questo scritto sfiduciato e preoccupato.

Questo senso e questa atmosfera di disagio trova probabilmente la sua spiegazione nel fatto che l'amministrazione, malgrado il suo imponente sforzo rinnovatore, non era riuscita a far lievitare dall'interno della società che aveva riformato delle forze sociali sufficientemente consistenti e coscienti per subentrare alla sua azione riformatrice e farsene esse stesse le continuatrici. Ci si può chiedere se, malgrado la sua intensità, l'azione riformatrice dispiegata non abbia peccato di timidezza circoscrivendo la propria sfera prevalentemente al settore finanziario e amministrativo e travalicando raramente in quello economico. È significativo ad esempio che la più incisiva e borghese delle riforme, quella sulla libertà di circolazione mercantile all'interno dello Stato, sia stata tra le ultime a essere realizzata. Ma converrà anche battere l'accento sulle difficoltà oggettive del successo, sulla immaturità cioè di un ceto borghese da troppo tempo abituato a integrarsi nel sistema, sulle forze di resistenza di un patriziato disposto sì ad accettare una razionalizzazione della sua supremazia, ma non a rinunciarvi, in tutto o anche in parte. Una rivoluzione dall'alto ha possibilità di successo soltanto se ad un determinato momento essa raggiunge quel punto di rottura per cui essa viene assecondata e ripresa dall'iniziativa autonoma dal basso e dall'emergere di forze sociali nuove. In Lombardia nel secolo XVIII ci si avvicinò certo più che in ogni altra parte d'Italia a questo punto di rottura. Esso tuttavia non fu raggiunto e, perché lo fosse, altri scossoni e altri sconvolgimenti sarebbero stati necessari.

Il riformismo absburgico: Toscana e Modena.

Dopo l'estinzione della dinastia dei Medici nel 1737, la Toscana, come si è detto, era stata assegnata a Francesco II di Lorena, marito di Maria Teresa. Questi non si mosse da Vienna e il paese venne governato fino al 1765 da un Consiglio di reggenza. Già in questo periodo l'orientamento riformatore della nuova dinastia venne però chiaramente delineandosi sia in campo economico, con l'autorizzazione alla libera esportazione dei grani della Maremma (1738), sia in campo amministrativo con provvedimenti che limitavano il regime dei fidecommessi e della manomorta, sia nel campo dei rapporti tra lo Stato e la Chiesa con l'abolizione della censura ecclesiastica sui libri e i favori concessi alla prospera colonia ebraica di Livorno. L'autentica stagione del riformismo toscano e lorenese iniziò però con l'avvento sul trono di Firenze di Pietro Leopoldo, anch'egli, come il fratello Giuseppe II, imbevuto di cultura illuministica e di fermenti religiosi giansenistici.

L'azione riformatrice di Pietro Leopoldo si avvalse anch'essa della collaborazione di una schiera di tecnici preparati e competenti, tra i quali spiccano i nomi di Francesco Gianni e di Pompeo Neri, quello stesso che aveva lavorato al catasto di Maria Teresa. Essa fu intesa innanzitutto a realizzare una piena liberalizzazione del mercato sia delle terre che dei loro prodotti. Tra il 1766 e il 1773 la circolazione del grano all'interno dello Stato e la sua esportazione vennero, con una serie di provvedimenti scaglionati nel tempo, rese assolutamente libere e fu abolita la rete di barriere e di pedaggi interni che ne ostacolavano il commercio. Contemporaneamente anche la terra fu liberata con una serie di misure che recarono un colpo mortale agli istituti del fidecommesso e della manomorta. Così facendo il governo lorenese veniva incontro non solo ai buoni princìpi della fisiocrazia trionfante, ma anche e soprattutto agli interessi dei proprietari che desideravano vendere, esportare e arrotondare i loro possedimenti a danno dei beni degli ordini religiosi e cavallereschi. Da allora il liberalismo comincerà ad essere uno dei dogmi del credo economico e politico dei proprietari toscani. Parallelamente a quest'opera di liberalizzazione economica, Pietro Leopoldo e i suoi collaboratori portarono a termine una completa opera di ristrutturazione amministrativa e fiscale dello Stato. La fine del vincolismo economico e dei privilegi annonari della città sollecitava infatti un trasferimento e una disseminazione del potere dalla Dominante alle campagne. La magistratura dei *conservatori della giurisdizione del dominio fiorentino,* che sino ad allora aveva soprasseduto agli affari del contado, e le analoghe istituzioni esistenti nelle altre maggiori città dello Stato vennero abolite e in loro luogo si istituirono nelle singole comunità delle amministrazioni locali, dotate di notevole autonomia e delle quali naturalmente furono *magna pars* i proprietari e gli *hobereaux* locali. Anche la struttura fiscale venne semplificata e decentrata con la istituzione di un'imposta fondiaria unica e con l'abolizione delle immunità ancora esistenti. Il carico fiscale risultava così più equamente distribuito. I bilanci furono resi pubblici.

Anche in Toscana peraltro il terreno in cui si procedette più oltre fu quello della lotta contro i privilegi ecclesiastici. Sul modello di quanto faceva a Vienna Giuseppe II e con l'appoggio dei vivaci elementi giansenisti dell'episcopato e del clero toscano, Pietro Leopoldo progettò addirittura negli ultimi anni del suo regno una riforma della Chiesa. Le innovazioni proposte da Scipione de' Ricci, vescovo di Prato e di Pistoia, e le tesi di netta ispirazione giansenistica da lui avanzate incontrarono prima l'ostilità delle masse rurali, che si vedevano defraudate dei simboli e delle credenze della loro fede tradizionale, poi della maggioranza del clero che, riunito in concilio a Firenze nel 1787, si pronunciò contro la continuazione dell'esperimento. Al granduca non rimase che di far buon viso a cattiva sorte e ai giansenisti toscani di scegliere tra la ritrattazione dei loro errori e la perseveranza nei medesimi sino ad abbracciare, alcuni anni dopo, idee apertamente democratiche e giacobine.

Malgrado questo insuccesso, il bilancio del riformismo e dell'assolutismo illuminato toscano appariva alla fine degli anni ottanta ricco di realizzazioni positive: oltre ai provvedimenti cui si è già accennato, esso poteva vantare al proprio attivo l'abolizione delle corporazioni cittadine, definitivamente sancita nel 1781, le opere di bonifica realizzata in Val di Chiana e altrove, una notevole politica di lavori pubblici e, *last but not least*, l'abolizione della pena di morte e della tortura. Gli strumenti di quest'ultima vennero bruciati pubblicamente e la Toscana poté menare il vanto di essere stata il primo paese d'Europa ad attuare le idee del Beccaria.

Vale però anche per la Toscana il discorso che si è fatto per la Lombardia. Certo l'agricoltura toscana non era quella della Bassa lombarda e, nelle condizioni di maggiore arretratezza che la caratterizzavano, il raggiungimento di quel punto di rottura di cui abbiamo parlato si presentava come un obiettivo raggiungibile soltanto a lungo termine. Non si trattava soltanto di liberare il passo e la strada a quelle forze che oggettivamente premevano nel senso di un rinnovamento delle strutture tradizionali e di una modernizzazione dell'agricoltura, ma di *creare* queste stesse forze. Comunque, per quanto lungo potesse essere il cammino, esso passava obbligatoriamente attraverso la modificazione dei contratti e dei rapporti agrari tradizionali e, in particolare, di quel contratto di mezzadria che dominava da secoli nelle campagne toscane.

Ne era consapevole Francesco Gianni quando nel 1769 presentò al granduca delle «istruzioni» con le quali si proponeva che le terre del Conservatorio di San Bonifacio, un grande istituto caritativo, fossero date a livello con una forma

di contratto quasi perpetuo per la quale il livellario, salvo
l'esborso di una somma iniziale e di un canone annuale
in favore del Conservatorio, acquistava la piena disponibilità della terra. L'obiettivo apertamente dichiarato dal Gianni
era quello di dare « la terra specialmente in mano a chi la
lavora » e di promuovere così la formazione di un ceto di
proprietari agricoli indipendenti. La proposta venne fatta
propria dal granduca e trasformata in un *motu proprio*, ma
i suoi promotori e sostenitori dovettero ben presto accor-
gersi che su questa strada le resistenze da superare non erano
poche né di poco conto.

Gli *hobereaux* e i proprietari fondiari, il cui peso specifico nella società toscana era stato notevolmente accre-
sciuto dalle recenti riforme dell'amministrazione locale, desideravano sì che i cospicui patrimoni fondiari delle opere
pie laicali e ecclesiastiche fossero immessi nel mercato, ma
desideravano soprattutto di essere essi stessi i beneficiari di
questa operazione. Le terre in questione non avrebbero dovuto essere allivellate, ma vendute, e i loro nuovi proprietari le avrebbero gestite secondo il sistema tradizionale della
mezzadria. Questa era infatti il cardine della società toscana
e il segreto del suo equilibrio: guai a chi attentasse ad essa.
Questi interessi non mancarono di trovare avvocati illustri
nell'Accademia dei Georgofili, vero sinedrio della possidenza
toscana. Si senta come uno di essi, Ferdinando Paoletti, si
pronunciasse circa la ventilata possibilità che i pubblici poteri intervenissero a regolare i rapporti tra padrone e contadino:

Il diritto di proprietà non può sussistere senza libertà...
Qualunque stabilimento che offenda o alteri questa libertà, of-
fende e altera la proprietà... se si prenda a regolare le convenzioni del nostro contratto con le leggi positive, resterà subito
limitata e alterata la libertà e in conseguenza la proprietà ... le
leggi sociali debbono tendere unicamente ad assicurare i diritti
della proprietà, l'autorità tutelare debbe essere protettrice non
regolatrice di privati interessi... in ogni qualunque pubblica am-

ministrazione l'agricoltura e tutto ciò che ha relazione con essa
deve portare segnato in fronte il *noli me tangere*...

Ma il Paoletti non era il solo a sostenere punti di vista
analoghi. Anche Pompeo Neri non la pensava molto diversamente, e ciò spiega la sua opposizione al progetto di al-
livellazioni del Gianni.

Queste resistenze non impedirono che negli anni successivi l'esperimento facesse il suo corso e che altre terre
di opere caritative, di ordini ecclesiastici e, infine, della stessa
casa regnante, seguissero la sorte di quelle del Conservatorio di San Bonifacio. Esse riuscirono però a frenare lo
slancio e in parte a snaturare il carattere del provvedimento
e a far sì che in più di un caso, anziché procedere all'alli-
vellazione in favore di coloro che coltivavano la terra con
le proprie braccia, si procedesse alle vendite in blocco, nelle
quali naturalmente rimanevano avvantaggiati coloro che disponevano di maggiori mezzi. Se a questo si aggiunge il
fatto che non pochi dei nuovi livellari furono probabilmente
indotti successivamente a disfarsi dei terreni loro assegnati,
si comprende come alla fine l'operazione avviata dal Gianni
non conseguisse che risultati trascurabili. Sulle stesse terre
del Conservatorio di San Bonifacio nel 1779 solo il 25 per
cento della rendita costituita dai canoni pagati proveniva
da livellari che in precedenza fossero stati dei mezzadri, mentre il 62 per cento proveniva da elementi della nobiltà, della
borghesia, da mediatori e trafficanti di campagna. Cinque
anni più tardi, nel 1784, il dislivello si era ancora accre-
sciuto, rispettivamente al 19 contro il 69 per cento.

Gli è che ai proprietari toscani, oltre, in molti casi, ai
capitali, facevano difetto la lungimiranza e il coraggio per
intraprendere un'opera di rinnovamento agrario su vasta scala.
Essi scelsero perciò in definitiva la via più breve e agli in-
certi profitti di un investimento a lungo termine preferirono quelli più sicuri e più familiari ottenuti e da ottenersi
mediante la intensificazione delle pressioni esercitate sui loro
contadini, come è dimostrato dal fatto che l'indebitamento

di questi ultimi nei confronti dei concedenti non cessò di mantenersi a livelli molto elevati e, in molti casi, di aumentare. Pronti ad assecondare l'opera riformatrice del governo fino al punto in cui questa coincidesse con i loro interessi, gli *hobereaux* toscani la osteggiavano non appena essa accennava a scalfire quell'autentica *pierre de touche* della società toscana che era la mezzadria. Alla lunga l'effetto stesso della riforma realizzata non poteva che essere progressivamente attenuato.

In una società siffatta, in cui lo sviluppo quantitativo della produzione era stato contenuto nello schema di rapporti agrari tradizionali, se non arcaici, una costituzione come quella che Pietro Leopoldo nei suoi ultimi anni di regno aveva vagheggiato di introdurre e che prevedeva l'istituzione di un'assemblea incaricata di esercitare il proprio controllo sull'amministrazione finanziaria dello Stato, avrebbe potuto difficilmente riuscire qualcosa di diverso da un doppione dell'accademia dei Georgofili, più un intralcio che uno strumento all'azione del principe illuminato.

All'area del riformismo austriaco appartiene anche Modena. Il duca Francesco III d'Este era infatti legato da vincoli familiari e politici alla corte di Vienna e uomini di fiducia del governo austriaco erano i suoi principali collaboratori. Attraverso il suo Stato passavano poi le nuove strade dell'Abetone e in direzione di Massa e ciò ne faceva una posizione troppo importante perché l'Austria potesse rinunciare a controllarla. Anche a Modena perciò le direttive riformatrici di Maria Teresa e Giuseppe II non mancarono di trovare applicazione. Anche qui si ebbero provvedimenti contro la manomorta, soppressioni di conventi, lotta ai « fermieri » e, infine, un nuovo catasto portato a termine nel 1788, sulla base del quale si procedette a una revisione del sistema fiscale. Ma anche a Modena vi fu un limite che non fu superato: la lotta contro i « fermieri » non approdò che alla sostituzione della compagnia « milanese » con quella locale e i colpi portati alla proprietà e ai privilegi nobiliari furono assai meno drastici di quelli che ebbero a subire la proprietà e i privilegi ecclesiastici.

Il riformismo borbonico: Napoli, Sicilia, Parma.

Anche nel Napoletano l'agricoltura profittò della favorevole congiuntura del secolo. L'incremento demografico (alla fine del secolo la popolazione del regno aveva raggiunto quasi i 5 milioni di abitanti), la conseguente dilatazione del mercato e il rialzo dei prezzi operarono anche nelle campagne meridionali come un fattore di sviluppo della produzione. Per quanto si debba lamentare in proposito una penuria di studi e di dati, riesce difficile pensare che ai cospicui aumenti delle esportazioni agricole constatati in precedenza non corrispondesse un analogo aumento della produzione e un orientamento della medesima verso i tipi di coltura più remunerativi e più commerciali, quali quelli degli oli e delle sete.

Questi progressi costituivano indubbiamente uno stimolo nel senso di una modernizzazione e di una razionalizzazione delle strutture agrarie del regno e una spinta alla liquidazione delle pesanti incrostazioni feudali che gravavano sul possesso fondiario; stimolo e spinta che, se fossero stati assecondati dal concorso delle forze sociali più interessate a una trasformazione di questo tipo, avrebbero potuto forse incidere profondamente nel tessuto della realtà meridionale nel suo complesso. Ma, come ci accingiamo a mostrare, essi non lo furono che in parte, in piccola parte.

Anzitutto è praticamente escluso che una siffatta funzione propulsiva potesse essere fatta propria dal ceto baronale. A differenza dei possidenti lombardi e degli stessi *hobereaux* toscani, i feudatari del Mezzogiorno, privi com'erano di ogni tradizione mercantile imprenditoriale e abituati da tempo a vivere nella capitale e alla corte, apprezzavano le loro rendite solo in funzione del prestigio che loro procuravano e del consumo, anzi dello spreco, che loro permettevano. Non vi è perciò da stupirsi se a lungo andare non pochi di essi si trovarono a versare in difficoltà e furono costretti a alienare parte dei loro feudi a dei *parvenus* di varia estrazione, contadini di qualche consistenza o « massari », commercianti, professionisti. Di fatto i documenti ci mostrano che la proprietà di questi gruppi sociali non cessa di avanzare lungo tutto l'arco del secolo.

Questi *parvenus* costituivano indubbiamente un ceto più dinamico e meno paralizzato da tabù e da idoli sociali nelle sue iniziative economiche, ma gli ostacoli che si frapponevano a una sua ulteriore promozione erano tali che spesso le loro energie si perdevano e si dissipavano per strada. In primo luogo occorre tener presente che il possesso fondiario cui essi erano pervenuti era raramente libero da censi e da servitù di tipo feudale e che di conseguenza la maggior parte di essi si trovava impegnata in una lotta su due fronti, da un lato contro le pretese del barone locale che accampava i titoli del suo diritto eminente su tutte le terre della sua giurisdizione, dall'altro contro l'« università » e comunità degli abitanti che rivendicava la continuazione di quegli « usi civici » di cui godeva da tempo immemorabile. Seppure da questa difficile lotta il proprietario borghese usciva vincitore e, come di fatto avvenne in vari casi, riusciva a imporre il suo diritto alla piena e libera disponibilità della propria terra sino magari a recingerla, tuttavia con questo le sue difficoltà non erano certo finite.

A differenza dei nobili e degli ecclesiastici i proprietari *roturiers* erano tenuti al pagamento delle tasse, e queste non erano né poche né lievi. La nuova dinastia borbonica, con le sue ambizioni regali e monumentali, non era meno dispendiosa della passata amministrazione spagnola e il sistema di percezione fiscale che quest'ultima aveva istituito non era stato nella sostanza modificato.

Certo il settore della vita economica ad essere maggiormente oppresso dal carico fiscale era quello del commercio. Altissimi ad esempio erano i dazi di esportazione sull'olio e sulle sete, per non parlare delle « tratte » sul grano. Ma in definitiva anche questi balzelli ricadevano sull'agricoltura: i commercianti erano infatti indotti a rifarsi delle defalcazioni che il fisco aveva operato sui loro guadagni a spese dei produttori da cui acquistavano le merci. Una delle forme in cui questa rivalsa avveniva più di frequente era quella del « contratto alla voce », in forza del quale, mediante un'anticipazione in denaro, il commerciante si assicurava il diritto di comperare al momento del raccolto sulla base del prezzo ufficiale che sarebbe stato fissato stagionalmente dalle autorità locali, a un livello cioè normalmente inferiore a quello del prezzo di mercato.

Impacciata dalle circostanti strutture feudali, gravata dalle tasse, taglieggiata dalla mediazione commerciale, la proprietà dei borghesi si trovava così pregiudicata nella propria possibilità di sviluppo e molti titolari di essa si trovavano in più di un caso ridotti a battere la via tradizionale dello sfruttamento a oltranza del lavoro contadino. Anziché combattere col baronaggio, essi finivano così per integrarsi in esso e con l'ereditarne la mentalità e, a lungo andare, l'assenteismo. Veniva così ad ottundersi nelle campagne meridionali quella demarcazione e quel contrasto fra le classi che avrebbe potuto costituire l'elemento risolutore della crisi. Ché anzi in una società siffatta, disgregata e gelatinosa, i rapporti tra i diversi ceti sociali tendevano anch'essi a frantumarsi in un pulviscolo di attriti locali, di personalismi, di litigi, sui quali prosperava la fortissima schiera degli avvocati, dei notai, dei legulei. Come la sua immensa e dolorosa capitale, nelle cui strade si affaccendava, in un'animazione vorticosa e inconcludente, un'umanità varia e contraddittoria di principi e di « lazzaroni », di privilegiati e di paria, anche la società meridionale girava insomma a vuoto, non riusciva cioè a esprimere dal proprio interno le energie capaci di operare nel senso del suo rinnovamento.

Ma ciò che non riusciva ad emergere per forza propria dall'interno, avrebbe potuto essere sollecitato e provocato dall'esterno se l'azione del governo fosse stata più incisiva e la sua audacia riformatrice maggiore. Ma, come ci accingiamo a vedere, non fu così.

Il nuovo re, Carlo di Borbone, che nel 1734 si insediò sul trono di Napoli, aveva un alto concetto della sua funzione di monarca. Non per nulla era un Borbone e un discendente di Luigi XIV. Da quest'ultimo egli aveva ereditato il gusto della costruzione monumentale e dell'urbanistica: a lui si deve l'iniziativa della costruzione delle regge di Caserta — un'autentica Versailles meridionale — e di Capodimonte e a lui si deve l'impulso dato agli scavi archeologici di Pompei, uno dei grandi eventi culturali del secolo. Ma Carlo di Borbone aveva anche sufficiente intelligenza politica per comprendere che nell'illuminato secolo XVIII la gloria di un monarca si misurava dall'ampiezza e dalla profondità della sua opera riformatrice. Per questo egli si circondò di collaboratori capaci e illuminati, tra i quali emerge la figura del toscano Bernardo Tanucci il quale, quando nel 1759 il re dovette lasciare il trono di Napoli per quello di Spagna, divenne l'esponente più in vista del Consiglio di reggenza incaricato di governare lo Stato durante la minore età del nuovo re, Ferdinando IV.

Il settore in cui il riformismo borbonico e tanucciano operò con maggiore incisività e con più cospicui risultati fu quello dei rapporti tra lo Stato e la Chiesa. L'immunità fiscale dei beni ecclesiastici venne ridotta, l'Inquisizione e il diritto di asilo soppressi, incamerati i beni di numerosi monasteri, circoscritta la manomorta e stipulato infine un concordato che poneva i rapporti tra la monarchia e Roma su di un piano di maggior eguaglianza. Questo indirizzo riformatore improntato a un severo anticurialismo corrispondeva del resto ampiamente alla formazione giuridica e alla mentalità avvocatesca prevalente in quell'intellettualità napoletana della quale Pietro Giannone, l'autore della *Storia civile del regno di Napoli* perseguitato dalla Chiesa e da essa costretto all'esilio e alla prigionia, era stato il maestro.

Ma, a Napoli come e più che altrove, i privilegi del

clero e degli ordini ecclesiastici, per quanto ingenti e ingombranti (i religiosi del regno erano 75.000 e possedevano da 2 milioni e mezzo a 6 milioni e mezzo di ducati di rendita), non costituivano che una parte del «sistema». Accanirsi esclusivamente o quasi contro di essi poteva significare — e di fatto significò — scegliere la direttrice di minor resistenza, infierire sull'avversario più debole e più esposto, quando invece le principali cittadelle e fortezze dell'*ancien régime* rimanevano indenni e inespugnate.

Ben poco fu intrapreso infatti per smantellare i privilegi e gli «abusi feudali» del baronaggio, per riformare l'apparato fiscale e amministrativo, per colpire il parassitismo della capitale nei confronti delle province. Il catasto generale del regno cui Carlo di Borbone dette l'avvio nel 1741, che avrebbe potuto costituire la base per questa complessa opera riformatrice, riuscì invece, per la approssimatività dei metodi con i quali fu condotto e, soprattutto, per la consistenza delle resistenze che esso incontrò al centro e alla periferia da parte dei privilegiati, uno strumento molto imperfetto. Altri provvedimenti isolati e disorganici non produssero che dei successi parziali e scarsamente significativi e nel complesso l'opera riformatrice intrapresa da Carlo e dai suoi collaboratori si concluse senza aver intaccato le strutture dell'*ancien régime* e aver alleviato, nonché estirpato, i suoi «abusi».

Quanto questi ultimi fossero intollerabili e incancreniti lo si vide al momento della terribile carestia del 1764, quando folle di affamati si riversarono su Napoli, portandovi la testimonianza di quali fossero le condizioni di vita in cui versava la grande maggioranza della popolazione del regno, condizioni, come dirà il Genovesi, degne degli ottentotti e non di abitanti della civilissima Europa. Questo tragico spettacolo costituì un vero e proprio trauma e un'esperienza importante per la più brillante, forse, tra le generazioni di intellettuali della lunga storia della cultura meridionale, quella dei Genovesi, dei Palmieri, dei Galanti, dei Filangieri, dei Pagano. A differenza della generazione precedente, la quale era cresciuta nello spirito dell'anticurialismo giannoniano e con una cultura prevalentemente giuridica, gli intellettuali napoletani della seconda metà del Settecento si erano formati sui testi degli illuministi e nutriti di studi economici e politici. Il loro caposcuola, il Genovesi, fu il titolare della prima cattedra di economia politica, anzi più esattamente «commercio e meccanica», istituita in Italia. Partendo da queste premesse essi non tardarono a maturare la convinzione che la soluzione dei problemi e della crisi del regno passasse attraverso una lotta senza quartiere contro gli abusi feudali nel loro complesso, del clero, dei baroni e della capitale, e attraverso una rigenerazione della società dalla sua base, dall'agricoltura.

La loro ora sembrò giungere a partire dagli anni settanta quando a corte divenne preponderante l'influenza della nuova regina Maria Carolina, una dinamica figlia di Maria Teresa che si era affiliata a una loggia massonica e si atteggiava a protettrice degli uomini e delle idee nuove. Alcuni di essi, come Giuseppe Palmieri, che fu nominato direttore del Supremo Consiglio di finanza, si videro assegnati degli incarichi e delle consulenze pubbliche. Ben presto però essi dovettero constatare che la resistenza dei ceti privilegiati e le difficoltà finanziarie in cui versava la monarchia avevano facilmente la meglio sui propositi o sulle velleità di riforma. Il Palmieri fu forse colui che ebbe le delusioni più amare: il suo progetto per la riforma dei dazi sull'esportazione dell'olio e della seta non passò, dopo lunghe discussioni, alla fase di realizzazione e il provvedimento inteso a favorire la censuazione dei demani feudali, con diritti di prelazione da parte dei coltivatori più disagiati, che egli riuscì a far emanare nel 1791, non ebbe anch'esso pratica e concreta attuazione. Il riformismo napoletano degli anni ottanta e novanta era del resto, a prescindere dalle sue scarse realizzazioni, un frutto in ritardo: ormai non erano pochi coloro che cominciavano a guardare oltre le frontiere del regno e della penisola, alla Francia e alla sua rivoluzione.

Un caso a parte è quello della Sicilia, che godeva di

un regime particolare nell'ambito del regno, essendo governata da un viceré e avendo conservato il suo Parlamento. Il ceto baronale, per quanto anch'esso fosse stato in molti casi costretto ad appaltare i suoi feudi a dei *parvenus* di estrazione contadina (i cosiddetti «gabellotti»), vi conservava una compattezza ben maggiore che nel continente ed era per tradizione avvezzo a considerarsi il solo rappresentante dell'isola e delle sue radicate prerogative autonomistiche. Lo scontro tra i baroni siciliani e i propositi riformatori della monarchia napoletana ebbe perciò carattere frontale. La sua fase più acuta fu toccata negli anni 1781-86 quando fu inviato nell'isola in qualità di viceré il marchese Caracciolo, un allievo del Genovesi che aveva frequentato i salotti di Parigi e ne era tornato profondamente imbevuto dello spirito dei lumi. Egli riuscì a ottenere qualche successo specie nella lotta contro i privilegi della Chiesa e gli abusi più patenti del sistema feudale. Tuttavia alla fine fu costretto ad abbandonare la partita senza esser riuscito a realizzare un suo progetto di catasto che avrebbe dovuto costituire il presupposto e la base per un'autentica eversione feudale. Il suo successore, il principe di Caramanico, che rimase nell'isola sino al 1794, seguì una linea di azione più moderata con il risultato che anche in Sicilia la stagione del riformismo passò senza aver prodotto notevoli risultati. Il più importante, forse, e il più ricco di conseguenze fu di ordine negativo, e cioè il nuovo alimento dato al tradizionale autonomismo siciliano. Ancora una volta i baroni avevano infatti avuto buon gioco nel fare comparire la loro battaglia in difesa dei propri interessi come una difesa a oltranza della Sicilia dall'invadenza straniera.

Il ducato di Parma era stato anch'esso assegnato nel 1748 ai Borboni nella persona di Filippo, un figlio di Elisabetta Farnese e genero di Luigi XV. Questi affidò l'educazione di suo figlio al Condillac e lasciò la gestione degli affari dello Stato a un francese, il du Tillot, il quale avviò una politica di riforme intesa essenzialmente a colpire i privilegi del clero e a promuovere l'impianto di « manifatture », favorendo a questo fine l'immigrazione di operai e di tecnici stranieri. Ciò suscitò peraltro il risentimento di larghi strati popolani che, fomentati dalla nobiltà e dalla corte — nella quale dopo la morte di Filippo era dominante l'influenza della duchessa Maria Amalia, una figlia di Maria Teresa, nettamente ostile al partito francese —, esplosero nel 1771 in violente dimostrazioni a seguito delle quali il du Tillot fu costretto a ritirarsi. Anche a Parma dunque l'esperimento riformatore si concludeva prematuramente con un sostanziale fallimento.

Gli Stati senza riforme.

Abbiamo parlato sin qui degli Stati italiani che furono investiti dall'ondata del riformismo settecentesco. Ma esiste anche un'Italia che da questa ondata non fu toccata affatto o ne fu solo parzialmente o superficialmente lambita. E non si tratta di una porzione irrilevante, ma di una parte cospicua della penisola.

A questa Italia senza riforme appartengono innanzitutto quegli Stati che avevano sostanzialmente conservato una struttura di tipo tradizionale, caratterizzata, come sappiamo, dalla netta divisione tra la città dominante e il suo territorio e dalla subordinazione amministrativa e economica di quest'ultimo alla prima. È questo, a prescindere dalla minuscola repubblica di Lucca con i suoi 120.000 abitanti, il caso di Genova. Privata del possesso della Corsica, che, dopo aver tentato invano di venire a capo della guerriglia guidata da Pasquale Paoli, si risolse nel 1768 a cedere alla Francia, essa era ridotta, anche dal punto di vista territoriale, alle dimensioni di uno Stato-città, rimanendole solo la giurisdizione, talvolta contestata, sulla ristretta zona costiera della riviera. Uno Stato-città Genova era però soprattutto per i suoi ordinamenti interni, rimasti sostanzialmente fermi alla riforma del 1576 e tuttora caratterizzati dall'assoluto predominio dell'oligarchia bancaria arroccata attorno a San Giorgio. I suoi quadri si erano molto assottigliati sino a conferirle i caratteri di una casta, ma la sua enorme potenza finanziaria le permetteva di mantenere il controllo della repubblica lasciando alla nobiltà impoverita e al ceto dei «civili» le cariche minori e gli impieghi nel settore della diplomazia, dell'amministrazione e dell'esercito, e servendosene così per tenere a freno le eventuali turbolenze popolari.

Come a Genova, anche a Venezia, ridotta ormai l'ombra della grande potenza mercantile che era stata, la crisi delle strutture politiche tradizionali si manifestò anzitutto attraverso un restringimento e una sclerosi dei quadri dell'oligarchia dominante. Ormai le famiglie che monopolizzavano praticamente la somma dei poteri erano ridotte a una cinquantina o poco più, mentre il rimanente della nobiltà — i cosiddetti «Barnabotti» — versavano in grandi angustie e si dovevano accontentare dei magri proventi di un piccolo cabotaggio mercantile o dei modesti stipendi di qualche carica nella terraferma, magari integrata da qualche mancia più o meno lecita. Gli organi collegiali di governo, e in particolare il Maggior Consiglio, subivano parallelamente un processo di esautorazione e vani risultarono i tentativi, quale quello promosso dal nobile Angelo Querini nel 1761-62 con l'appoggio dei Barnabotti, di ridar loro una qualche vitalità. Tuttavia, a differenza di Genova, Venezia possedeva un cospicuo e vasto dominio territoriale e le era perciò almeno teoricamente aperta la strada verso una correzione ed un riequilibramento del rapporto tra la Dominante e la terraferma. Ma il condizionamento del passato era troppo forte e l'oligarchia veneziana continuò a considerare la terraferma come un'appendice della città e a subordinarne agli interessi di questa ogni possibilità di sviluppo. Sprovvista di strade, isolata dall'esterno e divisa all'interno in una serie di circuiti chiusi da un sistema doganale concepito a suo tempo in funzione di assicurare il rifornimento annonario della capitale e lo smercio delle sue importazioni, la terraferma non costituiva nemmeno un'autentica unità territoriale, ma una federazione di città, ognuna signoreggiante sul proprio contado e a sua volta dominata da una ristretta oligarchia locale, unite soltanto dal comune rancore verso l'assolutismo burocratico e inefficiente cui erano soggette. In un'età in cui la razionalizzazione e il livellamento amministrativo del territorio apparivano sempre più come il presupposto per l'esistenza di uno Stato moderno, tale struttura a compartimenti stagni rappresentava un autentico anacronismo e si risolveva in una generale asfissia della vita economica. Non vi è da stupirsi se, in una situazione siffatta, delle tendenze centrifughe cominciarono a manifestarsi: a Brescia e a Bergamo verso la Lombardia, nel Friuli verso l'Austria.

Erano questi i presagi di una crisi non lontana e lo stesso patriziato veneziano sembrava rendersene conto o quanto meno esso si comportava come se se ne rendesse conto. La sua politica estera sembrava non aver altra preoccupazione che quella di mimetizzare l'esistenza della repubblica e tutti i suoi atti sembravano dominati da quella *terreur de l'avenir* che, a detta di un osservatore straniero, si era impadronita della città nota in tutta Europa per il suo conturbante carnevale e per la libertà dei suoi costumi.

Terreur de l'avenir dunque: ma non fino al punto di smarrire l'attaccamento per la propria città. Un profondo amore per Venezia è presente nei dipinti di un Guardi, di un Canaletto e degli altri « vedutisti », nella musica dell'Albinoni e nello stesso teatro di Goldoni. Di esso sono anche testimonianza quei « murazzi » che la repubblica nei suoi ultimi anni di vita costruì per proteggersi contro quel mare da cui essa aveva tratto la vita e dal quale, ora, non poteva attendersi che tempeste. Sono essi che hanno protetto Venezia dalla recente alluvione del novembre 1966.

Ci rimane da far cenno dello Stato pontificio. Mai come nel secolo XVIII il prestigio internazionale del papato toccò un punto tanto basso. Pio VII, che Napoleone Bonaparte, dopo averlo cacciato dai suoi Stati, costrinse alla prigionia e all'esilio, non fu il primo dei pontefici di questo periodo storico a dover subire le umiliazioni dei potenti del momento. Prima di lui Clemente XVI era stato costretto nel 1773 a decretare lo scioglimento della Compagnia di Gesù e Pio VI si era recato nel 1782 in pellegrinaggio a Vienna nel tentativo, pienamente fallito, di far recedere Giuseppe II dall'indirizzo anticurialista della sua politica. A ciò bisognerebbe aggiungere la lunghissima sequela di provvedimenti limitativi delle prerogative e dei privilegi del clero che i papi settecenteschi dovettero subire da parte di tutti o quasi i governi d'Europa e d'Italia e che, tra l'altro, avevano contribuito notevolmente ad aggravare la già cronica crisi finanziaria dello Stato pontificio. Privato del suo residuo prestigio internazionale, quest'ultimo era praticamente ridotto alla stregua di uno degli Stati in cui si divideva la penisola e tra questi esso passava universalmente per uno dei più arretrati e per il peggio governato.

Il panorama che, a cominciare dalla sua capitale, esso offriva al visitatore forestiero sembrava la negazione incarnata di ciò che agli occhi dell'opinione illuminata del secolo XVIII avrebbe dovuto essere una società « civilizzata ». A Roma — scriveva Montesquieu — « tout le monde est à son aise, excepté ceux qui travaillent, excepté ceux qui ont de l'industrie, excepté ceux qui cultivent les arts, excepté ceux qui ont des terres, excepté ceux qui font du commerce ». La descrizione era certo *haute en couleurs*, ma non era poi del tutto inadeguata per una città che su 140.000 abitanti contava migliaia di mendicanti e migliaia di religiosi. Il resto dello Stato era, in gran parte, a immagine e somiglianza della sua capitale. Proseguendo da Roma verso il Nord, il viaggiatore settecentesco incontrava dapprima le distese desolate e devastate dalla malaria della campagna romana e della Maremma laziale per inoltrarsi poi nell'Umbria e nelle Marche con le loro campagne sonnacchiose e le loro città e cittadine in cui il tempo sembrava essersi fermato ai giorni dell'Albornoz. Solo ad Ancona, il più attivo porto dello Stato, il panorama accennava a cambiare per migliorare poi decisamente a mano a mano che ci si addentrava nel territorio delle cosiddette «legazioni». Qui la campagna, con le sue «alberate», i suoi campi coltivati a canapa, con le sue opere idrauliche, aveva un aspetto ben diverso da quello dell'agricoltura romana o, anche, delle altre province dello Stato. Al centro di essa stava Bologna, una città di 70.000 abitanti, che oltre ad essere la sede di una prestigiosa università e di una non disprezzabile attività manifatturiera, veniva considerata il «porto di terra» dello Stato, situata com'era all'incrocio o in prossimità d'importanti arterie stradali e fluviali. Ma la relativa prosperità delle province settentrionali era quasi esclusivamente il riflesso della generale prosperità dell'Italia padana e, come tale, essa costituiva per lo Stato pontificio un punto di debolezza più che di forza. Non appena l'occasione favorevole si fosse presentata, vi era infatti da attendersi, come di fatto avvenne, che anche qui delle tendenze centrifughe si sarebbero fatte luce. Per quello che può sembrare, ma non è, un curioso paradosso, esse iniziarono a manifestarsi proprio quando il papato accennò a voler intraprendere una politica di riforma dello Stato, sotto il pontificato cioè di Pio VI (1775-98).

Questi era un uomo di ben altra energia e temperamento da quelli dei suoi predecessori e vi era in lui qualcosa delle ambizioni mecenatesche e monumentali dei papi della Rinascenza. Risalgono al suo pontificato, tra l'altro, la costruzione del Palazzo Braschi, l'apertura del Museo Pio Clementino e la ripresa dei lavori per il prosciugamento delle paludi pontine. Ma le sue iniziative riformatrici non ebbero altrettanta fortuna. La riforma tributaria intesa a semplificare l'esazione dei tributi e a limitare le immunità esistenti naufragò di fronte alle molte e prevedibili resistenze manifestatesi e il suo regista, il cardinale Ruffo, fu costretto a dimettersi dalla carica di tesoriere generale. In quanto al catasto cosiddetto «piano» del 1777 esso recava in sé il germe del fallimento, essendo basato sulle dichiarazioni di «assegna» dei proprietari. Solo nella legazione di Bologna, sotto l'energica guida del cardinale Ignazio Boncompagni Ludovisi, la rilevazione catastale venne eseguita sulla base di un'accurata stima peritale suscitando le gelosie e i pruriti municipali di coloro che nel pregiudizio portato ai loro privilegi vedevano un attentato alle prerogative e libertà della città e dando così la prima occasione di manifestarsi a quelle tendenze centrifughe cui accennavano poco sopra.

Che ciò accadesse sotto il segno di un misoneismo gretto e conservatore, non è cosa che debba meravigliarci molto. Ai *beati possidentes* il fatto che un governo, che aveva fatto per secoli del *quieta non movere* la sua divisa politica, intraprendesse ora una politica riformatrice non poteva non apparire un autentico tradimento. Quanto agli altri, a coloro che *possidentes* non erano, la loro sfiducia nel governo era troppo antica e troppo profonda perché potesse esser modificata dall'improvvisa apparizione di un papa con velleità riformatrici.

Un caso a parte: il Piemonte sabaudo.

Tra gli Stati italiani del Settecento il Piemonte fu il solo che seppe inserirsi attivamente e proficuamente nelle complicate vicende diplomatiche e militari della prima metà del secolo. La guerra di successione spagnola offrì infatti al duca Vittorio Amedeo II l'occasione che egli da tempo cercava per rompere il vassallaggio cui da decenni il suo Stato era ridotto nei confronti della Francia. Alleato con quest'ultima in un primo tempo, egli ruppe l'alleanza nel bel mezzo del conflitto (1703) passando dalla parte austriaca e contribuendo così ad accrescere l'isolamento di Luigi XIV. Fu una spregiudicatezza ben impiegata. Alla fine del conflitto i trattati di Utrecht e di Rastadt gli riconobbero il titolo reale e gli assegnarono il Monferrato, Alessandria e la Sicilia. Quest'ultima conquista dovette peraltro sette anni dopo essere permutata con la più povera e arretrata Sardegna. Il successore di Vittorio Amedeo II, Carlo Emanuele III ne continuò la politica spregiudicata e fortunata. Alleato della Francia nella guerra di successione polacca e dell'Austria in quella per la successione austriaca, egli seppe in entrambi i casi scegliere l'alleato giusto e il risultato fu che alla data del 1748 il Piemonte era riuscito a incorporare una parte notevole dei ricchi territori della vicina Lombardia raggiungendo il confine del Ticino. Il baricentro dello Stato si trovava così spostato ancora più a est, verso la pianura padana, verso l'Italia. Bisogna però guardarsi dallo scorgere nell'espansionismo sabaudo settecentesco una sorta di anticipazione della politica nazionale di Cavour e di Vittorio Emanuele II. Gli obiettivi di Vittorio Amedeo II e di Carlo Emanuele III non furono nazionali, ma territoriali e dinastici, e la loro condotta dettata da considerazioni esclusivamente di opportunità. Lo prova il fatto che, al momento della guerra di successione austriaca, essi preferirono l'alleanza di Maria Teresa e i limitati vantaggi territoriali che questa loro assicurava a quella francese e al piano d'Argenson che, anticipando in un certo qual modo le linee future della politica di Napoleone III nella penisola, garantiva loro la Lombardia nel quadro di una generale rimanipolazione dell'equilibrio italiano.

Contemporaneamente a quest'opera di espansione e di consolidamento del prestigio militare e diplomatico dello Stato, procedeva quella di modernizzazione delle sue strutture interne. Vittorio Amedeo II era stato di volta in volta un alleato o un nemico di Luigi XIV, ma sempre ne fu un ammiratore e un imitatore. Eccolo infatti nel 1717, appena cinta la corona reale, riformare con una serie di editti l'intera amministrazione dello Stato, modellandone le strutture su quelle centralizzate della Francia di Colbert: un Consiglio di Stato cui facevano capo le varie «aziende», un Consiglio generale delle finanze e una rete di intendenti disseminati nelle varie province per assicurare su di esse il controllo del potere centrale. Forte di questi strumenti, egli poteva dar libero corso alla sua azione politica tesa ad affermare la preminenza della monarchia e il suo ruolo di arbitro tra i vari «ordini» dello Stato. Il clero vide ridotti e ristretti i cospicui privilegi e immunità di cui godeva e circoscritta la propria presenza nei tradizionali settori dell'assistenza pubblica e dell'educazione: gli ospizi e gli ospedali gestiti dallo Stato si vennero sostituendo alle disperse iniziative caritative del clero, mentre il potenziamento dell'università di Torino si accompagnò al disegno di rinnovarne il corpo insegnante escludendo gli elementi tradizionalisti e preferendo quelli imbevuti di idee gallicane e, magari, gianseniste. Anche la nobiltà vide notevolmente ridotti i suoi privilegi, e le sue terre, incluse nel catasto voluto da Vittorio Amedeo II, si trovarono di conseguenza sottoposte a una più regolare e puntuale pressione fiscale. Ne risultò così accelerato il processo di trasformazione della nobiltà stessa da classe di *hobereaux* e di feudatari semindipendenti in classe di funzionari impiegati nell'esercito, nella diplomazia e nell'amministrazione. In quest'ultima peraltro l'elemento borghese e *parvenu* era di gran lunga predominante.

Non mancò, per completare il quadro delle analogie con la Francia di Luigi XIV e di Colbert, una notevole politica di lavori pubblici. Nuove strade e canali furono aperti e il porto di Nizza, che costituiva allora l'unico sbocco sul mare del regno, venne ampliato. Particolarmente intenso, il che spiega il fortissimo incremento demografico già constatato, fu lo sviluppo della capitale dello Stato. Fu infatti nel corso del secolo XVIII che Torino assunse quei caratteri di città simmetrica e regale che ancor oggi conferiscono al suo centro storico un aspetto così diverso da quello delle altre città italiane. La maggior parte degli edifici elevati in questo periodo — dalla basilica di Superga, eretta per celebrare la vittoria del 1706 sui francesi, al Palazzo Madama, a molti altri — sono opere di un architetto siciliano, Filippo Juvara, che Vittorio Amedeo II condusse a Torino e che fu un poco un Mansart subalpino.

La complessa opera di governo della nuova monarchia sabauda ha il suo periodo più intenso nel primo trentennio del secolo ed è quindi cronologicamente in anticipo rispetto a quella degli altri principi riformatori italiani: quando Vittorio Amedeo II riformava l'amministrazione del suo Stato, potenziava l'università di Torino, lottava contro gli abusi del clero e della nobiltà, a Firenze regnavano ancora i Medici, Napoli non era stata ancora restituita all'indipendenza e la felice stagione del riformismo teresiano non era ancora cominciata in Lombardia.

La differenza tuttavia non è soltanto cronologica, ma anche e soprattutto qualitativa. L'azione dei monarchi sabaudi s'inquadra infatti, come si è visto, più nello schema di un assolutismo di tipo classico, alla Luigi XIV, che non in quello del dispotismo illuminato dei principi settecenteschi, alla Giuseppe II. Ciò appare evidente soprattutto se si prende in considerazione il settore della politica economica: il Piemonte non conobbe nulla di simile a quel processo di liberalizzazione del mercato delle terre e delle merci che fu invece attuato in Lombardia e in Toscana e la sua vita economica continuò in sostanza a svilupparsi all'insegna del mercantilismo e del vincolismo cittadino. Ciò non contribuì certo a favorire il libero sviluppo delle pur consistenti fortune e iniziative borghesi, soprattutto nelle province già appartenenti alla Lombardia, nelle quali era largamente praticata la cultura del riso e diffuso il sistema dell'affittanza di tipo capitalistico. La stessa esportazione della seta greggia, che costituiva la maggior risorsa di larga parte dell'agricoltura piemontese, trovò numerosi intralci nella politica del governo intesa a favorire lo sviluppo delle manifatture nazionali e dei ristretti gruppi ad esse collegati. Il risultato fu, come si è detto, che si trovò incoraggiata la tendenza dei ceti borghesi a «integrarsi», attraverso gli uffici e l'acquisizione di titoli nobiliari, nel sistema della monarchia assoluta e che la struttura centralizzata e burocratica dello Stato venne così gradualmente prendendo il sopravvento sui germi di rinnovamento e di rottura che fermentavano nel tessuto stesso della società. A lungo andare lo stesso dinamismo riformatore della monarchia non poteva a sua volta non esserne frenato e di fatto dagli ultimi anni di regno di Vittorio Amedeo II tale processo involutivo comincia a delinearsi. Del 1727 è la stipulazione di un concordato che significò praticamente una rinuncia alla prosecuzione della politica anticurialista intrapresa in precedenza; del 1736 l'arresto e l'imprigionamento dell'esule Pietro Giannone e il licenziamento di alcuni professori dell'università di idee più avanzate. Nei decenni seguenti la tendenza al ripiegamento si profila sempre più netta, sino a toccare il suo punto più basso sotto il regno di Vittorio Amedeo III (1773-96). Mentre a Milano, a Firenze, a Napoli il movimento riformatore entrava nella sua stagione più piena, in Piemonte ogni proposito rinnovatore veniva lasciato cadere e Torino diventava la più grigia tra le capitali italiane, quella meglio protetta contro il dilagare dei « lumi » dalla barriera della censura e del misoneismo, la caserma e la Beozia dell'Italia illuminata.

Una certa forza d'urto l'assolutismo sabaudo conservava soltanto nei confronti di una struttura sociale arcaica quale era quella della Sardegna, ma anche. in questo caso la sua azione, discontinua e disorganica, finì più con il provocare il risentimento dei ceti privilegiati che essa aveva disturbato che con l'attirarsi il consenso e il favore degli altri ceti sociali.

Non vi è da meravigliarsi se gli spiriti più irrequieti cercavano di evadere da un ambiente chiuso quale era quello del Piemonte della seconda metà del secolo XVIII. Il primo illustre rappresentante dell'emigrazione intellettuale piemontese fu Alberto Radicati di Passerano, un aristocratico che, dopo un'adolescenza e una giovinezza turbinose (sposo a 17 anni, a 19 era già vedovo e a 23 rimaritato) e scialacquatrici, si era buttato anima e corpo al servizio di Vittorio Amedeo II, nella convinzione di collaborare a una grande opera di riforma politica e religiosa dello Stato. Il concordato del 1727 venne però a disilluderlo e le sue proteste e intemperanze lo costrinsero ad abbandonare lo Stato e a farsi viaggiatore e avventuriero prima in Inghilterra, poi in Olanda, dove morì nel 1737 dopo aver consegnato nei suoi scritti il suo sogno di una religione restituita alla purezza di un deismo naturale e di una società ricondotta allo stato di natura. Ma il principe dei ribelli e degli emigrati piemontesi fu certo il conte Vittorio Alfieri, per quanto la sua ribellione rimanga confinata nei limiti di un atto individuale, di una protesta anarchica. Ombroso come lo sono gli aristocratici e i letterati, l'Alfieri rivolge oggi la sua protesta contro il misoneismo della corte di Torino, domani contro gli eccessi della rivoluzione parigina, sempre contro la volgarità della « plebe » e della « sesquiplebe », l'epiteto con cui egli stigmatizzava il ceto dei borghesi e dei *parvenus*. Ma non era necessario possedere il temperamento di un Alfieri o di un Radicati per trovare poco propizia l'atmosfera del Piemonte sabaudo: all'esilio, alla prigione o al silenzio furono costrette anche fibre meno eccezionali e intelletti meno corruschi, quali quelli dell'astronomo Lagrange, che era stato tra i fondatori dell'accademia delle Scienze, di Dalmazzo Francesco Vasco, autore di scritti di economia e politica, e dell'abate Carlo Denina, candida figura di erudito e di studioso.

Nell'Italia settecentesca il Piemonte era insomma dal punto di vista politico e intellettuale un'area depressa e riesce assai difficile conciliare questa constatazione con quella del ruolo che esso svolgerà nel secolo successivo nelle vicende della storia italiana. Non va però a questo proposito dimenticato che tra gli Stati italiani il regno sabaudo era pur sempre quello più stagionato e più collaudato. La sua nobiltà, a differenza di quella degli altri Stati italiani, non era una nobiltà di « ritorno », formata di patrizi e borghesi tornati alla terra nei secoli della stagnazione e della decadenza economica, ma una nobiltà antica che dalle sue origini cavalleresche traeva l'abitudine al comando e all'obbedienza. Il suo re era anch'egli un antico feudatario che, come i suoi confratelli d'oltralpe, era riuscito a imporre con un lungo lavoro di secoli la sua autorità di sovrano assoluto. Torino non era mai stata una città all'italiana, dominante e signoreggiante sul contado, ma un antico luogo fortificato trasformatosi relativamente di recente in capitale. In altre parole lo sviluppo storico del Piemonte era stato, in una certa misura, una ripetizione in piccolo di quello dei grandi Stati d'oltralpe, una trasformazione cioè della monarchia feudale in monarchia assoluta attuata all'insegna delle continuità delle istituzioni e dei costumi. Non vi erano state nella storia della formazione dello Stato sabaudo né le precoci primavere, né i prolungati autunni che avevano caratterizzato quella delle città e degli Stati italiani dell'area comunale. Tra gli Stati della penisola del Settecento esso era il più vecchio e il più stagionato, ma, in un certo senso, anche il più giovane e il più disponibile.

III

LA RIVOLUZIONE FRANCESE E L'ITALIA

L'Italia giacobina.

Dall'analisi che abbiamo fatto nel capitolo precedente della vita dei vari Stati italiani nel Settecento è apparso chiaramente che l'area del riformismo illuminato fu circoscritta soltanto ad alcuni di essi, alla Lombardia austriaca, a Parma, alla Toscana lorenese e al regno di Napoli. Tutto il resto della penisola ne rimase sostanzialmente escluso. Di più: a Napoli, a Parma, nella stessa Firenze, il movimento riformatore era attorno agli anni ottanta già nella sua fase discendente e mostrava segni di stanchezza e di ripiegamento. Solo in Lombardia, per impulso di Giuseppe II, esso manteneva ancora una notevole forza d'urto.

Non è vero quindi, come è stato sostenuto da storici di indirizzo nazionalista, che la Rivoluzione francese dell'89 venne a interrompere con i suoi «eccessi» un ordinato moto di progresso, che senza questo incidente di proporzioni macroscopiche sarebbe facilmente giunto a raggiungere il traguardo del rinnovamento civile e politico della penisola. Alla data del 1789 il ciclo del riformismo illuminato era già sostanzialmente chiuso e taluni degli uomini che lo avevano sostenuto si venivano orientando verso soluzioni più radicali e non esitavano perciò a far propri gli immortali principi della Rivoluzione. È questo il caso di quella che potremmo chiamare la «sinistra» dei riformatori napo-

letani, oppure quello della maggior parte ˜del clero gianseni-
sta. Lo stesso Pietro Verri, che pure era ben lungi dall'essere
un temperamento di rivoluzionario, si rammaricava che
il luminoso esempio francese non fosse compreso, anzi osteg-
giato, dai suoi compatrioti e commentava con un moto di
amarezza:

> Le idee francesi servono di modello agli altri popoli... che
> accadrà dell'Italia? Siamo immaturi e non ancora degni di vivere
> sotto il regno della virtù. A forza di voler esser furbi siamo, al
> pari dei greci, il rifiuto d'Europa dopo esserne stati i maestri.

Ma naturalmente coloro che più rapidamente e più incon-
dizionatamente sposarono la causa dei rivoluzionari francesi
furono i giovani delle ultime generazioni. Furono costoro
gli organizzatori e i protagonisti dei vari tentativi e moti rivoluzionari che tra il 1794 e il 1795, con molto entusiasmo
e con molta improvvisazione, furono attuati e repressi san-
guinosamente in Piemonte, a Bologna, a Palermo, in Sardegna. Luigi Zamboni, uno studente in legge, che fu tra i promotori dei moti bolognesi, aveva ventitré anni quando nel
1795 venne giustiziato e ventidue ne aveva Emanuele De Deo
impiccato nel 1794 a Napoli per attività cospirativa. L'orientamento ideale di questi giovani si può, con qualche approssimazione, definire « giacobino »: Rousseau era il loro autore
preferito, la Costituzione dell'anno I il loro modello politico.
Il fatto che nella Francia del Direttorio i giacobini stessero
passando dei brutti momenti non impediva però loro di guardare alla sorella latina come alla sola possibile liberatrice
della penisola.

Del resto la Francia aveva già un piede in Italia. Le
vicende della Corsica, della sua lotta per la libertà, erano
state seguite appassionatamente dall'opinione illuminata italiana e Pasquale Paoli era stato presso di essa uno degli uomini
più popolari del secolo. Ora che la Corsica, terra italiana per
lingua e per tradizioni, era divenuta francese e che la Francia era divenuta rivoluzionaria, l'idea di fare dell'isola un

trait d'union tra l'avvenuta rivoluzione francese e la futura rivoluzione italiana si presentava abbastanza naturalmente. Nel 1790 Filippo Buonarroti, un discendente di Michelangelo e studente « giacobino » dell'università di Pisa, si trasferì in Corsica e vi iniziò le pubblicazioni di un periodico — il « Giornale patriottico di Corsica » — che può considerarsi l'incunabolo della stampa risorgimentale italiana. Più tardi, nel 1794, quando la Francia, che già da due anni si trovava in guerra con il Piemonte alleato all'Austria e che già in precedenza si era annessa Nizza e la Savoia, occupò il territorio di Oneglia, egli vi fu assegnato come commissario e approfittò dell'occasione per trasferire il suo quartier generale dall'isola al continente e stringere più saldi contatti con gli altri elementi e centri del patriottismo italiano. Il suo giacobinismo e il suo robespierrismo gli valsero però il richiamo a Parigi e alcuni mesi di arresto. Liberato egli ritornò a tessere le fila della rivoluzione italiana e cercò di guadagnare alla sua causa, con gli scritti e con l'azione cospirativa, i membri del Direttorio e gli esponenti più in vista dell'Armata d'Italia, tra i quali il nuovo comandante della medesima, anch'egli un corso, Napoleone Bonaparte. Nel frattempo partecipava attivamente alla preparazione della congiura babouvista degli Eguali: la causa della rivoluzione italiana faceva per lui tutt'uno con quella del giacobinismo francese. I suoi tentativi fallirono però sia in Francia che in Italia: quasi contemporaneamente la cospirazione degli Eguali era scoperta e a Cherasco era firmato l'armistizio tra la Francia e il re di Sardegna. Il Buonarroti venne arrestato e i suoi amici italiani, i quali, seguendo le sue istruzioni, avevano costituito una municipalità rivoluzionaria nella cittadina piemontese di Alba e di lì avevano lanciano un appello alle forze rivoluzionarie piemontesi e lombarde, furono costretti a rinunciare ai loro progetti. Alba stessa, secondo i termini dell'armistizio, venne riconsegnata al re di Sardegna.

Sembrava dunque — e il Buonarroti era stato il primo a sperimentarlo — che non vi fosse conciliazione possibile tra la causa della rivoluzione italiana e gli interessi della nuova Francia termidoriana, tra le ansie di una rivoluzione non ancora iniziata e le preoccupazioni di stabilità e rispettabilità di una rivoluzione « arrivata ». Nei confronti dell'Italia la politica estera della nuova Francia non sembrava mutata rispetto a quella dell'*ancien régime*: una volta raggiunte le « frontiere naturali » con l'acquisto di Nizza e della Savoia sancito dall'armistizio di Cherasco, e dopo essersi assicurato il controllo militare del Piemonte, il Direttorio sembrava orientato a produrre su altri fronti lo sforzo militare necessario a costringere l'Austria alla trattativa. Ed era logica previsione che da quella trattativa l'assetto della penisola sarebbe stato modificato solo in funzione del raggiungimento di un nuovo equilibrio tra le due maggiori potenze continentali.

Ma in periodi di rivoluzioni e di guerre civili le previsioni più logiche risultano spesso smentite e il corso degli eventi prende strade impensate, specie quando ad essi si mischi una personalità di eccezione quale quella di Napoleone Bonaparte. Il nuovo comandante dell'armata d'Italia non era un uomo da contentarsi del ruolo secondario che i piani del Direttorio gli assegnavano. Tra il maggio del '96 e l'aprile del '97, in meno di un anno, egli aveva conseguito una serie di vittorie militari senza precedenti, occupata tutta l'Italia settentrionale, si era spinto sino alle porte di Vienna costringendo l'Austria ai preliminari di Leoben e aveva acquisito nei confronti del Direttorio una libertà di movimenti e d'iniziativa della quale si avvalse per svolgere nella penisola una propria e personale politica.

Sostanzialmente le linee di quest'ultima non si discostavano, come vedremo, da quelle del Direttorio e furono sempre e comunque subordinate agli interessi statali della Francia. Ma, a differenza dei direttori parigini, Napoleone intuiva che una stabile influenza francese in Italia non avrebbe potuto mettere radici se, in una certa misura, non avessero avuto soddisfazione le aspirazioni di rinnovamento e di indipendenza coltivate dalla parte della popolazione italiana che aveva salutato nelle sue armate le liberatrici della penisola.

Pare che fosse su suo consiglio che l'amministrazione generale della Lombardia, da lui insediata in sostituzione del precedente regime di occupazione militare, bandì nel settembre 1796 un concorso per una dissertazione sul tema *Quale dei governi liberi meglio convenga alla felicità d'Italia*. Ad essa partecipò il fior fiore dell'intelligenza italiana, dal piacentino Melchiorre Gioia (che risultò il vincitore), ai piemontesi Ranza e Botta, al veneto Fantuzzi, al fiorentino Ristori, al romano Lattanzi, al napoletano Galdi. Né mancarono dei francesi, tra i quali il Rouher, e un poeta titolato, Giovanni Fantoni. Le soluzioni proposte erano le più varie, tra i due poli della repubblica unitaria sul modello di quella francese « una ed indivisibile » e della repubblica federativa. Comune però a tutte le dissertazioni presentate era il tono di speranza e di fiducia. Ma dal delineare piani di indipendenza e di unità al mandarli ad effetto il passo era lungo e la matassa italiana si dimostrò alla prova dei fatti molto più aggrovigliata di quanto pensavano i giacobini e i patrioti del 1796.

Le « repubbliche sorelle » e la reazione del 1799.

In un primo tempo le speranze di quegli italiani che avevano salutato in Napoleone il liberatore d'Italia sembrarono trovare una conferma, almeno parziale, nel decorso degli eventi. Tra l'ottobre 1796 e il marzo 1797 una serie di congressi, cui parteciparono i rappresentanti delle città dei ducati e delle legazioni, che Bonaparte aveva sottratto alla sovranità pontificia, approdarono alla costituzione di una Repubblica cispadana, la quale assunse come propria bandiera il tricolore. Nel giugno la neonata Repubblica cispadana fu assorbita nel più vasto organismo politico della Repubblica cisalpina, che ebbe per propria capitale Milano, e nella quale furono incorporati anche i territori veneti di Brescia e Bergamo, la Valtellina, il ducato di Massa Carrara e la Romagna. Così per la prima volta dai tempi di Gian Galeazzo Visconti, un forte Stato, che disponeva di una propria bandiera e di un proprio esercito (la cosiddetta « legione italiana ») si era formato nell'Italia settentrionale e centrale e si poteva ragionevolmente sperare che esso avrebbe potuto costituire un centro di attrazione e di agglomerazione per i territori che sarebbero stati successivamente liberati. Ma ogni speranza in questo senso fu ben presto frustrata. Genova, nella quale la Cisalpina avrebbe trovato il suo naturale sbocco sul mare, fu eretta nel giugno 1797 in una repubblica a sé stante, la Repubblica ligure, e venne in tal modo ancorata al suo vecchio municipalismo. Venezia e la terraferma veneta a est dell'Adige vennero invece con il trattato di Campoformio dell'ottobre 1797 assegnate all'Austria, ad onta delle aspirazioni e delle proteste del patriottismo veneto e cisalpino. Il Piemonte infine ai primi del 1799 fu annesso alla Francia.

Ma anche contenuta nei suoi confini originari la Cisalpina, con i suoi 3 milioni e mezzo di abitanti, avrebbe potuto costituire un campo d'azione sufficientemente vasto per un esperimento di rinnovamento politico e civile di rilevanza nazionale, se su di essa non si fosse pesantemente esercitata la *mainmise* francese. Essa non cessò mai un istante di essere, come del resto tutte le altre repubbliche « sorelle », un paese, malgrado la sua formale indipendenza, soggetto a un regime di occupazione militare, con tutte le conseguenze che ne derivavano: requisizioni continue, imposizione di elevatissime contribuzioni che finirono per gettare nel dissesto le finanze del giovane Stato, razzie di opere d'arte. I suoi governanti, che erano stati del resto personalmente scelti da Napoleone, non disposero mai di un'effettiva libertà di movimento nei confronti degli inviati e dei commissari del Direttorio e quelli di loro che cercarono di procurarsene un po', rifiutando ad esempio di ratificare un trattato di alleanza con la Francia che prevedeva tra l'altro il pagamento di una fortissima indennità, furono tempestivamente estromessi. Ma non si trattava soltanto di questo: la costituzione della Cisalpina era stata ricalcata su quella francese dell'anno terzo, con il suo bicameralismo e il suo suffragio a base censitaria.

In un paese in cui il Terzo stato aveva una consistenza e una consapevolezza relative e in cui nessuna rivoluzione aveva proceduto a una certa ridistribuzione e rimescolamento delle ricchezze, ciò significava consegnare il potere a un ceto sociale ristretto, formato in prevalenza di patrizi e di professionisti, di elementi cioè per i quali, salvo eccezioni, il timore del nuovo era in definitiva più forte dell'insofferenza nei confronti del vecchio. Ciò corrispondeva pienamente ai piani e ai desideri di Napoleone e dei governanti di Parigi, i quali guardavano con fastidio e diffidenza all'unitarismo e all'estremismo dei giacobini e degli *anarchistes*, ma corrispondeva assai meno alle profonde, anche se inconsapevoli, istanze di rinnovamento che fermentavano nella società italiana.

Tuttavia, anche con questi limiti, i due anni di vita della Cisalpina contano qualcosa nella storia dell'Italia moderna. Per la prima volta la barriera del municipalismo era stata rotta e italiani di diverse regioni si erano trovati associati nelle assemblee e negli organi di governo cisalpini. Per la prima volta una città italiana, quella Milano di cui Stendhal amava definirsi cittadino, aveva assolto con il suo giornalismo, con i suoi *clubs*, con la sua vita intellettuale, le funzioni di una autentica capitale e aveva costituito il punto di convegno della dispersa *intellighenzia* italiana. Questo fervore politico e intellettuale non si tradusse che in parte, per le ragioni cui si è accennato, in concreta attività di governo. Tuttavia alcune realizzazioni ci furono, quali la definitiva abolizione dei fidecommessi e delle manomorte, l'istituzione del matrimonio civile, la devoluzione ai comuni delle funzioni di stato civile, la secolarizzazione di numerosi ordini e congregazioni religiose. Era troppo per un governo di ordinaria amministrazione e troppo poco per un governo rivoluzionario. Per questo la Cisalpina non arrivò a mettere profonde radici nel paese.

Analoghi rilievi si possono fare per le altre due repubbliche — la Romana e la Partenopea — che furono costituite quando già Napoleone aveva lasciato l'Italia per l'Egitto,

in seguito alla riapertura delle ostilità contro il papa e i
Borboni di Napoli. La Repubblica romana cominciò a vivere nel febbraio 1798 ed ebbe una costituzione anch'essa
modellata su quella dell'anno terzo e interamente dettata da
una commissione francese. Fu sino alla fine sostanzialmente
un protettorato e i soli suoi atti di rilievo furono l'abolizione dei fidecommessi e la parificazione degli ebrei agli altri
cittadini. Vita ancor più breve ebbe la Repubblica napoletana: proclamata nel gennaio 1799, dopo che le truppe del
Championnet avevano travolto la resistenza borbonica, essa
visse soltanto cinque mesi e la cosa più notevole della sua
brevissima esistenza fu, come vedremo, la sua fine gloriosa.

   Dopo tante vittorie le sorti della campagna d'Italia stavano infatti volgendo sfavorevolmente per i francesi. Nella
primavera del 1799 le armate austro-russe al comando del
Suvorov dilagavano nella pianura padana, mentre dalla Calabria il cardinale Ruffo si accingeva a muovere alla testa
delle sue bande sanfediste alla riconquista di Napoli. Pochi
mesi dopo i francesi erano cacciati da tutta la penisola e
conservavano soltanto la piazzaforte di Genova. La vittoria
degli eserciti della coalizione antifrancese non avrebbe potuto peraltro essere così rapida se non fosse stata agevo-
lata dall'interno. Un po' dovunque infatti nelle campagne
italiane, in Piemonte, nell'Italia centrale, nel Mezzogiorno,
si sviluppò nel corso del 1799 una guerriglia e un'insorgenza
antifrancese a carattere popolare e contadino. Si illustrarono
in questa guerra rustica e spietata personaggi singolari: banditi come il celeberrimo Fra Diavolo che operò in Terra di
lavoro, ufficiali sbandati e agenti stranieri come rispettivamente
quel Lorenzo Mori e quel Waugham che, assieme alla loro
comune amante, Alessandra « pulzella » del Valdarno, furono
alla testa di quell'armata aretina che al grido di « viva Maria! »
si riversò sulle città della Toscana e dell'Umbria, facendo
strage di giacobini e di ebrei. Cardinali infine come quel
Fabrizio Ruffo che, sbarcato in Calabria con pochi uomini,
giunse a Napoli alla testa di un esercito di contadini e di
lazzaroni, l'esercito della Santa Fede.

Così l'Italia aveva la sua Vandea senza aver avuto una sua autentica rivoluzione. Ma forse proprio per questo la reazione del '99 fu così ampia e così feroce. Nel fanatismo delle bande contadine che si accanivano contro i francesi, i giacobini e gli ebrei, vi era anche la disperazione e la rabbia di chi ancora una volta era stato deluso e che ora si sfogava come poteva, contro chi poteva. I principi avevano parlato di « pubblica felicità », i giacobini avevano evocato la legge agraria, ma nel complesso il secolo dei lumi e della rivoluzione era passato senza che nulla sostanzialmente fosse cambiato nelle loro condizioni. Ora essi ne celebravano la fine in un clima di tragedia e prendevano su di esso un'effimera vendetta.

La città sulla quale l'ondata della reazione si abbatté con maggiore ferocia fu Napoli. Stretti per terra dalle bande del cardinale Ruffo e per mare dalla flotta inglese al comando di Nelson, i patrioti e i repubblicani napoletani resistettero validamente per vari giorni asserragliati nei forti della città, fino a che venne loro offerta una capitolazione onorevole. I termini dell'accordo, che prevedeva la loro incolumità, non vennero accettati da Nelson ed ebbe così inizio un autentico massacro. Caddero vittime della reazione del 1799 alcuni degli esponenti migliori della cultura e dell'aristocrazia napoletana, l'ammiraglio Francesco Caracciolo, la nobildonna Eleonora Fonseca de Pimentel, lo scienziato Domenico Cirillo, il giurista Francesco Conforti, gli scrittori politici Mario Pagano e Vincenzio Russo. Quest'ultimo, un medico, era l'autore di una raccolta di *Pensieri politici* in cui, con la passione e la lucidità del rivoluzionario, aveva delineato il piano di una società fondata sull'agricoltura e sull'uguaglianza e restituita alla virtù e alla democrazia: il programma di una rivoluzione che non era stata nemmeno tentata.

L'Italia napoleonica.

Quando, nella primavera del 1800, Napoleone con la risicata vittoria di Marengo si aperse nuovamente la via per la riconquista della penisola, egli non era più, come nel 1796, un giovane e sconosciuto generale con un passato giacobino, ma l'uomo più rispettato e più temuto di Francia, Primo console e tra qualche anno imperatore. Egli non prometteva più la libertà, l'eguaglianza e la rivoluzione, ma la stabilità e l'ordine di un'amministrazione moderna e efficiente. Era questa una prospettiva che, in Italia come in Francia, non poteva mancare di incontrare consenso e favore in un'opinione pubblica che era stata spettatrice di sin troppi rivolgimenti e colpi di scena. Gli entusiasmi e le speranze giacobini si erano letteralmente bruciati nel triennio 1796-99 e, in quanto ai reazionari e ai nostalgici dell'*ancien régime*, pochi mesi di occupazione austro-russa e di reazione sanfedista erano stati sufficienti per screditarli. La tranquillità e la stabilità apparivano alla grande maggioranza degli italiani come il presupposto primo del progresso e del rinnovamento e per quasi quindici anni Napoleone Bonaparte riuscì ad assicurarle, garantendo così alla penisola le possibilità di uno sviluppo ordinato, ma intenso.

Il più importante degli Stati italiani durante il periodo napoleonico fu senza dubbio la Repubblica italiana che, proclamata solennemente a Lione nel gennaio 1802 da un'assemblea di notabili italiani convocativi da Napoleone, si trasformò, dopo che questi assunse il titolo imperiale, in un regno. Il Regno italico che, all'atto della sua fondazione, comprendeva i territori della vecchia Cisalpina, si estese poi in seguito alle fortunate campagne militari di Napoleone anche al Veneto (1806), alle Marche (1807) e al Trentino (1809), raggiungendo così dimensioni territoriali più che rispettabili. Come la Cisalpina, anch'esso non cessò mai di essere nella sostanza uno Stato satellite: Napoleone, che a Lione si era fatto attribuire il titolo di presidente della repubblica, ne fu anche il re e vani furono i tentativi del viceré da lui insediato a Milano, il suo figliastro Eugenio Beauharnais, di convincerlo a concedergli una effettiva autonomia di decisione. Se Milano bruciasse — gli scriveva Napoleone — bisognerebbe attendere i miei ordini e nel frattempo lasciarla bruciare. E quando nel 1805 il corpo legislativo del regno si azzardò a chiedere una riduzione della tassa di registro recentemente introdotta, l'onnipotente imperatore dei francesi non esitò un istante a scioglierlo per mai più convocarlo. La politica finanziaria e fiscale del regno continuava infatti ad essere subordinata alle esigenze militari francesi: su 86 milioni di spesa del bilancio del 1802 ben 49 andarono alle spese di guerra e ai contributi alla Francia. Oltre che denaro, la Francia napoleonica chiedeva anche uomini e si ricorse alla coscrizione obbligatoria, una novità non certo popolare in un paese di scarse tradizioni militari.

L'organizzazione interna del Regno italico venne anch'essa esemplata su quella centralizzata della Francia napoleonica: il territorio dello Stato venne diviso in dipartimenti e in ciascuno di essi venne inviato un prefetto. I codici naturalmente furono quelli napoleonici.

Trapiantate in Italia, in un paese cioè sul quale l'ondata rivoluzionaria era passata senza lasciare tracce profonde, le istituzioni e le leggi dell'*establishment* napoleonico conservavano però una forte carica di rottura e di rinnovamento e la centralizzazione autoritaria e il livellamento amministrativo costituivano pur sempre un passo avanti rispetto al precedente frazionamento e municipalismo. Da parte sua il codice civile napoleonico, lungi dal rappresentare, come in Francia, una cristallizzazione conservatrice dei rapporti borghesi già formati, assolveva invece alla funzione di levatrice di questi stessi rapporti.

Sotto il profilo dello sviluppo economico la vita del Regno italico fu perciò ben lungi dall'essere stagnante. Le difficoltà dell'erario oberato dalle spese di guerra avevano costretto i governanti a fare ricorso su vasta scala al vecchio espediente rivoluzionario della vendita dei beni nazionali, costituiti in gran parte da patrimoni di enti e corporazioni ecclesiastiche incamerati dallo Stato. Inoltre l'abolizione dei vincoli feudali sulla terra, delle primogeniture e dei fidecommessi, sancita definitivamente dal codice napoleonico, aveva scongelato un'altra cospicua aliquota di terre favorendo così un'ulteriore rianimazione del mercato fondiario. I beneficiari maggiori del processo di redistribuzione della proprietà che ne conseguì furono gli uomini nuovi della borghesia. Nel Bolognese, ad esempio, nel 1804 le proprietà dei borghesi risultavano aumentate rispetto al 1789 dal 24 al 40 per cento della superficie messa a cultura, mentre quelle dei nobili erano calate dal 73 al 58 per cento. Non mancarono però tra gli acquirenti dei beni nazionali anche esponenti di famiglie patrizie e dal nome illustre: tra le altre quella dei Cavour che, dopo gli acquisti fatti nel periodo dell'occupazione francese, rilevarono nel 1822 dai principi Borghese le terre di Lucedio, con la famosa tenuta di Leri.

Per tutti comunque — borghesi o patrizi — si trattò di investimenti redditizi: lungo tutto il periodo napoleonico i prezzi dei prodotti agricoli non cessarono di salire e di consentire cospicui guadagni. Ma per chi desiderasse far fortuna e migliorare il proprio rango sociale vi erano poi, oltre a quella dell'acquisto dei beni nazionali, anche altre opportunità. Gli eserciti di Napoleone avevano bisogno di essere vestiti, calzati, armati e la strategia continentale di Napoleone esigeva, in Italia come altrove, l'esecuzione di grandi opere pubbliche e stradali, la principale (ma non la sola) delle quali fu la nuova via del Sempione che congiungeva Milano alla Svizzera. Nelle ·forniture militari e nei lavori pubblici si aprivano così nuovi campi di affari e di speculazione per le nascenti attività imprenditoriali e industriali della borghesia italiana. Certo il blocco continentale contro l'Inghilterra, inaugurato da Napoleone nel 1806, danneggiò gravemente taluni settori produttivi, e in particolare quello dell'esportazione delle sete gregge, alla decadenza del quale peraltro contribuì anche la concorrenza delle manifatture lionesi. Ma, per altri settori, quali quello dell'industria laniera, delle telerie, dei cuoi, dell'industria mineraria e delle fabbriche d'armi, gli effetti del blocco furono meno gravi di quanto comunemente si è ritenuto e non è escluso anzi che in alcuni casi essi abbiano agito da stimolante e da barriera protettiva. Fu probabilmente in questi anni che nelle zone più evolute dell'Italia padana fu raggiunto quel punto di rottura cui accennavamo più sopra: da allora i ceti borghesi cominciarono a camminare con le proprie gambe.

I territori dell'Italia settentrionale e centrale che non facevano parte del Regno italico — il Piemonte, la Liguria, il ducato di Parma, la Toscana, l'Umbria, il Lazio — furono, con una serie di annessioni successive scaglionate tra il 1800 e il 1808, incorporati direttamente alla Francia e trasformati in dipartimenti francesi. Per essi valgono a un dipresso le stesse considerazioni che si sono fatte per il Regno italico: la subordinazione (anzi in questo caso la dipendenza assoluta) rispetto alla Francia e le conseguenze del blocco continentale (che a Genova e a Livorno furono particolarmente gravi e risentite) ebbero una contropartita, più o meno adeguata a seconda dei casi, nella maggior modernità e dinamismo, rispetto ai precedenti governi, dell'amministrazione e legislazione francesi. Si tenga presente poi che, con l'eccezione della Toscana e di Parma, tutti i territori annessi alla Francia non erano stati praticamente toccati dal riformismo settecentesco. Più che mai perciò la dominazione napoleonica dovette rappresentare per essi una sorta di cura d'urto sconvolgente, ma salutare.

Più complessa e più ricca di motivi originali fu invece la vicenda del regno di Napoli. La dinastia dei Borboni restaurata dalla reazione del 1799 non aveva fatto gran che per mantenersi la fiducia di coloro che per essa avevano combattuto e per riguadagnarsi le simpatie di coloro che l'avevano avversata, limitandosi a una politica di ordinaria amministrazione. Perciò quando, all'inizio del 1806, Napoleone, vincitore ad Austerlitz, ne proclamò la decadenza, nessuno si levò a difenderla e questa volta l'ingresso dei francesi in

Napoli fu assai meno contrastato che nel 1799. La persuasione che le riforme di cui si parlava da decenni fossero ormai indilazionabili, la consapevolezza che il nuovo regime napoleonico aborriva il disordine e gli eccessi giacobini, il rimpianto, in alcuni, della repubblica del '99 e il timore, in altri, di una sua reincarnazione, tutto concorse a spianare la strada ai francesi e a far concepire molte speranze dal loro ritorno. Queste non andarono nel complesso deluse. Il decennio francese, nel corso del quale si succedettero sul trono di Napoli Giuseppe Bonaparte e, dal 1808, Gioacchino Murat, è rimasto nella memoria e nella tradizione storica napoletana come un'età felice, colorita quasi dei colori del mito, come una parentesi di buon governo in mezzo a secoli di cattiva amministrazione. A differenza della repubblica del '99, il regno dei napoleonidi non fu infatti sentito estraneo al paese: Gioacchino Murat in particolare svolse una politica coerente intesa a utilizzare nell'amministrazione le competenze locali e a limitare l'ingerenza nella stessa dei funzionari francesi. Ma soprattutto i napoleonidi dettero ai « galantuomini » del regno esattamente ciò che essi chiedevano e nulla di più: un'amministrazione e un apparato statale più efficiente e moderno e delle riforme alla misura dei loro interessi. La principale di queste ultime fu la legge del 2 agosto 1806 detta della « eversione della feudalità », in base alla quale le giurisdizioni feudali esistenti in tutto il regno vennero abolite e affermata ovunque la sovranità dello Stato. Se, dal punto di vista giuridico e amministrativo, si trattava effettivamente di una rivoluzione, dal punto di vista dei rapporti sociali nelle campagne le cose non cambiarono gran che. Se avevano cessato di essere « signori », i feudatari erano divenuti proprietari *pleno jure* delle loro terre e questa nuova condizione conferiva loro spesso una libertà di movimenti e di iniziativa maggiore di quella precedente. Inoltre essi erano stati indennizzati per la perdita di alcuni diritti e preminenze feudali che erano state loro tolte. L'eversione della feudalità non apportò perciò modifiche di grande rilievo al regime di distribuzione fondiaria esistente, né del resto questo era stato il suo obiettivo. Né modificazioni sostanziali in questo senso vennero dalla vendita su vasta scala che anche nel regno di Napoli venne fatta dei beni nazionali costituiti dai terreni ecclesiastici incamerati dallo Stato. Recenti ricerche hanno accertato che il 65 per cento dei beni venduti finirono nelle mani di circa 250 compratori, nella quasi totalità nobili, alti funzionari dello Stato (tra i quali non pochi francesi) e grossi borghesi. Neppure la legge sui demani comunali emanata immediatamente dopo quella sull'eversione della feudalità — e che prevedeva, tra l'altro, la quotizzazione di parte di essi tra i contadini — valse a modificare sensibilmente la situazione esistente nelle campagne del regno. Essa rimase infatti praticamente lettera morta. La grande proprietà dei « galantuomini » e la proprietà particellare e autoconsumatrice dei piccoli proprietari continuarono così ad essere i due poli di una generale condizione di arretratezza e le distanze sociali tra i privilegiati e i « cafoni » continuarono ad essere abissali. Nell'Italia meridionale il processo di formazione di strati sociali intermedi, di borghesia agraria e cittadina, fu infatti anche in questo periodo assai più lento che nelle altre regioni della penisola. Le iniziative industriali e manifatturiere furono poche e, in molti casi, dovute a stranieri, per lo più svizzeri. Inoltre in un paese marinaro gli effetti del blocco continentale non potevano non essere più sensibili e essi concorsero di fatto in maniera notevole ad accrescere il prestigio, già altissimo, degli investimenti fondiari. Anche se la feudalità era stata abbattuta, il possesso della terra, di molta terra, costituiva per ogni arrivato il passaporto verso la rispettabilità. Dal decennio francese il regno di Napoli usciva così rammodernato nelle sue strutture statali, amministrative e fiscali, ma il tessuto sociale era rimasto sostanzialmente lo stesso e la sua arretratezza risultava ancora più evidente se messa a confronto con i progressi realizzati nelle regioni settentrionali.

Le due sole regioni italiane che rimasero fuori dall'area della dominazione e dell'influenza napoleonica furono la Sardegna e la Sicilia, in cui si rifugiarono rispettivamente i Savoia di Torino e i Borboni di Napoli. Questi ultimi dovettero però fare i conti con l'occupazione militare inglese dell'isola, soprattutto a partire da quando, nel 1811, venne inviato a Palermo, in qualità di ministro plenipotenziario e di comandante militare, lord Bentinck, un *whig* fermamente convinto che la lotta contro Napoleone dovesse essere condotta non solo sul piano militare, ma anche su quello politico e della propaganda. A questo fine, sfruttando il loro tradizionale autonomismo e la loro avversione verso i Borboni, riuscì a convincere i baroni siciliani ad accettare una versione attenuata della legge napoletana sull'eversione della feudalità e un regime costituzionale sul modello inglese, con una Camera dei pari e una Camera dei comuni. Si trattava di un'operazione assai intelligente, intesa com'era a convincere gli italiani che la caduta degli usurpatori napoleonici non avrebbe necessariamente coinciso con una restaurazione pura e semplice e a contrapporre il modello del costituzionalismo e del parlamentarismo inglese a quello della centralizzazione e del cesarismo napoleonico. Essa contribuì notevolmente, come vedremo, a far sì che i regimi napoleonici italiani non sopravvivessero alla sconfitta del loro fondatore.

La fine della dominazione napoleonica.

Prima dell'avvento dei francesi e del Codice napoleonico era difficile in Italia per chi non fosse nobile o di condizioni assai agiate fare una carriera intellettuale. La strada relativamente più facile era, per quanto ciò possa sembrare paradossale, quella della carriera ecclesiastica. Ciò spiega perché il Settecento italiano, al pari di quello francese, sia ricco di abati e di preti le cui idee non erano certo ortodosse e che si segnalarono anzi per l'arditezza novatrice dei loro scritti e dei loro atteggiamenti. Un abate era stato Ludovico Antonio Muratori, che nelle sue opere storiche aveva ripresa la concezione machiavelliana del papato come ostacolo al progresso d'Italia; un abate il Parini, autore di un'ode in cui si stigmatizzava come una barbarie l'uso di evirare i fanciulli-cantori della Cappella Sistina; un abate Gian Battista Casti, avventuriero e autore di versi erotici. Poi, negli ultimi anni del secolo, vi era stata tutta una serie di vescovi e di preti giansenisti e giacobineggianti: alcuni di essi, come i vescovi Serrao e Natale e i preti Pacifico e Falconieri, caddero vittime della reazione del 1799. Nei confronti della carriera ecclesiastica, quella militare e quella universitaria erano assai più chiuse e corporative. Per chi non fosse dunque disposto a prendere gli ordini, non rimaneva che la strada, tipicamente italiana, anzi meridionale, dell'avvocatura.

Dopo il 1796 le cose cambiarono radicalmente. Ai cadetti della nobiltà e ai figli delle famiglie borghesi si aperse innanzitutto la via gloriosa della carriera militare nelle armate napoleoniche, assieme alla possibilità di acquisire una cultura più moderna nelle numerose accademie militari che Napoleone venne istituendo in Italia. Furono numerosissimi, come vedremo del resto più avanti, i patrioti del Risorgimento che fecero il loro apprendistato politico e militare nelle file degli eserciti napoleonici. Ma, oltre a quella militare, si aprivano agli ingegni e alle menti più vive anche altre possibilità di carriera: nelle università che furono accresciute e potenziate, nelle accademie di belle arti, nei conservatori, nelle scuole specializzate, nei licei istituiti sul modello francese, nell'amministrazione e, infine, nel giornalismo. Ugo Foscolo, senza dubbio la più interessante e inquieta figura di intellettuale italiano di questo periodo, percorse tutte queste carriere: soldato, giornalista, professore universitario senza affettazioni di accademismo, la sua vita è un po' il compendio della storia degli intellettuali italiani nell'età napoleonica.

Si veniva così formando, al di sopra delle frontiere fra gli Stati, un personale intellettuale nuovo, fresco, inserito attivamente nella vita civile, la cui funzione risultò determinante nel processo formativo di un'opinione pubblica nazionale. Abbiamo già fatto il nome di Ugo Foscolo: il suo romanzo epistolare *Jacopo Ortis* fu uno dei libri *de chevet* delle nuove generazioni italiane tra rivoluzione e restaurazione. Ma, più che alla letteratura, si pensi a quel fatto nuovo e sconvolgente che fu il giornalismo. Uno dei periodici più autorevoli pubblicati nel periodo napoleonico si intitolava il « Giornale italiano », redatto da Vincenzo Cuoco, un napoletano autore di un saggio sulla rivoluzione del 1799 emigrato successivamente a Milano. Il suo non era un titolo usurpato: sia che trattasse di politica, di letteratura, di economia o di problemi scolastici, il « Giornale italiano » si indirizzava effettivamente a un'opinione pubblica nazionale.

Ma un'opinione pubblica, oltre che esprimersi nella letteratura e nel dibattito culturale, tende naturalmente a darsi un'organizzazione politica. Questa peraltro, nelle condizioni generali dell'epoca, non poteva, e in Italia più che altrove, che concretarsi nelle forme, tipiche dell'epoca, della società segreta e della setta. E così infatti fu. Al nord operava l'Adelfia, tra i cui adepti erano particolarmente numerosi gli ufficiali e della quale fu membro Filippo Buonarroti. Nel regno di Napoli era invece attiva la Carboneria, i cui proseliti, oltre che nell'esercito, si reclutavano anche nelle file della borghesia provinciale, nel clero e, in qualche caso, anche tra gli elementi popolari. Un'altra società segreta fu la Guelfia, diffusa negli Stati pontifici e nelle Romagne. È difficile dire quali fossero esattamente gli orientamenti politici di queste associazioni: in esse vecchi giacobini operavano e cospiravano a fianco di nostalgici dell'*ancien régime*, partigiani di Napoleone a fianco dei suoi oppositori, agenti francesi a fianco di agenti inglesi e borbonici provenienti dalla Sicilia. La struttura stessa dell'organizzazione settaria, fatta a compartimenti stagni e articolata secondo diversi e successivi gradi di iniziazione, la rendeva permeabile alle più diverse infiltrazioni e l'alone di mistero di cui essa si circondava rendeva plausibili anche per gli adepti dei gradi inferiori le più diverse interpretazioni. Si spiega così come poté trovar credito una falsa bolla di Pio VII, nella quale il pontefice, esule e umiliato dai francesi, invitava i fedeli ad aderire alla Carboneria. Con una certa approssimazione si può certo dire che le società segrete e le sette del periodo napoleonico furono soprattutto un tramite di sentimenti indipendentistici e di aspirazioni costituzionali. La conclusione più sensata ci sembra però quella che attraverso di esse si manifestava un confuso e talvolta indifferenziato desiderio di partecipazione alla vita pubblica e politica da parte di un'opinione pubblica ancora alle sue prime esperienze e di formazione relativamente recente. Come tali le sette e le società segrete non riuscirono, al momento del crollo del regime napoleonico in Italia, che a influire in piccola parte sul corso degli eventi.

Quando sulla fine del 1812 giunsero in Italia le notizie della disastrosa ritirata di Russia e delle gravi perdite subite dalle truppe italiane che avevano partecipato alla campagna, cominciò a esser .chiaro a molti che i giorni di Napoleone erano ormai contati. La battaglia di Lipsia fugò ogni dubbio in proposito. A partire da questo momento l'azione politica e diplomatica dei napoleonidi italiani, di Eugenio Beauharnais a Milano e di Gioacchino Murat a Napoli, fu esclusivamente intesa a operare uno sganciamento nei confronti di Napoleone, nella speranza di assicurare così la sopravvivenza delle loro corone e dei loro regni e di ripetere in Italia l'operazione che permetterà a Bernadotte di conservare la corona di Svezia. D'altro canto la sensazione che Napoleone avesse i giorni contati dava ansa alle aspirazioni indipendentiste e costituzionali del mondo settario e dell'opinione pubblica italiana. Erano due linee, quella dei governi e quella del patriottismo italiano, che forse avrebbero potuto incontrarsi e intrecciarsi. Ma ciò non avvenne e il risultato di questo mancato congiungimento fu la vittoria della restaurazione.

A Milano l'agitazione promossa dal partito dei cosiddetti Italici puri, che sfociò il 20 aprile 1814 nell'eccidio del ministro delle Finanze del Regno italico, Prina, compromise definitivamente i tentativi di Eugenio Beauharnais, che si era staccato da Napoleone e aveva firmato un armistizio, di conservare l'unità del regno e di assicurarne l'indipendenza. Il risultato non fu quello sperato dai suoi promotori, ma la pura e semplice restaurazione del dominio austriaco in Lombardia.

A Napoli invece · fu Gioacchino Murat che, rifiutandosi di concedere la costituzione che i carbonari richiedevano pressantemente, e affidandosi esclusivamente alle arti della diplomazia, si privò dell'*atout* più favorevole al suo gioco, quello del consenso e del sostegno dell'opinione pubblica del regno. A ciò si aggiunga la sua impulsività che, al momento dei Cento giorni, lo riportò a fianco di quel Napoleone che aveva abbandonato a Lipsia. Fidando in un'impossibile rivincita, egli si spinse alla testa di un esercito in Italia settentrionale, ma ne fu ricacciato dagli austriaci. Solo allora, *in extremis*, si decise a concedere una costituzione, ma era ormai troppo tardi. Costretto a lasciare il regno, nel quale ritornarono i Borboni, egli, in un ultimo disperato tentativo, cercò di rientrarvi sbarcando con un piccolo manipolo di fedeli in Calabria nell'ottobre 1815, ma fu catturato e fucilato. La sua morte coraggiosa contribuì senza dubbio alla sua popolarità postuma: una corrente « murattista » fu sempre presente nel Napoletano sino all'unificazione nazionale e anche oltre. In essa si esprimeva la consapevolezza degli effetti rinnovatori che il decennio francese aveva prodotto nel regno.

IV

RESTAURAZIONE E ROMANTICISMO

La Restaurazione e i moti del 1820-21.

Il principio di legittimità proclamato dal Congresso di Vienna fu applicato alla penisola italiana con puntualità zelante e burocratica. Tutte le dinastie spodestate vennero reinsediate, salvo qualche modifica di frontiera di non grande rilievo, nella integrità dei loro domini territoriali, i Savoia in Piemonte e in Sardegna, i Borboni a Napoli e in Sicilia e i Lorena in Toscana. Non si fece neppure eccezione per quegli Stati in miniatura che erano i ducati della Valle padana: Francesco IV d'Este ritornò a Modena e Parma venne assegnata a Maria Luisa, futura vedova non inconsolabile di Napoleone, con l'intesa che alla sua morte lo Stato sarebbe stato restituito al precedente ramo dei Borboni. Nell'attesa questi ultimi divenivano sovrani dell'ex-repubblica di Lucca, la quale, al momento del loro trasferimento a Parma, sarebbe stata incorporata, come di fatto avvenne nel 1847, nel granducato di Toscana. Assieme a Lucca gli altri Stati italiani che si trovarono ad essere le vittime della nuova sistemazione della penisola furono le due repubbliche di Genova e di Venezia. Il fatto di essere costituite in repubblica qualche secolo prima della Rivoluzione francese e di avere quindi maggiori titoli di legittimità di tutte le dinastie italiane, eccetto il papa, non poteva certo valere a evitare loro la sorte cui da tempo le destinava la loro interna debolezza.

Genova fu consegnata al Piemonte sabaudo, che realizzava
così finalmente una delle sue principali direttive espansioni-
stiche, e Venezia costituì con la Lombardia il regno del Lombardo-Veneto, retto da un viceré nominato da Vienna e integrato a tutti gli effetti nella compagine plurinazionale del-
l'impero absburgico.

Nel complesso, se il nuovo assetto territoriale della penisola risultava semplificato rispetto a quello preesistente
alla prima calata del Bonaparte in Italia, esso costituiva d'altra parte un notevole passo indietro nei confronti della situazione del periodo napoleonico, specie per ciò che riguardava le terre della pianura padana, la parte cioè più pro-
gredita del paese. Quelli che erano stati i territori del Regno
italico tornavano infatti ad essere smembrati fra quattro Stati,
il Lombardo-Veneto, i due ducati di Modena e di Parma e
lo Stato pontificio. Le conseguenze si possono facilmente immaginare.

La ricostituzione delle vecchie frontiere politiche procedeva infatti sovente di pari passo con quella delle barriere doganali. Le merci che discendevano il corso del Po
dalla Lombardia al mare o la strada del Brennero verso
Modena e la Toscana erano costrette a pagare altrettanti
dazi di entrata e di uscita quanti erano gli Stati che esse
attraversavano. Ad eccezione della Toscana, rimasta fedele
al liberismo dei tempi leopoldini, tutti gli altri Stati, in misura naturalmente diversa, praticavano una politica di vincolismo economico in funzione degli interessi della capitale,
della corte e delle coalizioni di interessi che facevano capo
all'una e all'altra. Ne conseguiva, tra l'altro, che su tutte le
frontiere, intrecciandosi spesso con il banditismo cronico di
alcune regioni, infieriva il contrabbando. Particolarmente grave
da questo punto di vista era la situazione sui confini settentrionali dello Stato pontificio.

Ma le frontiere economiche non esistevano soltanto tra
Stato e Stato, ma anche all'interno di alcuni tra i maggiori
di essi. Fino al 1822 una barriera doganale posta sul Mincio
divideva i territori della Lombardia da quelli del Veneto

e un'altra i territori italiani dell'impero da quelli a nord delle Alpi. La loro eliminazione non significò peraltro la fine della condizione di *handicap* e di subordinazione in cui si trovava il commercio veneto e lombardo nei confronti della concorrenza austriaca e boema, ché anzi le sue difficoltà furono in seguito aumentate dalla costituzione dello *Zollverein*. Analoga a quella del Lombardo-Veneto era la situazione del regno sardo: qui una barriera doganale divideva il Piemonte dalla Savoia e un'altra il Piemonte stesso dai territori di nuovo acquisto della repubblica ligure. L'abolizione di quest'ultima, realizzata nel 1818, non giovò anche in questo caso gran che ai traffici del grande emporio ligure, uscito duramente provato dal blocco continentale e sottoposto alla severa concorrenza di Trieste e di Livorno. La politica della corte di Torino continuò infatti a essere improntata a criteri di rigido protezionismo e vincolismo. Non vi è da meravigliarsi se in queste condizioni il risentimento antipiemontese fosse a Genova assai forte e si comprende agevolmente come la capitale ligure, assieme all'altro grande scalo marittimo di Livorno, sia stata nel corso del Risorgimento una delle roccaforti del repubblicanesimo. Genova — è appena il caso di ricordarlo — fu la patria di Giuseppe Mazzini.

Restaurazione politica dunque, ma anche economica. Tuttavia anche la possibilità di restaurare aveva un limite. Se era possibile reinsediare sul trono perduto le dinastie spodestate e ricostituire le vecchie frontiere, se era possibile riaprire nuovamente le porte delle scuole e della corte alla Compagnia di Gesù (alcuni governi, come quello granducale di Firenze, si rifiutarono però di farlo), era praticamente impossibile o perlomeno molto arduo passare un colpo di spugna sulle profonde modificazioni che vent'anni di predominio francese avevano introdotto nel tessuto stesso della società, nei rapporti tra gli uomini e tra le classi. Il solo tra i principi e i governi italiani che abrogò *sic et simpliciter* i codici napoleonici rimise in vigore la confusa e arretrata legislazione preesistente fu quello di Torino, che fu anche il primo a richiamare con gran pompa i gesuiti e che si segnalò per la ripresa delle discriminazioni a danno delle minoranze religiose ebrea e valdese. Altrove però si procedette con maggiore cautela. Uomini quali Vittorio Fossombroni, che fu a capo del governo toscano nel periodo della restaurazione, come Luigi de' Medici, il principale collaboratore della casa dei Borboni di Napoli o, anche, come il cardinale Ercole Consalvi, segretario di Stato di Pio VII, per non parlare dei funzionari absburgici nel Lombardo-Veneto formatisi alla scuola di Giuseppe II, si rendevano conto che una restaurazione *in pristinum* era cosa impossibile e pericolosa. Laddove, come nel Lombardo-Veneto e in Toscana, i Codici napoleonici furono abrogati, si ebbe cura di sostituirli con dei nuovi codici largamente permeati dalla tradizione riformistica settecentesca e dalla stessa legislazione napoleonica. A Napoli l'abrogazione dei Codici napoleonici ebbe un carattere ancor più formale.

Alla stessa maniera si procedette con molta cautela nella questione dei beni nazionali venduti durante il periodo napoleonico. Solo una parte, e non la più cospicua, poté esser recuperata dai loro antichi proprietari, in prevalenza comunità religiose e opere pie. Perfino nello Stato pontificio, questi dovettero in molti casi accontentarsi di un indennizzo lasciando così definitivamente il possesso dei loro vecchi patrimoni a coloro che essi consideravano degli usurpatori. Alla stessa maniera andranno le cose con i privilegi e i diritti feudali aboliti. Anche in questo caso era ben difficile tornare indietro e annullare i fatti compiuti. In particolare nessuno avrebbe potuto pensare di riannodare gli infiniti e intricati nodi che l'eversione feudale del 1806 nel Mezzogiorno aveva recisi e, di fatto, nessuno ci pensò. Non solo, la legislazione antifeudale dei napoleonidi venne estesa anche alla Sicilia, la quale si trovò così a subire in piena restaurazione e a effetto ritardato i contraccolpi della rivoluzione e dell'occupazione francese.

L'azione politica dei governi della Restaurazione procedeva così oscillante tra i due estremi di un'intransigenza legittimista di principio e di un accomodantismo e di una transigenza di fatto, tra il tentativo velleitario di governare *contro* le nuove classi e gruppi sociali emersi dalla crisi e dalla rottura degli *anciens régimes* e il tentativo, altrettanto velleitario, di guadagnarsi la fiducia e l'appoggio di essi. Nell'un caso e nell'altro, reprimendo o blandendo, essi riuscirono soltanto a dare prova della propria debolezza e a incoraggiare la nutrita opposizione covata nelle conventicole e nei *réseaux* dell'organizzazione settaria. «Agli occhi della gente incollerita — scriveva Stendhal nelle sue *Promenades* — le concessioni non sono che prove della debolezza del governo che le accorda.»

Il caso di Napoli è forse il più illuminante al proposito. Il mantenimento di quelle che potremmo chiamare le conquiste borghesi del Decennio non era stato senza una contropartita. Concessioni importanti dovettero esser fatte alla Chiesa al momento della stipulazione del concordato del 1818, e altrettante alla corte e ai circoli finanziari ad essa legati nel campo della politica fiscale e doganale. La contraddittorietà e l'ambiguità di questa linea di governo, sommata alle difficoltà e alle strettezze della congiuntura economica e del mercato dei prodotti agricoli, finirono per creare vaste zone di malcontento e bastò che, nel marzo 1820, giungesse la notizia che il re di Spagna era stato costretto a concedere la costituzione, perché questa rivendicazione divenisse il punto di raccordo e la parola d'ordine di ingenti forze politiche e sociali.

Con la complicità, anzi l'appoggio, dell'esercito, nelle cui file numerosi erano gli ufficiali murattisti, l'insurrezione iniziata a Nola nella notte tra il 1° il 2 luglio, dilagò rapidamente nelle province, raggiunse la capitale e costrinse, nel giro di pochi giorni, il re Ferdinando a concedere e a giurare la costituzione di Spagna. La rapidità della vittoria era peraltro più il frutto della debolezza delle forze della «resistenza» che dell'unità e dell'incisività di quelle del «movimento». Le divisioni all'interno del campo rivoluzionario vittorioso non avrebbero tardato a manifestarsi e a affrettarne, se non determinarne, la sconfitta. Divisioni di carat-

tere politico tra gli ufficiali affiliati alla Carboneria e la vecchia guardia murattista dei notabili e funzionari del Decennio; divisioni sociali e di classe, delle quali i contrasti politici erano in gran parte il riflesso, tra la borghesia agraria
delle province e la borghesia delle professioni e degli uffici,
tra la borghesia nel suo complesso e i contadini; divisione
infine a carattere territoriale, tra il continente e la Sicilia.
Nell'isola infatti il movimento rivoluzionario aveva preso
sin dagli inizi uno spiccato indirizzo autonomista e indipendentista e su questo terreno esso non tardò a entrare in conflitto anche con il nuovo governo costituzionale al punto
che, nell'ottobre 1820, il nuovo Parlamento riunito in Napoli denunciò l'accordo raggiunto in precedenza con la Giunta
siciliana e inviò nell'isola il generale Pietro Colletta, con
compiti essenzialmente repressivi.

La somma di queste contraddizioni contribuì naturalmente a minare la compattezza del campo rivoluzionario,
a paralizzarne l'azione e costituì in definitiva la ragione
più profonda del suo fallimento. A ciò contribuì certo anche la doppiezza del re, il quale, dopo aver concesso la costituzione e tergiversato con il nuovo governo, inviato da
quest'ultimo a Lubiana per scongiurare la minaccia di un
intervento austriaco, se ne fece invece sollecitatore. Bastò
però che nel marzo 1821 un corpo di spedizione austriaco
si presentasse alle frontiere, perché l'esercito costituzionale
si dissolvesse aprendo così la via alla piena vittoria della Restaurazione.

L'intervento austriaco nel Napoletano indusse le organizzazioni settarie piemontesi, che avevano anch'esse il loro
principale punto di forza tra l'ufficialità, ad affrettare le trame
di preparativi rivoluzionari che da tempo venivano concer-
tando e a bruciare le tappe. Il 9 marzo la guarnigione di
Alessandria, una roccaforte della cospirazione settaria, alzava
il tricolore sulla propria caserma e il suo esempio era imi-
tato nei giorni successivi da altri distaccamenti, ivi compresi
quelli della capitale. La principale rivendicazione degli insorti, o almeno della maggiore e più consapevole parte di

essi era, come a Napoli, quella della costituzione di Spagna, ma ad essa si aggiungeva la pressione esercitata sulla monarchia perché si facesse iniziatrice della ricostituzione di un regno dell'Alta Italia, non esitando per questo a scendere in campo contro l'Austria. Ma se il programma del movimento era più impegnativo e meno municipale di quello degli insorti napoletani, il ventaglio delle forze messo in movimento era più ristretto e i moti piemontesi del 1821 rimasero più che nel Mezzogiorno circoscritti nell'ambito del pronunciamento militare e della cospirazione settaria. Né mancò, come in molte cospirazioni, una certa ingenuità; prima di dare il via al movimento insurrezionale, i suoi promotori avevano avuto contatti e colloqui con il principe ereditario Carlo Alberto, del quale si sapeva che non condivideva l'indirizzo retrivo prevalente a corte. Ma questi, che aveva tenuto un atteggiamento ambiguo e elusivo già prima dell'inizio dei moti, deluse pienamente le aspettative dei patrioti quando, avendo il re Vittorio Emanuele I abdicato, si trovò investito della funzione di reggente. Stretto tra le pressioni degli insorti che il 15 marzo erano riusciti a fargli giurare la costituzione di Spagna, e quelle dello zio Carlo Felice, rigido sostenitore dei principi legittimisti, egli finì, dopo molte esitazioni, per cedere alle intimazioni di quest'ultimo e per lasciargli il potere. Con l'appoggio dell'Austria, Carlo Felice riuscì rapidamente ad aver ragione dell'esercito costituzionale e a rientrare nella capitale nella pienezza dei suoi poteri di monarca assoluto.

Alla sconfitta seguì la repressione e una serie di processi venne celebrata in molte capitali italiane. Particolarmente spettacolari per il numero e la qualità degli imputati quelli milanesi contro gli associati alla setta della Carboneria e dei Federati, che erano stati strettamente in contatto con gli insorti piemontesi. Tra i condannati figuravano i nomi di Federico Confalonieri, un brillante patrizio milanese già segnalatosi per la sua partecipazione al movimento degli Italici puri e per le sue iniziative economiche e mecenatesche, di Silvio Pellico, di Pietro Borsieri, entrambi

collaboratori del « Conciliatore », di Alessandro Filippo An-
dryane, emissario dell'infaticabile Buonarroti, e del colon-
nello Silvio Moretti, energica figura di ufficiale napoleonico.
Militari di carriera furono in gran parte anche i condannati
dei processi napoletani, trenta dei quali alla pena capitale.
Numerosi furono però coloro che riuscirono a sfuggire
al processo o alle condanne riparando all'estero. Tra gli
altri, in questa prima ondata di emigrazione politica italiana, troviamo il nome dell'economista lombardo Giuseppe
Pecchio, del generale napoletano Guglielmo Pepe, uno dei
protagonisti dei moti del '20, del poeta Giovanni Berchet.
La maggior parte di essi continuarono all'estero la loro attività politica nella cospirazione o combattendo sui campi
di battaglia di Spagna e di Grecia. Tra questi il conte piemontese Annibale Santorre di Santarosa, uno dei promotori del pronunciamento piemontese, che trovò la morte
in Grecia nel 1825. Altri come Raffaele Rossetti, il padre
del poeta preraffaellita, e il modenese Antonio Panizzi, futuro direttore del British Museum, finirono per integrarsi nei
paesi di emigrazione.

La Restaurazione trionfava dunque e, nell'ambito di essa,
le forze retrive prendevano il sopravvento. A Napoli il Medici era costretto ad abbandonare il governo ed al suo posto
subentrava il principe di Canosa, un autentico campione del
legittimismo più intransigente. A Roma la vittoria dei cardinali « zelanti » nel conclave del 1823, da cui uscì eletto
Leone XII, ebbe per conseguenza il licenziamento del Consalvi. Certo, questo infierire sui vinti e questo desiderio me-
schino di rivincita costituivano un'ulteriore conferma della
debolezza della Restaurazione, della sua miopia e della sua
grettezza. Ma anche lo schieramento ad essa opposto, quello
delle organizzazioni settarie e dei movimenti liberali, era debole. Non solo perché giaceva ora prostrato dalla sconfitta
e depauperato delle sue menti migliori, ma anche per l'in-
consistenza e contraddittorietà dei propositi di cui aveva dato
prova al momento della battaglia, per la sua tendenza all'improvvisazione e la sua mancanza di profonde radici.

Il prodotto di due debolezze non poteva essere che la stagnazione ed è in effetti il quadro di una società stagnante quello che ritroviamo, per non parlare di altri testi, nelle *Promenades dans Rome* di Stendhal; il quadro di un'umanità fatta di cardinali scettici, di popolani generosi ma rassegnati, di ministri di polizia *blasés* e di giovani liberali che, reduci dall'aver ascoltato un concerto di Giuditta Pasta alla Scala, si radunano in un caffè a parlare di « musica, d'amore e di Parigi ». In attesa che le cose cambiassero, si poteva ben profittare di quella *douceur de vivre* di cui, come tutti gli antichi regimi, anche la Restaurazione non era avara. Ma sarebbero veramente cambiate? A differenza del suo compatriota Lamartine, Stendhal conosceva troppo bene la storia, il carattere e le risorse degli italiani, per dubitarne e per ignorare che essi non avrebbero consentito indefinitamente ad essere — come gli diceva il suo barbiere romano — « governati dai preti ». « Non credo — leggiamo ancora nelle sue *Promenades* — di fare dell'utopia se asserisco che in Italia la rivoluzione si scatenerà verso il 1840 e il 1845. »

La cultura nell'età della Restaurazione. Manzoni e Leopardi.

Del resto che la stagnazione della Restaurazione non fosse destinata a durare a lungo era dimostrato anche dal fatto che, come osservava sempre Stendhal, ogni persona anche « minimamente colta » era all'opposizione. Chi ci ha pazientemente seguiti sin qui e sappia qual è stata la funzione dell'*intellighenzia* nella storia d'Italia sarà, speriamo, in grado di rendersi conto dell'importanza di questa opposizione. Vi sono infatti nella storia delle permanenze che difficilmente si cancellano e nel corso del Risorgimento il posto e il ruolo degli intellettuali nella società italiana rimase quello che era sempre stato. Si può dire anzi che senza lo stimolo e la funzione agglutinante che essi esercitarono difficilmente una borghesia debole come quella italiana, in cui le ristrettezze corporative e l'insensibilità verso la dimen-

sione politica avevano radici profonde, sarebbe riuscita vin-
citrice. Vale anche per essa infatti la regola che ha presieduto alla nascita e allo sviluppo del movimento socialista
moderno: il germinare di una coscienza politica dalla mentalità corporativa e rivendicativa non è sempre un fenomeno
spontaneo, ma spesso, al contrario, esso deve essere promosso o quanto meno sollecitato dall'esterno. È da questo
punto di vista che conviene affrontare i problemi della storia
culturale italiana nell'età del Risorgimento.

Il fatto nuovo nella cultura europea dei primi decenni
del secolo XIX è, come tutti sanno, il Romanticismo. In
Italia esso fa il suo ingresso ufficiale con la pubblicazione,
nel 1816, di una lettera di Madame de Staël in cui si invi-
tavano i letterati italiani a prendere conoscenza delle nuove
correnti letterarie oltremontane e a tradurre le opere dei maggiori scrittori del momento. L'invito fu accolto e anche in
Italia si scrissero « ballate » e romanzi storici ambientati nel
Medioevo, si discusse della poesia come espressione dell'animo
popolare, si rivendicarono i diritti della fantasia e della spontaneità contro quelli dell'intelletto e della disciplina letteraria e quelli della storia e della tradizione contro l'arbitrario imperio dei « lumi » e della ragione. « Romantici »
si proclamarono i collaboratori alla rivista milanese « Il Conciliatore », molti dei quali, dopo aver sperimentato i rigori
della censura austriaca, dovettero conoscere, dopo gli eventi
e i processi dell'anno 1821, anche quelli delle carceri im-
periali. La grande maggioranza infatti dei romantici italiani
militò politicamente nelle file dell'opposizione liberale e patriottica ai regimi restaurati e si comprende perciò come le
loro simpatie non potessero andare a quegli aspetti del Romanticismo per cui quest'ultimo finiva per identificarsi con
l'ideologia della Restaurazione. Il senso della storia non divenne mai presso di essi, o assai raramente, contrapposizione
del passato al presente, dell'*ancien régime* alla rivoluzione,
del Medioevo all'età moderna; né l'elogio della immediatezza
e della spontaneità popolare idoleggiamento dell'ignoranza e
giustificazione del paternalismo. Insomma non vi fu tra i ro-

mantici italiani nessun Friedrich Schlegel e neppure nessun Chateaubriand. In un'Italia dominata dalla grettezza e dalla bigotteria della Restaurazione le idee e le istanze del razionalismo e dell'utilitarismo settecentesco conservavano infatti molta della loro forza d'urto e di persuasione e nei confronti di esse la nuova scuola romantica non poteva certo assumere un atteggiamento di opposizione, ma sottolineare soltanto la necessità di un correttivo e di un approfondimento. Non bastava essere contro l'antico regime e per il progresso, ma bisognava anche individuare le forze capaci di essere le levatrici del nuovo ordine e gli ostacoli che si ponevano sul loro cammino e concertare un piano di lotta adeguato alle reali possibilità della società italiana. Era stata questa la lezione di Vincenzo Cuoco nel suo già citato saggio sulla rivoluzione napoletana del 1799, ed essa fu ascoltata. La generazione romantica fu una generazione di intellettuali politici, non solo nel senso che essa fornì alla cospirazione e al movimento politico risorgimentale gran parte dei suoi quadri, ma anche e soprattutto nel senso che essi ebbero consapevolezza delle responsabilità e dei condizionamenti che un'azione politica comportava e che agirono da politici. A ciò va peraltro aggiunto che non sempre, per parafrasare un notissimo passo del Manzoni, la responsabilità e la moderazione possono essere divise con un taglio così netto che la divisione risulti perfetta. Ciò si applica sia alla borghesia italiana nel corso del secolo XIX, sia ai suoi intellettuali.

Non abbiamo citato a caso Alessandro Manzoni. Oltre ad essere l'esponente più illustre della generazione romantica, l'autore dei *Promessi Sposi* fu anche colui che, con maggior ricchezza e consapevolezza, anche se non militò espressamente nella scuola romantica, ne rappresentò l'evoluzione e gli atteggiamenti mentali. Illuminista e anticlericale in gioventù (era un nipote di Cesare Beccaria), egli, sotto l'influenza del Fauriel, si venne gradualmente avvicinando alla nuova cultura romantica e nel 1810 tornò a professarsi cattolico, di un cattolicesimo peraltro venato di giansenismo, sentito e praticato più come una morale che come un culto.

Nello stesso anno egli rientrò in Italia dal suo lungo soggiorno parigino e nella sua Milano seguì, senza pur parteciparvi direttamente, e incoraggiò la battaglia dei romantici e del «Conciliatore». Nel 1821, al momento dei moti piemontesi, compose un'ode in cui auspicava la loro vittoria e l'avvento d'un'Italia «una d'armi, di core, d'altar». Ma non è certo per questa o altre prese di posizione letterarie e di circostanza, che Manzoni svolse una funzione di tanto rilievo nel processo formativo di un'opinione pubblica nazionale, bensì per la sua opera complessiva di scrittore e, soprattutto, di romanziere. Il romanzo, in quanto genere letterario nuovo e destinato a un nuovo e più largo pubblico di utenti letterari, riproponeva, a chi intendesse cimentarvisi, l'eterna questione della lingua, la necessità cioè di colmare il fossato esistente tra la lingua letteraria e la lingua parlata e di fornire un linguaggio che, per adoperare le parole dello stesso Manzoni, fosse «un mezzo di comunicazione d'ogni sorta di concetti tra tutti gli italiani». Non si trattava di una cosa facile se un vecchio patriota giacobino, quale Luigi Angeloni, avendo deciso di scrivere un'opera per incitare gli italiani alla lotta rivoluzionaria per la democrazia, non aveva trovato di meglio che redigerla in un italiano affettatamente trecentesco e purista, e se due autentici poeti, quali il milanese Carlo Porta e il romano Gioachino Belli, non potevano che ricorrere ai rispettivi dialetti, se volevano rendere plausibili poeticamente il mondo e i personaggi popolari e plebei verso i quali essi erano attratti.

Manzoni non soltanto si pose questo problema, ma lo risolse. La lingua dei _Promessi Sposi_, il che spiega tra l'altro il loro enorme successo, è appunto quell'italiano «per tutti» di cui il loro autore era andato sulle tracce e che era riuscito a elaborare attraverso un improbo e prodigioso lavoro di vaglio, di lima e di disciplina letteraria; un italiano efficace senza essere dialettale e provinciale, comunicativo senza essere stereotipo, nutrito dall'uso della conversazione civile e borghese.

Alla forma corrispondeva il contenuto. Come è noto, la vicenda dei *Promessi Sposi* è costituita da una storia personale — quella di Renzo e di Lucia, due fidanzati cui una serie di circostanze avverse impediscono sino alla fine di unirsi in matrimonio — innestata su di un grande affresco storico, quello della Lombardia spagnola del secolo XVII. l'epoca delle guerre di Valtellina e di Monferrato e della grande peste di Milano. Più esattamente: il capolavoro del Manzoni è un romanzo storico, di una storia però capovolta, vista dalla parte degli umili, di coloro che sono le vittime delle ambizioni e delle soperchierie dei potenti, delle sottigliezze della « ragion di Stato », delle guerre e delle carestie. A tutti questi flagelli essi oppongono le loro immense risorse umane, il loro lavoro, il loro coraggio, la loro sfiducia nella giustizia dei potenti e la loro fiducia in quella di Dio. Ritroviamo nelle pagine del Manzoni il respiro corale e collettivo dell'umanità italiana, così come essa è stata formata e plasmata dai secoli, con la sua rassegnazione certo, ma anche con la sua vitalità. Si è parlato a proposito del Manzoni di un suo « paternalismo » o, più esattamente, di un suo « populismo ». Anche se ciò dovesse essere vero, occorre però aggiungere che nessuno prima di lui si era posto — e tanto meno aveva risolto — il problema del « popolo » e di una letteratura popolare. E che pochi dopo di lui, in circostanze storiche mutate, se lo posero con altrettanta consapevolezza e nessuno lo risolse a un livello di così alta e nobile espressione artistica.

Il successo dei *Promessi Sposi*, che dura ancor oggi, fu, come si è detto, immediato e larghissimo. Esso costituisce una persuasiva testimonianza della grande forza di espansione e di attrazione della nuova cultura romantica e ci aiuta a renderci ragione della funzione storica che essa esercitò e del peso che essa ebbe nel processo formativo di un'opinione pubblica nazionale. Tra quelli che a questa influenza si sottrassero e che comunque la contestarono e discussero, non tutti però erano dei retrivi con l'occhio rivolto al passato. Vi erano anche degli uomini di mente estremamente lucida e aperta e di idee assai avanzate. Tra questi Giacomo Leopardi, uno dei maggiori poeti italiani di tutti i tempi.

Nato nel 1798 in una sonnacchiosa cittadina dello Stato pontificio da una famiglia nobile e reazionaria (suo padre, il conte Monaldo, era noto per aver scritto uno dei più aggressivi *pamphlets* legittimisti), infelice per natura (era gobbo), consumò la sua adolescenza in uno studio « matto e disperatissimo » dei classici della biblioteca paterna. Accanto agli autori antichi furono compagni della sua giovinezza studiosa anche i testi degli illuministi e materialisti francesi del Settecento, Rousseau, Voltaire, d'Holbach. La lezione degli uni, così come il Leopardi la intendeva, non era del resto molto diversa da quella degli altri e entrambe convergevano nell'ideale di un'umanità magnanima e libera da superstizioni, vicina alla schiettezza della natura, repubblicana. Sono infatti questi gli orientamenti ideali — profondamente diversi da quelli della scuola romantica — che con maggiore frequenza emergono dalla produzione poetica leopardiana anteriore al 1819. Dall'alto di essi il Leopardi contemplava e giudicava il suo mondo e la sua età meschina. Nessuno avvertì con la sua stessa intensità la « noia » di vivere nella Restaurazione.

Ma era lecito sperare che il « secol morto » in cui gli era toccato in sorte di vivere si scuotesse di dosso il suo torpore e — come egli auspicava nella canzone *Ad Angelo Mai* — « sorgesse » ad « atti illustri » o si vergognasse di se medesimo? La sconfitta dei moti del 1821, la dolorosa e aggravata esperienza della propria infelicità e malattia, il suo isolamento contribuirono tutti a far inclinare sempre più decisamente il Leopardi verso il rifiuto di ogni illusione e di ogni consolazione. L'infelicità umana non era appannaggio soltanto del secolo XIX, ma di tutte le età e di tutte le condizioni e la « noia » era la compagnia sgradita e fedele di ogni essere vivente, del pastore errante nelle solitudini dell'Asia e del civilizzatissimo parigino. Solo la morte poneva termine alla noia e solo dalla morte l'uomo perseguitato da una natura cieca e matrigna poteva sperare pace.

In una visione del mondo così integralmente materialista e pessimista rimaneva evidentemente ben poco spazio per gli interessi di carattere politico. A ridestarli, dopo vari anni di attenuazione e quasi di latitanza, contribuì però l'avvento sulla scena politica italiana e europea del cattolicesimo liberale. Che, come sostenevano i « nuovi credenti », la causa del progresso civile dell'umanità non potesse andar disgiunta da quella della religione, era affermazione che non poteva non ripugnare profondamente al Leopardi. Non dalla consolazione dei miti e delle superstizioni, ma al contrario della contemplazione virile e spietata della propria condizione di infelicità, gli uomini potevano attingere la forza e la solidarietà necessarie per combattere l'unica battaglia che, a giudizio di Leopardi, valesse la pena di essere combattuta: quella comune del genere umano « confederato » nella lotta contro le offese e i flagelli della natura. È questo il messaggio della *Ginestra*:

> Nobil natura è quella
> Ch'a sollevar s'ardisce
> Gli occhi mortali incontra
> Al comun fato, e che con franca lingua,
> Nulla al ver detraendo,
> Confessa il mal che ci fu dato in sorte,
> [...]
> Tutti fra sé confederati estima
> Gli uomini; e tutti abbraccia
> Con vero amor, porgendo
> Valida e pronta ed aspettando aita
> Negli alterni perigli e nelle angosce
> Della guerra comune.

È un messaggio altissimo e duraturo, che noi, uomini dell'età atomica, intendiamo, e dal quale siamo profonda-

mente turbati. Ma i contemporanei, impegnati com'erano
nei brevi e non dilazionabili compiti che loro imponeva la
loro età, difficilmente potevano intenderlo e raccoglierlo. Ma
di essi, del loro faticoso progredire, dobbiamo ora tornare
ad occuparci.

La rivoluzione di luglio e l'Italia.

La situazione politica e diplomatica dell'Europa degli
anni venti era dominata dal sistema legittimista instaurato
a Vienna e dalla Santa Alleanza. Lo si era visto in occasione dei moti spagnoli e italiani del 1820-21. I governi
costituzionali che essi avevano espresso si trovarono infatti
nel più completo isolamento politico, e ai convegni di Trop-
pau e di Lubiana l'Austria non aveva dovuto faticare molto
per piegare le perplessità e le resistenze inglesi e francesi
e per strappare il consenso a un'azione di repressione con-
certata. Sino a che questa solidarietà legittimista tra le grandi
potenze rimaneva operante, le prospettive del movimento nazionale italiano non potevano rimanere che estremamente
incerte. Ma non appena una delle sue maglie si fosse rotta,
allora tutto ritornava possibile e le speranze più audaci potevano essere coltivate. Si comprende perciò come la notizia
della vittoria della rivoluzione di luglio a Parigi producesse
nella penisola l'effetto di una bomba. Essa aveva infatti appena finito di trionfare e già il movimento patriottico italiano si risvegliava e riprendeva l'iniziativa.

Questa volta teatro del nuovo tentativo furono gli Stati
pontifici e i ducati, quei territori cioè che, con un'espressione oggi corrente, potremmo chiamare l'anello più debole
della catena del legittimismo italiano. Ciò spiega la rapidità
con cui il movimento insurrezionale prese il sopravvento.
La prima città ad insorgere fu Bologna, dove il 5 febbraio
1831 il prolegato pontificio fu costretto a rimettere il proprio potere a una commissione provvisoria. Pochi giorni
dopo, il 9 febbraio, un'assemblea di cittadini proclamava a

Modena la decadenza del duca Francesco IV che, già ai primi segni di agitazione, aveva abbandonato lo Stato. Pochi giorni ancora e fu la volta di Parma, dove venne costituito un governo provvisorio. Successivamente il movimento guadagnò rapidamente tutta la Romagna, le Marche e l'Umbria e in pochi giorni i territori effettivamente controllati dal governo e dalle truppe pontificie si erano ridotti al solo Lazio, mentre nei territori liberati si era costituito un governo delle « Province unite italiane », con sede a Bologna. Quest'ultimo però ebbe vita brevissima e fu spazzato via dall'intervento austriaco, cui la diplomazia di Luigi Filippo aveva lasciato via libera. Alla fine di marzo lo *statu quo* si era ristabilito sia nei ducati che nello Stato pontificio.

L'intervento austriaco e il mancato appoggio francese non bastano neppure questa volta a spiegare il repentino collasso di un movimento dagli inizi così promettenti. Anche in questo caso, come già per la rivoluzione napoletana del 1820, l'accento va posto sui limiti e le debolezze interne del movimento e, innanzitutto, sulla sua eterogeneità e sulle sue divisioni interne. Queste ultime opponevano innanzitutto la vecchia generazione di notabili del Regno italico, con il suo attesismo nei confronti di Parigi e la sua sfiducia nelle possibilità autonome del movimento del quale si era trovata ad essere il capo, senza esserne stata l'iniziatrice, e la giovane generazione dei carbonari. Anche tra gli esuli, che avevano costituito a Parigi una Giunta liberatrice italiana, non vi era identità di punti di vista: alcuni seguivano infatti il Buonarroti e ne condividevano le teorie decisamente repubblicane, altri erano fautori di tendenze più moderate. Infine vi erano le discordie di origine municipale tra le varie città, ognuna, specie nei ducati, gelosa del suo ruolo di capitale: a Parma in un primo tempo gli insorti giunsero a sollecitare Maria Luisa a rimanere nello Stato. A ciò si aggiunga che nella preparazione del moto non erano mancate manovre abbastanza ambigue: una parte dei suoi promotori, e in particolare i modenesi Enrico Misley e Ciro Menotti, oltre che con gli ambienti settari italiani e parigini,

mantenevano da tempo contatti anche col duca di Modena
Francesco IV, un fior di reazionario, che essi, facendo leva
sulle sue ambizioni e sul suo desiderio di succedere sul trono
piemontese a Carlo Felice in luogo del sospetto Carlo Alberto, speravano di compromettere nella progettata insurrezione. Fu questa la cosiddetta « congiura estense », un episodio ancora oscuro, che, se non si fosse concluso con l'im-
piccagione di Ciro Menotti da parte di Francesco IV, pre
senterebbe più i tratti dell'operetta che quelli della tragedia,
e che comunque rimane un documento del dilettantismo e
del provincialismo dei cospiratori e dei rivoluzionari del 1831.

Ma se i contraccolpi immediati della rivoluzione di luglio sulla penisola erano rimasti privi di effetto, essa non
mancò tuttavia di esercitare sugli eventi italiani un'influenza
profonda. Il ritorno della Francia a una politica estera di
piena autonomia, e, anzi, di brillante iniziativa aveva modificato radicalmente il quadro politico e diplomatico europeo.
Nello stesso senso agì la vittoria *whig* nelle elezioni inglesi
del 1832. Al blocco delle potenze legittimiste si contrap-
poneva infatti ora un blocco di potenze liberali e costituzionali, e in questa nuova situazione, caratterizzata dal ri-
sorgere dei conflitti e dei contrasti tra le grandi potenze,
ritornava ad essere realistica, come già nel corso del Settecento, la prospettiva di una modificazione dell'assetto territoriale della penisola nel senso di una sua maggiore indipendenza dall'Austria e di una sua maggiore unità.

A questo fine si poteva sfruttare la secolare preoccupazione francese verso l'ingerenza e la preponderanza austriache nella penisola, oppure quella dell'Inghilterra, divenuta con l'acquisto di Gibilterra e di Malta una potenza
mediterranea, nei confronti della Russia che premeva sugli
stretti, o ancora le ambizioni mediterranee della Francia che,
con l'appoggio concesso a Mehemed Alì, aveva ripreso la
vecchia politica napoleonica verso l'Egitto. Naturalmente, dopo
il clamoroso voltafaccia di Ferdinando a Lubiana e la sua
resa senza condizioni ai principi del legittimismo, lo Stato
italiano più qualificato e più in grado di operare in questo

senso appariva quel Piemonte che già nel corso del Settecento aveva saputo mirabilmente volgere a proprio profitto
gli antagonismi tra le grandi potenze. Attraverso la trattativa diplomatica e l'accorto inserimento nell'equilibrio europeo era forse ancora possibile realizzare dei progressi sulla
via dell'indipendenza e dell'unità, anche senza guerra al-
l'Austria. L'idea che quest'ultima potesse esser compensata
dell'eventuale cessione dei suoi possedimenti e della sua influenza italiana con vantaggi territoriali nei Balcani e che la
situazione italiana potesse esser risolta assieme alla questione
d'Oriente, già espressa da Gioberti in una sua lettera del
1840 a Mamiani, verrà svolta con ricchezza d'argomenti da
Cesare Balbo, patrizio e patriota piemontese, nel suo libro
Le speranze d'Italia, pubblicato nel 1844, e accolto con vivissimo interesse in tutta la penisola. Due anni più tardi,
scrivendo su una rivista parigina attorno al problema delle
ferrovie in Italia, il giovane Camillo di Cavour affermava:

> Si l'avenir réserve à l'Italie des destinées plus heureuses, si
> cette belle contrée, ainsi qu'il est permis de l'espérer, est destinée
> à reconquérir un jour sa nationalité, ce ne peut être que par
> suite d'un remaniement européen ou par l'effet d'une de ces
> grandes commotions, de ces événements en quelque sorte pro-
> videntiels sur lesquels la facilité de faire mouvoir plus ou moins
> vite quelques régiments que procurent les chemins de fer, ne
> saurait excercer aucune influence.

Espressa da colui che sarà l'artefice maggiore dell'unità d'Italia, l'idea della correlazione tra quest'ultima e un rimaneggiamento dell'assetto europeo, per quanto controbilanciata
dall'altra e meno probabile ipotesi di una commozione rivoluzionaria, acquista un'efficacia particolare. Al di fuori della
nuova costellazione politica europea sorta nel 1830 e con-
solidatasi nei decenni successivi la vicenda storica del Risorgimento italiano non sarebbe neppure pensabile.

V

LE SCONFITTE DEL RISORGIMENTO

Giuseppe Mazzini e la Giovine Italia.

Giuseppe Mazzini nacque a Genova nel 1805 e iniziò giovanissimo a pubblicare sull'«Antologia» e su altri periodici dell'epoca. Costretto ad emigrare in Francia perché coinvolto in una cospirazione carbonara, indirizzò di qui al nuovo re del Piemonte, l'amletico Carlo Alberto, succeduto a Carlo Felice nel 1831, una lettera in cui lo invitava a porsi a capo del movimento per la libertà e l'indipendenza italiane. Il contenuto di questo documento era ingenuo e perentorio, ma il suo tono appassionato e romantico dava la misura della personalità del suo autore. Mazzini portava infatti nella lotta politica un impegno morale, un'intransigenza, una concezione essenzialmente romantica della lotta politica come missione, e una serietà che le vecchie generazioni dei giacobini e dei rivoluzionari italiani, se mai avevano avuto, avevano perduto, e che il clima della Restaurazione non aveva certo favorito nelle nuove generazioni. Queste qualità tipiche dei giovani, egli seppe conservarle lungo tutto l'arco della sua lunga carriera di cospiratore e di patriota, ad onta di tutte le delusioni e amarezze: di qui il fascino che egli esercitò su generazioni di italiani. In un paese in cui il machiavellismo politico deteriore è spesso l'altra faccia dello scetticismo, l'ascetismo di Mazzini, la sua affermazione che «pensiero e azione» dovevano assolutamente coincidere, incutevano rispetto negli avversari, suscitavano entusiasmo nei seguaci e sollevavano il tono generale della vita politica a un grado di tensione e di serietà nuovi. In questo senso l'influenza di Mazzini nella storia del Risorgimento italiano può essere difficilmente sopravvalutata e va ben oltre l'ambito del movimento politico da lui direttamente ispirato e diretto.

Questo si identificò in un primo tempo con la Giovine Italia, la società che Mazzini fondò agli inizi del 1831 e la cui istruzione generale redasse nel giugno dello stesso anno. Per certi aspetti la Giovine Italia ricalcava il modello delle precedenti organizzazioni settarie, in quanto i suoi membri si distinguevano in due diverse categorie, ciascuna corrispondente a diversi gradi di iniziazione. Ma per altri e più cospicui aspetti, essa se ne distaccava radicalmente. L'insurrezione, che costituiva il fine ultimo dell'associazione e la cui preparazione rimaneva segreta, era considerata come il risultato e il coronamento di un'opera di educazione o « apostolato » (questi termini mutuati dal linguaggio religioso sono frequenti nel vocabolario politico mazziniano) che, laddove le circostanze lo permettevano, si doveva svolgere in forma pubblica, attraverso la stampa e la parola. In tal modo la cerchia degli aderenti si allargava molto al di là delle organizzazioni settarie precedenti e giungeva, come di fatto avvenne in numerose località e regioni, a includere anche dei nuclei abbastanza consistenti di artigiani e di popolani. A Milano ad esempio attorno al 1833-35 gli affiliati sarebbero stati più di 3.000. La Giovine Italia era insomma qualcosa di intermedio tra la vecchia forma organizzativa della setta e della società segreta e quella, ancora di là da venire, del partito politico.

Ma quali erano i contenuti e i cardini dell'« apostolato » mazziniano? Quale il programma politico della Giovine Italia? A volerlo condensare in una formula, si potrebbe dire che esso consisteva essenzialmente nell'indicazione di un obiettivo — la repubblica unitaria — e nell'individuazione degli strumenti adeguati al raggiungimento, l'iniziativa popolare e insurrezionale.

Il primo punto non era nuovo: già nel celebre concorso del 1796, Melchiorre Gioia come si ricorderà, si era guadagnata la palma sostenendo la necessità di una repubblica unitaria. E più recentemente il vecchio Filippo Buonarroti, con il quale Mazzini fu in stretto contatto sin dai primi tempi del suo esilio e del quale subì senza dubbio l'ascendente morale e ideologico, nelle sue *Riflessioni sul governo federativo applicato all'Italia* si era schierato per la soluzione unitaria. Quel che di nuovo vi è in Mazzini è l'accento posto sul fatto che questa soluzione non aveva altre alternative e che era l'unica fondata nella storia e nella tradizione italiane, nell'averle cioè conferito il sigillo della necessità storica e nell'aver così trasformato quella che era un'ipotesi accanto alle altre in un'idea-forza. Una nazione — così egli argomentava — se veramente è tale, se cioè possiede unità di religione, di lingua, di costumi, un suo « genio », non può che essere un organismo unitario. Inoltre il federalismo — continuava Mazzini sviluppando un argomento già impiegato dal Buonarroti — favoriva la conservazione dei privilegi dell'aristocrazia, mentre l'unitarismo favoriva un maggior grado di livellamento e, di conseguenza, l'elevazione morale e sociale del popolo.

Eccoci dunque alle prese con il termine e con il concetto chiave del vocabolario politico mazziniano, quel « popolo » che deve essere il protagonista e il creatore della nuova unità nazionale. Se i precedenti tentativi erano falliti — su questo punto Mazzini era categorico — ciò era avvenuto solo perché avevano investito ristrette aristocrazie intellettuali e non avevano avuto il carattere di sommovimento popolare e perché avevano atteso il segnale dal di là delle frontiere e non avevano fatto affidamento sulle immense possibilità rivoluzionarie interne. La rivoluzione italiana invece sarebbe stata opera del popolo e sarebbe scaturita dall'interno della società italiana. Ma sarebbe stata sufficiente la prospettiva dell'unità nazionale e dell'instaurazione della repubblica a trascinare le « moltitudini » sulla via che la « classe media » e le « intelligenze » stavano già battendo? Su questo punto Mazzini è assai meno categorico e il suo pensiero presenta anzi notevoli ambiguità. Se infatti da una parte egli ammette che è necessario « scendere nelle viscere della questione sociale » e prospettare al popolo dei miglioramenti concreti, dall'altra egli respinge la possibilità di ogni attentato alla proprietà e di ogni progetto di « legge agraria ». Ciò si iscriveva nella sua generale avversione a quella che egli chiamava la « guerra delle classi » e fu anche su questo terreno che maturò, attorno al 1833, il suo distacco dal Buonarroti, dal quale peraltro lo dividevano anche la sua concezione di un'iniziativa italiana nei confronti della Francia e la sua avversione alla nozione giacobina di un periodo iniziale di dittatura nel processo rivoluzionario. Ché anzi col passare degli anni egli venne accentuando questa sua avversione giustificandola con l'affermazione che a differenza della Francia, dove le distanze sociali tra l'opulenta e gaudente borghesia di Luigi Filippo e i tessitori affamati di Lione erano immense, e dell'Inghilterra, sconvolta dalla rivoluzione industriale, in Italia regnava una relativa eguaglianza. Nella penisola non esistevano grandi concentrazioni di ricchezze e tutti in definitiva, anche gli aristocratici, facevano parte del « popolo ». Così gonfiato e dilatato quest'ultimo diveniva una nozione nebulosa e generica, una massa gelatinosa in cui ogni funzione agglutinante finiva necessariamente per spettare alle « intelligenze ».

Su queste basi ideali e politiche, se era stato relativamente facile con la costituzione della Giovine Italia avviare un movimento dotato di una consistenza e di un'incisività ideale ben maggiori delle precedenti organizzazioni settarie, si rivelò ben presto difficile svilupparlo e irrobustirlo. I *réseaux* mazziniani nel Mezzogiorno e nel Piemonte furono rapidamente scoperti e decimati e un tentativo di realizzare attraverso la Savoia una spedizione di esuli politici italiani e stranieri a sostegno di moti rivoluzionari che avrebbero dovuto scoppiare a Alessandria e Genova (1834), abortì abbastanza ingloriosamente. Una nuova ondata di esuli politici fu costretta a varcare i confini e a disperdersi attraverso tutta Europa, in Spagna, in Francia, in Inghilterra, a Malta. Altri si recarono addirittura nell'America latina e costituirono una legione italiana che combatté in Brasile e in Uruguay. Tra di essi un giovane marinaro nizzardo, Giuseppe Garibaldi. Le file della Giovine Italia erano così scompaginate e lo stesso Mazzini all'inizio del 1837 riparava a Londra. Più tardi, attorno al 1839, egli lanciò la parola d'ordine della riorganizzazione della Giovine Italia su nuove basi, indirizzando l'azione di reclutamento specialmente in direzione delle numerose colonie di operai italiani emigrati all'estero e cercando in tal modo di accentuare il carattere popolare del suo apostolato. Contribuì certo a orientarlo in questo senso l'esperienza fatta in Inghilterra del movimento cartista. Ma il tentativo, cui la concezione interclassistica del Mazzini (« la parola operaio non ha per noi alcuna indicazione di classe nel significato comunemente annesso al vocabolo ») toglieva buona parte del suo mordente, non avrà sviluppi concreti di qualche consistenza e i moti mazziniani del decennio 1830-40 avranno in comune con quelli del decennio precedente il carattere di iniziative promosse da un'*élite* politica e intellettuale, destinate quasi fatalmente all'insuccesso. Fu il caso del colpo di mano (peraltro non autorizzato da Mazzini) tentato dai fratelli Bandiera in Calabria nel 1844, che si concluse con la morte di tutti i suoi pochi — diciannove — partecipanti. Il nuovo insuccesso segnò un'ulteriore perdita di prestigio per il movimento mazziniano e per Mazzini stesso, accusato di lanciare allo sbaraglio la gioventù che lo seguiva. Ma le ragioni della diminuita popolarità del radicalismo mazziniano erano anche altre e più profonde: volgeva infatti ormai in Italia l'ora dei moderati.

I moderati.

La formazione di un partito moderato, che sorgesse a contrastare il campo ai mazziniani e a sottrar loro quelle simpatie che essi avevano largamente mietuto ai loro esordi, fu un processo che si svolse gradualmente e che occupò un certo numero di anni. Le basi erano state gettate già dal gruppo di intellettuali che si erano raccolti in un primo tempo attorno al « Conciliatore » e, dopo la soppressione di quest'ultimo, attorno alla rivista fiorentina l'« Antologia », la quale fu peraltro a sua volta costretta a cessare le sue pubblicazioni nel 1833. Ma fu solo però dopo il 1840 che il processo di coagulazione e di formazione di una corrente di opinione moderata assunse forme più evidenti e un ritmo più accelerato.

Lo *choc* di cui un settore dell'opinione pubblica italiana aveva bisogno per prendere coscienza delle tendenze che già da alcuni anni essa veniva variamente e confusamente elaborando, fu dato dalla pubblicazione, avvenuta a Bruxelles nel 1843, di un libro — *Il primato morale e civile degli Italiani* — del quale era autore un abate piemontese, già simpatizzante per la causa mazziniana e da tempo emigrato, Vincenzo Gioberti. La sua tesi, svolta con gran spreco di digressioni storiche e filosofiche molto spesso assai scarsamente pertinenti, era già contenuta nel titolo. Si sosteneva cioè che l'Italia, in quanto sede del papato, aveva detenuto il primato tra le nazioni e che essa sarebbe tornata a fregiarsene quando la Chiesa, rinnovata e liberata dagli abusi, avesse riassunto la sua funzione universale, e che di conseguenza il rinnovamento e il risorgimento dell'Italia era inscindibile da quello del papato. Questa enunciazione, nella quale confluivano e si contaminavano la tradizione del guelfismo italiano e il nuovo cattolicesimo liberale francese alla Lamennais, costituiva peraltro soltanto la cornice, diremmo quasi la coreografia, del reale pensiero giobertiano. Il nocciolo di quest'ultimo era piuttosto costituito da una proposta politica assai concreta, quella di una confederazione di vari principi italiani sotto la presidenza del papa, che avrebbe avuto in Roma la sua « città santa » e nel Piemonte la sua « provincia guerriera ». La prospettiva era insomma quella dell'« unione » e non quella dell'« unità »; essa rappresentava comunque un concreto passo avanti.

Il Primato, come si è detto, venne accolto dal pubblico dei lettori italiani con vivissimo interesse. Non mancarono però, tra tante lodi ed esaltazioni, anche delle riserve e delle perplessità. Ci si chiedeva in particolare da parte di molti se il disegno giobertiano di una confederazione tra i principi italiani non fosse anch'esso irrealizzabile, data la scontata opposizione che l'Austria avrebbe manifestato verso ogni soluzione che sovvertisse lo *statu quo* nella penisola e pregiudicasse la larghissima influenza che essa ora esercitava sulle cose d'Italia. Il Gioberti era pienamente consapevole di questa obiezione e, se nel *Primato* non aveva discorso della sua speranza di vedere un giorno estromesso dall'Italia l'« aborrito austriaco », ciò era stato per mera opportunità. Peraltro egli giudicava di difficile realizzazione una lega di principi italiani contro l'Austria e perciò — come si è già avuto modo di accennare — accarezzava l'idea di una trattativa diplomatica mediante la quale l'Austria venisse indennizzata della perdita dei suoi possedimenti italiani con acquisti nei Balcani. Si è visto anche come quest'idea venisse, l'anno seguente alla pubblicazione del *Primato*, sviluppata da Cesare Balbo nelle sue *Speranze d'Italia*, le quali possono perciò considerarsi come un'integrazione della fortunata opera giobertiana.

Vi era però un altro punto sul quale il Gioberti aveva prudentemente e opportunisticamente taciuto nel suo *Primato*, pur essendone, a differenza del Balbo con il suo lealismo monarchico e savoiardo, pienamente consapevole: il problema delle riforme che i principi degli Stati italiani confederati e, in primo luogo, il papa, avrebbero dovuto introdurre nei loro Stati se volevano veramente accattivarsi l'appoggio dell'opinione pubblica. Per quanto riguardava in particolare lo Stato della Chiesa non era possibile che, se continuava ad essere il peggio governato e il più oppresso tra i vari Stati italiani, esso potesse costituire quel centro di attrazione che il Gioberti voleva. L'abate piemontese del resto se ne rendeva conto e nel 1845 ruppe il suo precedente riserbo pubblicando i *Prolegomeni del Primato*, in cui prendeva nettamente partito contro il malgoverno papale, attaccava i gesuiti e lasciava chiaramente trasparire la sua simpatia per una politica di riforme, giungendo sino a criticare da questa visuale la timidezza e la riluttanza della monarchia piemontese. Un nuovo passo era così compiuto nella delineazione di un programma moderato e italiano. Rimaneva soltanto da conferire al medesimo una maggior concretezza e articolazione.

È questo il compito che si assume Massimo d'Azeglio, un brillante patrizio piemontese, il quale nel 1845 si era acquisito una grande popolarità per il coraggio con cui aveva denunciato — lui, un moderato e un uomo di fiducia di Carlo Alberto — il malgoverno papale nelle Romagne, quando nel 1847 pubblicò una sua proposta d'un *Programma per l'opinione nazionale italiana* che può considerarsi un vero e proprio manifesto del partito moderato alla vigilia del '48. Del resto il d'Azeglio stesso aveva inteso dargli questo carattere consultandosi per la sua redazione con altri autorevoli esponenti del moderatismo italiano. In esso si sollecitava un accordo tra i principi della « parte italiana dell'Italia » su un concreto programma di riforme da introdursi di comune accordo nei loro Stati: riforma dei codici, introduzione della giuria, maggiore libertà di stampa e, infine, abolizione delle barriere doganali e creazione di una sorta di *Zollverein* italiano. Quanto infine alla questione dell'indipendenza, il d'Azeglio nelle conclusioni del suo opuscolo ne ribadiva il carattere di principio, pur dichiarando la propria avversione nei confronti di tentativi precipitati e predicando la virtù della pazienza. Lo schema politico giobertiano acquistava così concretezza, deriva ai bisogni immediati di una società incamminata sulla via dello sviluppo borghese, acquistava nuovi consensi e nuove simpatie.

Alla proposta del d'Azeglio e al partito moderato aderivano infatti sia il gruppo dei liberali toscani che già si era raccolto attorno all'«Antologia» e alla cui testa stava Gino Capponi, sia quello dei patrioti bolognesi e dei territori pontifici facenti capo a Marco Minghetti, sia numerosi patrioti siciliani e del Mezzogiorno continentale. Il nucleo fondamentale dei quadri del partito moderato era però costituito dal gruppo piemontese, cui appartenevano sia il Balbo, sia il d'Azeglio, sia lo stesso Gioberti (per tacere del giovane Cavour che proprio in questi anni faceva le sue prime prove politiche), da uomini cioè che, pur non nutrendo simpatie di sorta verso la rivoluzione, avevano rotto in maniera definitiva con il legittimismo oltranzista di Carlo Felice. Della vecchia classe dirigente sabauda essi conservavano invece le qualità migliori, lo spiccato senso dello Stato e del servizio pubblico, l'attitudine al comando e al governo. Solo il regno di Napoli, che per certi aspetti aveva avuto un'evoluzione storica analoga a quella del Piemonte, poteva vantare un personale politico dotato di questi requisiti e di questo «stile». Essi mancavano invece sia al borghese e al patrizio lombardo da troppo tempo disabituati alla responsabilità politica, sia all'*hobereau* toscano, erede, malgrado tutto, di una tradizione municipalistica e cittadina a cui erano estranei ogni spirito militare e uno spiccato senso dello Stato. Attraverso il partito moderato e il suo nucleo dirigente il Piemonte di Carlo Alberto poneva così la propria seria candidatura alla guida del moto risorgimentale.

La situazione economica e politica alla vigilia del 1848.

Nel frattempo molte cose erano cambiate in Italia dai tempi della Restaurazione, soprattutto sotto il profilo economico.

Il simbolo e l'emblema della nuova economia capitalistica, del suo straordinario slancio e dinamismo, erano quelle ferrovie delle quali, come si è avuto modo di accennare, Cavour aveva tessuto l'elogio in uno dei suoi primi scritti. Anche l'Italia ebbe le sue: la Firenze-Pisa, ultimata nel 1848, la Torino-Moncalieri, primo tratto della Torino-Genova, inaugurata nel 1845, la Milano-Venezia, al cui completamento mancavano peraltro il tratto intermedio da Treviglio a Vicenza, e altre minori. Accanto alla ferrovia l'altra struttura portante del nuovo « industrialismo » era la banca e anche nel settore del credito non erano mancate delle importanti realizzazioni. Nel 1823 apriva i suoi sportelli la Cassa di risparmio delle province lombarde, nel 1844 la Banca di sconto di Genova e nel 1847 quella di Torino. A Firenze un'analoga Banca di sconto funzionava fin dal 1817. Ma la banca e la ferrovia rinviavano entrambe, da opposti versanti, alla manifattura con le sue macchine fragorose e rivoluzionarie. In questo settore i maggiori progressi erano stati realizzati in Italia nel campo dell'industria tessile. Nella sola Lombardia la produzione di seta era salita dai 2.200.000 chilogrammi del 1815 ai 3.500.000 del 1841, mentre i telai in funzione nell'industria cotoniera erano alla stessa data ben 15.000 e 101.644 i fusi attivi. Si tratta di indici sparsi, ma sufficienti a documentarci il ritmo di uno sviluppo economico e capitalistico ormai avviato, anche se non certamente generalizzato a tutto il paese, ma circoscritto alle sue zone più evolute. La sostenutezza del ritmo e del tono generale della vita economica trova del resto la sua rappresentazione più significativa nello sviluppo del commercio estero, che passò da un ammontare di 275 milioni di lire nel 1830 a quello di 650 milioni di lire nel 1850.

Certo lo sviluppo economico italiano non teneva il passo con quello degli altri paesi europei, la rete ferroviaria era ancora agli inizi, il commercio interno tra i vari Stati meno sviluppato di quello con l'estero, i residui e i vincoli feudali, specie nel Mezzogiorno, assai pesanti e ingombranti. Tuttavia lo sviluppo economico dell'Italia in senso borghese e

mercantile era ormai avviato e non si poteva più tornare
indietro: l'inserimento dell'Italia nel mercato internazionale
e nell'Europa del libero scambio si presentava ormai per essa
come una via obbligata.

Ciò significava peraltro anche che l'Italia si trovava ad
essere esposta ai rischi e alle fluttuazioni cicliche della congiuntura e dell'economia capitalistica, e che i settori più deboli e più arretrati della sua economia erano sottoposti alla
rude concorrenza di un mercato in cui l'arrivo del grano
russo, delle sete del Bengala o della lana australiana deter-
minavano bruschi contraccolpi. Era questo soprattutto il caso
dell'agricoltura, il cui andamento, per tutto il periodo compreso tra il 1818 e il 1846, fu caratterizzato da una curva
decrescente dei prezzi e in particolare di quello del grano.
A questa tendenza al ribasso le aziende di tipo capitalistico
o, comunque, più attrezzate e meglio ubicate, cercarono di
riparare operando una conversione colturale in favore di colture più remunerative e a carattere industriale e utilizzando
in misura sempre maggiore quella manodopera salariata che
la crisi della piccola proprietà rendeva largamente disponibile e a buon mercato. Ciò accadde soprattutto nelle fertili campagne della bassa Lombardia, dove l'allevamento su
vasta scala del bestiame e la trasformazione industriale dei
suoi prodotti si svilupparono in maniera assai considerevole,
e nell'Emilia. Nel solo Bolognese alla data del 1845 i « braccianti », salariati agricoli pagati a giornata, erano già 45.000,
altrettanti quanti i mezzadri e gli affittuari. Altrove invece,
come era già accaduto nel corso della seconda metà del Settecento, l'adeguamento alle nuove condizioni del mercato internazionale venne ricercato attraverso la via tradizionale del-
l'intensificazione dello sfruttamento e dell'accentuazione del
carattere di rapina che, nelle zone più povere della penisola
e particolarmente in quelle meridionali, l'agricoltura ancora
largamente conservava. Di qui l'assalto ai terreni comunali,
di qui la trasformazione di zone di pastorizia in zone di
cerealicoltura estensiva (è il caso del Tavoliere delle Puglie),
di qui soprattutto i massicci indiscriminati disboscamenti che,

sconvolgendo il sistema geoidrico, causarono all'economia del Mezzogiorno un danno incommensurabile.

Ci troviamo dunque, alla vigilia del 1848, già in presenza dei caratteri fondamentali dello sviluppo economico italiano o, perlomeno, del preannuncio di essi: uno sviluppo economico caratterizzato, se non condizionato, da profondi dislivelli tra i vari settori della vita economica e tra le varie regioni e zone del paese, minato da profonde contraddizioni e tensioni. Di quest'ultime i caratteri e la dinamica del moto quarantottesco sono parzialmente il riflesso.

In esso confluirono infatti non soltanto le impazienze e le aspirazioni progressive dei ceti borghesi e dell'intellettualità, ma anche i rancori dei contadini ridotti alla condizione di « braccianti » e di « pigionali » e il disagio di una vasta fascia popolare, non ancora proletaria, ma neppure più esclusivamente plebea in cui, sotto il pungolo della carestia e della disoccupazione, balenavano a tratti fermenti e manifestazioni di rivolta e si facevano a tratti luce anche brandelli di un'elementare coscienza rivoluzionaria. Per quanto la « paura del comunismo » che dilagò attraverso i ceti privilegiati italiani in questo torno di tempo avesse origine più dalla loro angustia mentale che dalla realtà delle cose, non erano mancati infatti in quegli anni dei sintomi in questo senso. In Lombardia nel febbraio e nel marzo del 1847 si ebbero tumulti annonari e contadini, in Toscana le idee socialiste e comuniste avevano fatto breccia sia nell'eccitato e infuocato ambiente livornese sia, anche, in certe limitate zone di campagna; a Roma si erano avuti episodi di luddismo e nell'Italia meridionale la tradizionale pressione contadina per la quotizzazione dei demani si era accentuata. Né erano mancati, in varie zone, scioperi di operai e di braccianti. D'altronde perché gli operai e i popolani non avrebbero potuto agitarsi e scendere in piazza, quando i « signori » non disdegnavano di farlo? La generale effervescenza politica del momento era propizia a ogni genere di protesta e a ogni genere di speranza, anche a quelle degli umili e dei frustrati di sempre. All'appuntamento europeo del 1848 l'Italia giungeva non solo con le agitazioni dei suoi borghesi e dei suoi intellettuali, ma anche coi rancori e con le attese del suo popolo.

Sotto l'azione congiunta dell'agitazione mazziniana e dell'azione dei moderati la temperatura politica del paese saliva infatti sino a determinare quel particolare stato di tensione collettiva, non infrequente nella storia delle folle rivoluzionarie, che è caratterizzato dalla persuasione della pienezza dell'ora e in cui ogni evento, che vada o sembri andare nel senso delle aspettative generali, viene interpretato come un segno dei tempi. Era questa l'atmosfera che regnava a Roma quando, nel giugno 1846, i cardinali si riunirono in conclave per designare il successore di Gregorio XVI. Due erano i candidati più quotati, il cardinale Lambruschini, che sarebbe stato un continuatore della politica reazionaria del suo predecessore, e il cardinale Gizzi, in fama di liberale. Nessuno dei due riuscì a prevalere e si ripiegò allora, con una soluzione di compromesso, sul nome del cardinale Mastai-Ferretti, vescovo di Imola e figura relativamente di secondo piano. La delusione per la sconfitta del candidato liberale, tanto maggiore in quanto ad un certo punto della notte tra il 16 e il 17 giugno si era sparsa ed era stata creduta la notizia della sua elezione provocando incontenibili manifestazioni di entusiasmo, non valse a dissipare la persuasione generale che qualcosa di straordinario *doveva* succedere. La concessione da parte del nuovo pontefice, a un mese di distanza dalla sua elezione, di una larga amnistia ai condannati politici — fatto che di per sé era abbastanza prevedibile e protocollare — parve appunto l'evento straordinario che si attendeva. Le dimostrazioni in favore di Pio IX, nel quale già si additava la personificazione del papa liberale e italiano invocato da Gioberti, dilagarono attraverso tutta l'Italia e si ebbero scene di entusiasmo indescrivibili.

Ben presto su questo stato d'animo di generica aspettativa e di euforia collettiva si innestò l'azione politica dei moderati e, soprattutto, quella dei mazziniani, decisi a forzare i tempi e convinti che le speranze che Pio IX aveva suscitato avrebbero finito per travolgerlo, quando fosse risultato chiaro che né il papa né gli altri principi italiani erano in grado di appagarle. Le manifestazioni in favore del nuovo papa assunsero così un carattere più organizzato, più politico. Di fronte all'imponenza del movimento le concessioni dovettero essere fatte: nel marzo del '47 Pio IX concesse una mitigazione della censura della stampa e poco dopo autorizzò la creazione di una Consulta di Stato composta di laici. Contemporaneamente anche a Firenze il governo lorenese aboliva la censura sulla stampa, dando così via libera alla nascita di un battagliero giornalismo politico. Sempre nella primavera del '47 Milano tributava al Cobden, l'apostolo del libero scambio, un'accoglienza trionfale, pari a quella che gli era stata tributata dalle altre città italiane. Nell'ottobre anche il governo di Torino seguiva l'esempio di quelli di Roma e di Firenze, annunciando una serie di riforme nell'amministrazione e attenuando sensibilmente i rigori della censura sulla stampa. Tali misure erano state precedute dal licenziamento del ministro degli Esteri Solaro della Margarita, del quale erano noti gli orientamenti reazionari e filo-austriaci. Nello stesso torno di tempo giungevano in porto le trattative per una lega doganale tra lo Stato pontificio, la Toscana e il Piemonte, avviata già dall'agosto, con la stipulazione di un accordo di principio che lasciava peraltro impregiudicate le modalità concrete della sua realizzazione. Il programma giobertiano di una confederazione di Stati sotto gli auspici di un papa italiano e riformatore sembrava dunque sulla via di una trionfale realizzazione. Nel frattempo però l'Austria, preoccupata dalla piega presa dagli eventi italiani, non era rimasta inoperosa e nel luglio '47 essa aveva inscenato un'azione dimostrativa facendo occupare da una propria guarnigione la cittadella di Ferrara. La risposta non si era fatta attendere e nel settembre '47 e nel gennaio del '48 si ebbero a Milano dimostrazioni antiaustriache funestate da incidenti, mentre in tutta Italia montavano i sentimenti antiabsburgici e si parlava ormai apertamente di guerra. In questo senso spingevano soprattutto i mazziniani, attivi come non mai. Mazzini stesso, che si sentiva nella condizione di un « destriero che fiuta la battaglia », non era del resto in quel torno di tempo alieno dal concedere il proprio appoggio a Carlo Alberto, purché questi si dichiarasse apertamente contro l'Austria e facesse propria la causa dell'unità e dell'indipendenza.

Gli eventi si succedevano dunque ormai con un ritmo talmente incalzante da far prevedere vicino lo scioglimento.

Il '48 italiano.

Il solo tra gli Stati italiani che fosse rimasto impermeabile all'ondata rinnovatrice degli anni 1846-47 era il regno di Napoli, il cui sovrano, Ferdinando II, dovette peraltro pagare ben presto lo scotto di questa sua intransigenza. Egli, che non aveva concesso le riforme, si trovò infatti ben presto a dover fronteggiare la rivoluzione. Questa prese le mosse da Palermo, dove un moto insurrezionale a carattere abbastanza improvvisato e popolaresco, iniziato nella giornata del 12 gennaio, venne ingrossando per via e coinvolgendo anche la borghesia e l'aristocrazia, unite, pur nell'antagonismo dei loro interessi e dei loro orientamenti, dalla comune propensione e tradizione autonomistica. Ai primi di febbraio tutta l'isola, tranne la fortezza di Messina, era controllata dagli insorti, un governo provvisorio siciliano costituito e proclamata la decadenza della dinastia dei Borboni. Frattanto il fermento rivoluzionario aveva passato lo stretto e si era comunicato alle province del Mezzogiorno continentale e in particolare alla penisola del Cilento. Il 29 gennaio Ferdinando II era costretto a sottoscrivere l'impegno di concedere la costituzione, sorpassando così largamente la misura delle concessioni fatte in precedenza dagli altri principi italiani. Sotto la pressione dell'opinione pubblica questi ultimi dovettero a loro volta ben presto allinearsi sulla nuova situazione determinatasi nel regno di Napoli e costituzioni o statuti furono concessi a Firenze, a Torino e nella stessa Roma. Si trattò in tutti questi casi di documenti esemplati sulla costituzione francese del 1830, che prevedevano un assetto dello Stato basato sul bicameralismo e su un suffragio censitario, e l'istituzione della guardia nazionale come milizia borghese. Solo le più tarde costituzioni siciliane e della repubblica romana, cui accenneremo più avanti, ebbero un carattere più radicale e democratico.

Ad accelerare le decisioni dei sovrani italiani avevano contribuito certamente le notizie della rivoluzione parigina del febbraio. Quelle che verso la metà di marzo giunsero da Vienna e da Budapest determinarono una situazione nuova e dettero un ulteriore fortissimo colpo di acceleratore alla rivoluzione italiana. L'Ungheria in rivolta, Vienna stessa in stato di agitazione, Metternich costretto alle dimissioni: la grande occasione, quella « grande commotion » della quale aveva parlato, senza troppo crederci, il Cavour, sembrava veramente giunta.

A Milano il fermento rivoluzionario da tempo trattenuto eruppe nella giornata del 18 marzo e, travolgendo le esitazioni e gli attesismi della municipalità, assunse ben presto il carattere di un'insurrezione generale, che trovò in un Consiglio di guerra, del quale, tra gli altri, faceva parte Carlo Cattaneo, il suo organo coordinatore. L'estrema decisione del popolo, l'aiuto dei contadini e degli abitanti delle città vicine che, informati del decorso degli eventi milanesi attraverso il lancio di palloni, erano confluiti in colonne armate verso la città, ebbero ragione della guarnigione austriaca forte di 14.000 uomini al comando del Radetzky. Il 23 marzo, dopo cinque giornate di combattimenti di strada, Milano era libera. Frattanto anche Venezia era insorta e il 22 marzo la guarnigione austriaca capitolava e un governo provvisorio, con alla testa Daniele Manin, restaurava l'antica Repubblica veneta.

Nello stesso giorno in cui l'insurrezione di Milano era pienamente vittoriosa le truppe piemontesi al comando di Carlo Alberto passavano, con il tricolore in testa, il confine piemontese del Ticino e nei giorni successivi ad esso si aggiunsero contingenti provenienti dalla Toscana, dagli Stati pontifici e da Napoli. La prima guerra di indipendenza era cominciata e le speranze più audaci del guelfismo e del moderatismo italiano sembravano vicine alla meta. Ma le delusioni non tardarono a giungere e le difficoltà a manifestarsi. Il 29 aprile Pio IX, che due mesi prima aveva fatto delirare tutti i patrioti con la sua invocazione della benedizione divina sull'Italia, proclamò con un'allocuzione la sua estraneità, in quanto pastore di popoli, al conflitto in atto, facendo così crollare il mito neoguelfo di un riscatto italiano sotto gli auspici della Chiesa. Pochi giorni dopo, il 15 maggio, al seguito di una giornata confusa e ricca di colpi di scena, Ferdinando II di Napoli riprese il pieno controllo della situazione e inferse al movimento liberale un grave colpo.

Il peso della guerra gravava perciò ora praticamente sulle spalle del Piemonte e del governo provvisorio costituitosi a Milano, due *partners* cioè tra i quali era ben lungi dal regnare un perfetto accordo. Come il Cattaneo e i democratici lombardi avevano temuto, l'intervento di Carlo Alberto, che a molti era parso tardivo, era avvenuto più nello spirito della tradizionale politica dinastica sabauda che in quello dell'auspicata crociata comune per la liberazione d'Italia. Ciò apparve evidente dal modo in cui la diplomazia piemontese si mosse tra il maggio e il luglio presso il governo milanese e presso le altre corti italiane. Il suo obiettivo (che riuscì a realizzare nel maggio) consistette nell'indurre i governi provvisori sorti dai moti rivoluzionari milanesi e veneti a far decretare, mediante plebisciti, la annessione dei rispettivi territori al regno di Sardegna e, in secondo luogo, nel dilazionare a dopo la vittoriosa conclusione della guerra ogni decisione sull'assetto politico del nuovo Stato italiano che ne sarebbe emerso.

Quest'ultimo punto di vista era sostenuto con l'argomentazione che per il momento fosse necessario subordinare ogni cosa alla condotta della guerra, argomento che sarebbe

stato ineccepibile, se effettivamente da parte piemontese tale
guerra fosse stata condotta con risolutezza. Ma non era così.
In due occasioni infatti le truppe al comando di Carlo Alberto si lasciarono sfuggire dei momenti propizi: una prima
volta quando, appena varcato il confine, non si lanciarono
all'inseguimento delle truppe di Radetzky, impegnate in una
difficile ritirata attraverso un paese infido, da Milano verso
le fortezze del Quadrilatero; una seconda quando, dopo il
brillante successo di Goito (30 maggio) e la resa della piazzaforte austriaca di Peschiera, non seppero sfruttare la vittoria e permisero al Radetzky di riprendersi e di contrat-
taccare espugnando Vicenza. Fu questa anzi la svolta decisiva della guerra: da allora l'iniziativa passò in mano agli
austriaci, i quali il 25 luglio ottennero un'importante vittoria a Custoza. Carlo Alberto ripiegò su Milano non tanto
per assicurare la difesa della città, quanto per prevenire
un'eventuale iniziativa popolare in questo senso. Subito dopo
il suo ingresso nella capitale lombarda egli, suscitando l'indignazione dei milanesi, negoziò il cessate il fuoco con Radetzky, al quale seguì un armistizio firmato il 9 agosto dal
generale Salasco.

Dal punto di vista piemontese e dinastico dal quale
Carlo Alberto si poneva, l'unica soluzione che ormai si pro-
spettava era infatti quella di una pace che salvasse la faccia
al Piemonte assicurandogli modesti vantaggi territoriali in
Lombardia o nei ducati. A questo obiettivo lavorò nei mesi
successivi la diplomazia sabauda cercando di sollecitare una
mediazione franco-inglese e marcando sempre più le distanze
nei confronti del patriottismo italiano. Si spiega alla luce
di queste direttive il rifiuto che venne opposto all'offerta
della corona di Sicilia fatta al duca di Genova, secondoge-
nito di Carlo Alberto, da parte del Parlamento siciliano. Ma
anche questa prospettiva si rivelò illusoria e la sollecitata
mediazione franco-inglese non sortì alcun effetto.

Di fronte alla sconfitta, al riaffiorare del « municipalismo » piemontese e sabaudo e al fallimento del neoguel-
fismo, l'alternativa democratica, già avanzata fugacemente

dal Mazzini, di una Costituente italiana eletta a suffragio universale, cui sarebbe spettato di guidare la lotta contro l'Austria e di affrettare i tempi dell'unità italiana, tornava a riproporsi. Fu in Toscana che il movimento per la Costituente colse la sua prima affermazione con la costituzione, nell'ottobre 1848, di un nuovo ministero capeggiato dal livornese Guerrazzi e dal Montanelli, che si può considerare il vero e proprio teorico dell'idea di Costituente. Frattanto anche a Roma le cose evolvevano nel senso della democrazia: l'assassinio del ministro Pellegrino Rossi ad opera di settari (15 novembre) seguito a pochi giorni dalla fuga di Pio IX a Gaeta (dove sarà raggiunto poco dopo dal granduca di Toscana Leopoldo II), lasciò libero il campo agli uomini delle correnti più radicali della capitale e, soprattutto, delle province. Vennero indette elezioni dalle quali uscì un'assemblea costituente composta in prevalenza di democratici, la quale nel febbraio del '49 decretò la decadenza del papato e la proclamazione della Repubblica romana. L'ondata democratica, che aveva investito Firenze e Roma, toccò anche Torino dove, nel dicembre '48, l'incarico di formare un nuovo ministero venne affidato al Gioberti, che nei mesi precedenti aveva condotto un'aperta battaglia contro i « municipali », fautori di una politica di piede di casa, e si era alleato con le correnti democratiche. La sua azione di governo fu però lungi dall'essere cristallina. Dopo aver trattato con Firenze e con Roma per la convocazione di una Costituente italiana, egli si dette da fare per una restaurazione del granduca a Firenze, da attuarsi mediante un intervento armato piemontese, si pose in urto sia con Carlo Alberto, cui cercò di sottrarre il comando dell'esercito, sia con i democratici e si trovò infine costretto a dimettersi (febbraio '49). Pochi giorni dopo Carlo Alberto denunciava l'armistizio con l'Austria stipulato nell'agosto e riprendeva le ostilità. Si trattava di un'iniziativa con poche probabilità di successo, intrapresa com'era in una congiuntura diplomatica sfavorevole, quando la reazione aveva ormai vinto sia a Vienna che a Parigi e in un'atmosfera politica caratterizzata dal declino dei precedenti entusiasmi, quasi — si direbbe — assunta per punto d'onore. Le operazioni militari, condotte anche questa volta con incertezza, presero subito una piega estremamente sfavorevole per l'esercito piemontese che venne sconfitto irreparabilmente a Novara (23 marzo). Di fronte all'estrema gravità della sconfitta politica e militare, Carlo Alberto preferì abdicare in favore del figlio Vittorio Emanuele II, il quale intraprese subito le trattative di pace con l'Austria. Queste giunsero in porto il 6 agosto e sancirono la rinuncia da parte del Piemonte a qualsiasi acquisto territoriale e a ogni sostegno al movimento rivoluzionario italiano. Nel frattempo però il nuovo re aveva dovuto reprimere l'aperta sollevazione di Genova, vecchia roccaforte democratica, insorta per protestare contro le clausole del trattato.

All'inizio della primavera del '49, a un anno di distanza da quel marzo '48 che aveva dischiuso le vie delle più rosee speranze, la situazione appariva ormai irrimediabilmente compromessa per la causa italiana. Sconfitto il Piemonte, rioccupate dagli austriaci la Lombardia e la terraferma veneta, in Sicilia il potere borbonico venne restaurato dopo una lotta prolungatasi dal maggio del '48 al marzo del '49, e a Firenze, nel maggio, un corpo di spedizione austriaca reinsediò il granduca. Uniche cittadelle della libertà italiana rimanevano Roma e Venezia. Contro la capitale e il suo governo repubblicano la Francia di Napoleone III inviò un suo corpo di spedizione, sotto lo specioso pretesto di un tentativo di conciliazione tra i liberali romani e il papa. Esso si incontrò nella decisa resistenza di tutta una popolazione stretta attorno a Mazzini e agli altri « triumviri » e alla direzione militare di Garibaldi. Respinte una prima volta il 30 aprile, le truppe dell'Oudinot poterono entrare in Roma solo il 3 luglio, dopo aver incontrato un'accanita resistenza. Due giorni prima l'Assemblea aveva approvato la costituzione della repubblica, la più avanzata tra le costituzioni italiane e l'unica che contenesse degli articoli in cui si può ravvisare una certa sensibilità verso i problemi sociali.

Ultima a cadere fu Venezia, che invano Garibaldi, con una marcia di trasferimento che appartiene alla leggenda del Risorgimento, aveva tentato di raggiungere. La sua resa ebbe luogo il 24 agosto, alla fine di un lungo e estenuante assedio, che la vecchia repubblica sopportò degnamente e coraggiosamente.

Questa è la cronaca del '48 italiano. Forse il lettore l'avrà trovata confusa, ma si tratta di una confusione che non è solo nell'esposizione, ma anche nelle cose, quella stessa per cui l'espressione « fare un quarantotto » è divenuta in Italia sinonimo di disordine e di scombinamento. L'Italia rivoluzionaria del '48 assomiglia infatti a un mosaico le cui tessere non riescono a saldarsi: ancora una volta, smentendo le speranze del federalismo giobertiano, i vari principi, e in primo luogo Carlo Alberto, si erano mossi avendo prevalentemente in vista gli interessi dei loro rispettivi Stati; ancora una volta le vecchie rivalità regionali erano riaffiorate e si erano visti lombardi diffidenti nei confronti dei piemontesi, veneti della terraferma sospettosi di Venezia, siciliani insorti contro il dominio napoletano, l'antagonismo di Torino e di Genova, quello di Firenze e di Livorno. Ma soprattutto era mancato da parte delle classi dirigenti la capacità (o la volontà) di utilizzare e incanalare il fermento popolare in atto.

La partecipazione popolare ai moti del '48 era stata infatti notevole e comunque di molto superiore a quella verificatasi nel 1820 e nel 1831. Nelle città, a Milano, a Venezia, a Roma, a Livorno, a Palermo, il popolo aveva preso parte attivamente all'insurrezione e si era battuto con coraggio. Nelle campagne della Lombardia i contadini, come si è visto, si erano anch'essi largamente uniti al movimento generale, mentre nel Mezzogiorno e in Sicilia avevano assecondato il movimento accentuando in modo massiccio le loro rivendicazioni e agitazioni per la quotizzazione dei demani. Né vi furono, neppure nella fase calante della rivoluzione, ad eccezione che in Toscana, movimenti contadini di tipo sanfedistico, per quanto l'Austria, memore della recente esperienza galiziana, non avesse trascurato di attizzare il fuoco in questo senso. A questa partecipazione e, comunque, a questa disponibilità delle masse popolari non si era però risposto che con l'indifferenza o, in molti casi, con la paura. Le elezioni che si tennero nei vari Stati italiani avvennero tutte sulla base di una restrizione censitaria e, dove ciò non avvenne, come in Sicilia, il requisito di saper leggere e scrivere bastava da solo a costituire una barriera insormontabile per la grandissima maggioranza della popolazione. La guardia nazionale, laddove essa fu costituita, si comportò spesso come una vera e propria milizia di classe. Poco, pochissimo fu fatto per alleviare il peso della crisi economica e della carestia: qualche opera pubblica, qualche sgravio fiscale compensato però largamente dal deprezzamento della moneta. Solo la Repubblica romana, nel febbraio del '49, emanò un decreto che stabiliva che il cospicuo patrimonio dei beni ecclesiastici incamerati avrebbe dovuto essere redistribuito tra i contadini più poveri. Questi « decreti di ventoso » romani non potettero peraltro, per cause di forza maggiore, avere alcuna applicazione.

La sconfitta del movimento quarantottesco era certo un grave colpo per la causa dell'indipendenza e della libertà italiana; quest'ultima però era ormai proceduta troppo innanzi perché si potesse pensare di arrestarla.

VI

LE VITTORIE DEL RISORGIMENTO

La democrazia italiana dal 1849 al 1857.

L'esperienza del '48 non aveva modificato nella sostanza gli orientamenti politici e le convinzioni di Giuseppe Mazzini. Malgrado la sconfitta subita egli rimaneva convinto che la situazione italiana continuasse ad essere in sommo grado esplosiva e che una ripresa del moto rivoluzionario — illusione del resto condivisa dalla maggioranza dei democratici italiani — fosse imminente. Perché anche questa volta non si ripetesse il fallimento del '48, occorreva soltanto che l'insurrezione delle varie nazionalità oppresse d'Europa, degli italiani, degli ungheresi, dei polacchi, fosse più generale e più coordinata, si costituisse insomma contro la Santa Alleanza dei principi la Santa Alleanza dei popoli. A questo fine costituì nel luglio 1850 a Londra un Comitato centrale democratico europeo del quale erano membri, tra gli altri, il Ruge per la Germania e il Darasz per la Polonia. La Francia era rappresentata da Ledru-Rollin, che Mazzini, suscitando non poche perplessità, aveva preferito al Blanc. Quest'ultimo infatti agli occhi dell'agitatore genovese appariva come l'incarnazione vivente di quei « sistemi » socialisti che, a suo giudizio, introducevano nel campo della democrazia nazionale un elemento di divisione e di puntiglio che ne minava le energie e ne diminuiva le capacità d'urto. La causa del popolo e della emancipazione delle nazionalità oppresse non tollerava divisioni: e, più che sulla Francia, gli occhi del tribuno genovese erano puntati sull'Ungheria, sulla Polonia, sulla Germania, oltre che, naturalmente, sull'Italia.

Ma non si rischiava per questa via di sottrarre al progettato movimento rivoluzionario quelle forze popolari che solo avrebbero potuto assicurarne il successo e per le quali la questione del « diritto al lavoro », sulla quale Mazzini sorvolava, era in definitiva la sola che contasse? Ed era legittimo risolvere, come faceva in sostanza Mazzini, la questione sociale nella questione nazionale? A coloro che nutrivano queste perplessità e si ponevano questi interrogativi giunse opportuna la lettura di un opuscolo — la *Federazione repubblicana* — del quale era autore Giuseppe Ferrari, un milanese, già professore all'Università di Strasburgo, noto per le sue roventi polemiche contro i gesuiti e per la sua partecipazione all'insurrezione lombarda del '48, oltre che per il suo ingegno, a volte bizzarro e paradossale, ma sempre acuto. Nel *pamphlet* in questione si sosteneva che la rivoluzione nei singoli Stati avrebbe dovuto, a differenza di quanto era accaduto nel 1848, precedere la lotta per l'indipendenza e che questa rivoluzione avrebbe dovuto avere un'accentuazione francamente sociale, anzi socialista, sino a non esitare a proclamare la necessità di una legge agraria. Il modello era quello della rivoluzione parigina del '48, da febbraio a giugno, e da Parigi ancora una volta sarebbe venuto il segnale della rivolta e il sostegno alla medesima. Il Ferrari rigettava infatti come provinciale e utopistico il concetto mazziniano di una iniziativa italiana.

Il tentativo di costituire su questa base programmatica un raggruppamento della democrazia italiana in concorrenza con il movimento mazziniano non riuscì: le idee del Ferrari per un verso o per l'altro suscitavano perplessità e diffidenza. Chi, come il suo amico e concittadino Cattaneo, che tanta parte aveva avuto nel governo provvisorio milanese del '48, respingeva, in coerenza con una visione tutta e conseguentemente borghese dello sviluppo della società italiana, le sue istanze socialiste; chi, come Carlo Pisacane, un giovane e brillantissimo ex-ufficiale napoletano distintosi nella difesa della Repubblica romana, osteggiava la teoria del primato rivoluzionario francese, come quella che condannava i rivoluzionari italiani a una posizione di attesismo. Per quanto concerneva invece il socialismo, non solo il Pisacane era d'accordo con il Ferrari, ma anzi rincarava la dose: proprio in quanto era un paese arretrato nei confronti della Francia, nel quale la questione contadina si poneva in termini di *ancien régime*, l'Italia avrebbe potuto con maggiore facilità scavalcare la fase borghese della rivoluzione; e proprio per questo la rivoluzione nella penisola avrebbe dovuto avere un carattere marcatamente indigeno e uno sviluppo autonomo. Così, se per un verso il Pisacane, per quanto concerneva la analisi delle forze motrici rivoluzionarie si sentiva intellettualmente attratto verso Ferrari, d'altra parte la sua persuasione che fosse necessario fare qualcosa e agire dall'interno della società italiana lo riportava, come di fatto lo riporterà, nelle braccia di Mazzini.

Questi infatti rimaneva, malgrado il « formalismo » del suo programma, il solo tra i democratici italiani che, per il fascino personale, le capacità di tattico e di politico e per il prestigio infine che gli derivava dal ruolo avuto nella gloriosa Repubblica romana, disponesse di un seguito tra gli emigrati e nel paese. Tra il 1850 e il 1853 era riuscito a riannodare molte delle file disperse dopo il '49, e a costituire un importante *réseau* organizzativo negli Stati pontifici, in Toscana, in Liguria, dove si era collegato con le prime società operaie di mutuo soccorso, e in Lombardia. A Milano in particolare i mazziniani erano riusciti a stabilire una saldatura con le Fratellanze operaie e artigiane e gli ambienti popolari della città. Solo nel Mezzogiorno e in Sicilia l'organizzazione mazziniana era scarsamente presente. Nel febbraio '53, malgrado la sua rete cospirativa in Liguria fosse stata di recente sconvolta e decimata dalla polizia, il Mazzini lanciò ancora una volta il segnale dell'insurrezione. Questa avrebbe dovuto aver luogo il 6 febbraio a Milano e ad essa avrebbero dovuto unirsi altre città e regioni italiane.

Una volta vittoriosa, la rivoluzione avrebbe dovuto premere con la sua autorità su Torino, ai fini di una ripresa della guerra per l'indipendenza. In realtà nella giornata indicata i soli a scendere in piazza furono dei gruppi di popolani milanesi (i cosiddetti « barabba »), i cui conati insurrezionali furono facilmente repressi.

Ancora una volta, malgrado le defezioni e le critiche asprissime, Mazzini non si dette per vinto. Riparatosi nella natia Genova, dove visse in clandestinità per tre anni, egli costituì una nuova formazione politica, il Partito d'azione, il compito del quale, come appare dal suo stesso nome, avrebbe dovuto essere quello di un'organizzazione d'avanguardia, formata di professionisti dell'insurrezione e della guerra per bande. Tagliato fuori dal contatto con le masse, Mazzini ripiegava nuovamente sulle *élites* rivoluzionarie. Queste, con il loro esempio e la loro milizia, avrebbero trascinato con sé nuovamente il popolo. Su questa base si sviluppò in questo torno di tempo la collaborazione tra Mazzini e il Pisacane.

Pisacane, come si è detto, nutriva un concetto e una visione storico-politica della rivoluzione italiana ben diversa e ben più avanzata di quella di Mazzini, ma con lui concordava sulla necessità di un'azione militare e sul ripudio di ogni attesismo. Bastava che l'attivismo politico mazziniano si congiungesse con una precisa conoscenza della questione italiana perché si trovasse il punto d'appoggio necessario per far saltare tutto l'edificio. L'anello più debole della catena della reazione italiana non si trovava, come aveva ritenuto Mazzini, nelle città dell'Italia settentrionale, tra i popolani e i borghesi di Milano, di Genova e di Livorno, ma nel Mezzogiorno, con i suoi contadini affamati di terra e di giustizia. Questi erano le forze motrici della rivoluzione italiana e questa — nasceva così un'idea che sarà cara a Bakunin, e, dopo di lui, a molti uomini della democrazia italiana — non sarebbe avvenuta attraverso una conquista del Sud miserabile da parte del Nord borghese, ma al contrario attraverso un'esplosione rivoluzionaria nel Mezzogiorno, che si sarebbe poi comunicata a tutto il paese: una rivoluzione insomma « dal basso », sia dal punto di vista geografico come da quello sociale. Da questo incontro tra Mazzini e Pisacane nacque quello che in un certo senso si può considerare l'ultimo dei tentativi rivoluzionari mazziniani, la spedizione di Sapri del giugno 1857. Salpato da Genova alla testa di un drappello di patrioti, cui poi si aggiunsero dei detenuti liberati nell'isola di Ponza, il Pisacane prese terra a Sapri, la sera del 28. La *jacquerie* contadina che egli aveva sperato di suscitare non ci fu, ché anzi i contadini del luogo dettero man forte ai Borboni e Pisacane e i suoi compagni trovarono così quasi tutti la morte. A pochi mesi dalla sua tragica fine venne reso pubblico dai giornali il testamento politico del Pisacane: da esso appariva l'estrema lucidità rivoluzionaria con cui egli era partito per la sua avventurosa impresa, pienamente consapevole dei suoi rischi e delle sue scarse possibilità di successo, ma convinto sin nell'intimo che il proprio dovere di rivoluzionario si dovesse comunque fare.

L'effetto immediato del disastro di Sapri fu quello di fare ancora una volta il vuoto attorno a Mazzini, cui troppe volte ormai — tale era il punto di vista di molti — si era perdonata la sua avventatezza. Questa volta però, a differenza di quanto era accaduto dopo il 1848, i transfughi del campo mazziniano non si orientarono verso posizioni più radicali, ma più moderate. Questa loro evoluzione era stata del resto propiziata dallo stesso Mazzini, che negli ultimi anni, come già aveva fatto nel '48, aveva delineato una linea politica (la cosiddetta « bandiera neutra ») intesa a subordinare tutte le questioni, ivi compresa quella della forma di governo, al raggiungimento dell'unità e dell'indipendenza. Se ai tempi del vacillante Carlo Alberto era difficile pensare che il Piemonte potesse dar piene garanzie e affidamento per la vittoria della causa italiana, ora le cose erano molto cambiate. Qualcosa di nuovo, di radicalmente e profondamente nuovo, stava nascendo nel vecchio Piemonte.

Cavour e il Piemonte.

Una delle leggende della storiografia risorgimentale italiana è che nel colloquio svoltosi dopo la sconfitta di Novara a Vignale tra il Radetzky e il nuovo re Vittorio Emanuele II, questi avesse rifiutato di impegnarsi ad abrogare lo Statuto e avesse per questo rinunciato a possibili compensi territoriali. In realtà questa proposta non venne mai fatta e si sa anzi per certo che Vittorio Emanuele s'impegnò con l'Austria a combattere il partito democratico, come del resto egli era personalmente incline a fare. Dopo aver represso la rivolta di Genova, non esitò infatti nel novembre '49 a sciogliere la Camera, che si era mostrata restia alla approvazione del trattato di pace, accompagnando il decreto di scioglimento con un proclama assai esplicito (che fu scritto dal primo ministro d'Azeglio), in cui si faceva balenare la possibilità di un'abrogazione dello Statuto, se le elezioni non avessero avuto un esito favorevole ai moderati. L'affermazione di questi ultimi e la fermezza del d'Azeglio riuscirono peraltro a scongiurare il pericolo di una restaurazione assolutistica e il Piemonte, unico tra gli Stati italiani, seguitò ad essere una monarchia costituzionale. Passato anzi il momento critico dell'immediato dopoguerra, il suo governo riprese, malgrado l'opposizione assai consistente dei « municipali » e dei conservatori e le perplessità dello stesso re, l'indirizzo riformatore che aveva caratterizzato i vari governi italiani negli anni tra il 1846 e il 1848. Nel febbraio '50, il Siccardi, ministro guardasigilli nel Gabinetto d'Azeglio, presentò infatti alla Camera un complesso di leggi tendenti a limitare i privilegi del clero (abolizione del foro ecclesiastico e dei residui del diritto d'asilo, limitazione delle giornate festive) e ad adeguare così la legislazione piemontese a quella di altri Stati italiani in un campo nel quale essa era particolarmente arretrata. Le leggi Siccardi passarono senza incontrare eccessive resistenze, ma non così avvenne del progetto di legge sul matrimonio civile presen-

tato dal d'Azeglio il quale, per l'ostilità con cui la sua pro-·
posta venne accolta dalla Camera e, soprattutto, dal re, fu
costretto nell'ottobre del 1852 alle dimissioni. Dopo una
travagliata crisi, a formare il nuovo gabinetto venne chiamato il conte Camillo Benso di Cavour, che nel precedente
ministero aveva ricoperto la carica di ministro dell'Agricoltura e che si era impegnato a non porre la fiducia sulla
questione del matrimonio civile.

Saliva così al potere l'uomo al cui nome è legata la
realizzazione dell'unità d'Italia, una tra le poche figure della
storia italiana passata ai posteri con il fascino del vincitore
e non con quello del vinto. Cadetto di una famiglia di vecchia nobiltà e indirizzato dal padre alla carriera militare, egli
l'aveva ben presto abbandonata per una vita di viaggi, di
affari, di speculazioni, di studi e di amori, e per dedicarsi
in età più matura alla politica. In una società in cui molti
erano gli aristocratici taccagnamente imborghesiti e molti i
borghesi che ostentavano pose nobiliari, egli possedeva al
tempo stesso tutte le virtù del borghese e tutte le virtù del-
l'aristocratico: l'irrequietezza intellettuale e l'abitudine al comando, il gusto di far denaro e quello di spenderlo, la fre-
schezza di energie di una nuova classe sociale e lo stile di
una vecchia. Di orientamenti politici moderati, alieno da
ogni simpatia verso la rivoluzione e il romanticismo politico dei mazziniani, egli si rese conto peraltro della impos-
sibilità di governare contro le diffuse aspirazioni democratiche fermentanti nei ceti borghesi e piccolo-borghesi e, prima
ancora di assumere le redini del gabinetto, si assicurò una
sicura maggioranza nel Parlamento, stringendo un'alleanza
(il cosiddetto « connubio ») con le correnti più moderate
della sinistra e con il loro esponente più in vista, Urbano
Rattazzi. Essendosi in tal modo garantito contro l'impazienza
dei mazziniani e le nostalgie retrive dei « municipali » della
corte, poté svolgere con relativa tranquillità il programma
di liberalizzazione e di ammodernamento della società piemontese che aveva in mente.

Innanzitutto nel campo economico: da buon lettore di

Adam Smith e da imprenditore agricolo illuminato e intra-
prendente quale egli era, il Cavour nutriva una concezione
dello sviluppo economico essenzialmente liberista. La via
del rinnovamento della società piemontese passava a suo giudizio attraverso la vittoria delle tendenze mercantili e capitalistiche già operanti in essa e questa a sua volta aveva
per presupposto una radicale e tonificante liberalizzazione
del mercato e l'inserimento pieno del Piemonte nel grande
circuito dell'economia europea. Profondamente convinto della
giustezza e della fecondità di questa prospettiva di sviluppo
economico, il Cavour, già nei diciotto mesi durante i quali
aveva occupato la carica di ministro dell'Agricoltura, aveva
stipulato una serie di trattati commerciali — con la Francia,
con l'Inghilterra, con il Belgio, con l'Austria — tutti improntati a un pronunciato liberismo. La visione che egli nutriva dello sviluppo capitalistico era essenzialmente fondata
sulla prospettiva di una sua germinazione dal basso, attraverso l'iniziativa coraggiosa dei singoli produttori e agricoltori, così come era avvenuto nelle evolute società dell'Europa occidentale, in Inghilterra e in Francia. Ciò richiedeva
peraltro dei tempi assai lunghi e Cavour, che non era un
dottrinario e che aveva ben appreso dai testi che aveva letto
la distinzione tra economia teorica e politica economica, non
escludeva affatto che si potessero trovare delle scorciatoie
e degli espedienti che consentissero all'economia piemontese,
o italiana, di riguadagnare parte del tempo perduto. A questo fine, al fine cioè di sollecitare e agevolare il libero sviluppo dell'economia borghese, doveva esser diretta l'azione
dello Stato. Ed ecco il Cavour progettare e promuovere nella
sua azione di governo la costruzione in grande stile di opere
pubbliche a carattere infrastrutturale: il canale che da lui
prese nome e che consentì l'irrigazione razionale delle campagne novaresi e vercellesi, il traforo del Fréjus, le ferrovie.
In questo quadro va anche vista la costituzione di un grande
istituto centrale e statale di credito, la Banca nazionale,
embrione della futura Banca d'Italia.

I frutti di questa politica economica non tardarono ad

apparire evidenti: al principio del 1859 il Piemonte contava 850 chilometri di ferrovie, tra private e statali, contro i 986 esistenti in tutti gli altri Stati d'Italia, e il suo
commercio estero era notevolmente superiore a quello del
vicino e florido Lombardo-Veneto. In un'Italia in cui il ritmo
dello sviluppo economico, dopo la curva ascendente del periodo 1830-46, segnava il passo, il Piemonte era l'unico
Stato che riuscisse a tener dietro in qualche modo alla vertiginosa crescita dell'economia capitalistica europea.

Ma la libertà economica non era concepibile senza la libertà politica, la libertà del borghese senza quella del cittadino. Cavour ne era pienamente consapevole e proseguì
perciò con grande fermezza nell'opera di laicizzazione dello
Stato già intrapresa dal d'Azeglio. Nel 1855, pur di non rinunciare a una legge che sopprimeva un cospicuo numero di
conventi, egli non esitò a affrontare una difficile crisi di governo (la cosiddetta « crisi Calabiana ») e a tener testa al
re, che si era impegnato con Pio IX ad adoperarsi perché
la legge in questione non passasse. Sotto il governo di Cavour il Piemonte fu il solo tra gli Stati italiani in cui non
solo la vita politica e parlamentare si svolgeva secondo le
norme della monarchia costituzionale e dello Statuto, ma anche quello in cui vigeva un regime di effettiva libertà di
stampa, di associazione e di insegnamento. Ciò finì per fare
del regno subalpino un centro di attrazione per molti degli
emigrati politici italiani, che sempre più numerosi vennero
a stabilirsi a Torino e vi ottennero dal governo importanti
incarichi nell'insegnamento e nell'amministrazione. Il loro
numero raggiunse ben presto le varie decine di migliaia, al
punto che il problema della loro convivenza con la popolazione piemontese si pose seriamente. Tra di essi vi erano
uomini di grande prestigio e autorità, quali il romagnolo
Luigi Carlo Farini, il lombardo Cesare Correnti, il modenese Manfredo Fanti, che divenne generale dell'esercito piemontese, il siciliano Francesco Ferrara, un economista di
grande valore, cui si deve l'iniziativa della collana « Biblioteca dell'economista » che fece conoscere in Italia i classici

dell'economia politica moderna, il napoletano Bertrando Spaventa, filosofo di scuola hegeliana e Francesco De Sanctis, pure napoletano, il più dotato critico e storico letterario dell'Ottocento italiano. Di diversa provenienza regionale, gli emigrati politici in Piemonte erano divisi anche per orientamenti politici: alcuni — come il Mamiani, il Bonghi, il Bianchi — erano più o meno vicini al moderatismo piemontese e cavourriano, altri — come il folto gruppo dei residenti a Genova, nel quale facevano spicco Rosolino Pilo, Agostino Bertani e lo stesso Pisacane — erano stati o erano ancora mazziniani. Dopo il fallimento dell'impresa di Sapri — come si è già avuto modo di accennare — una sempre più larga convergenza sulle posizioni cavourriane venne manifestandosi nelle file dell'emigrazione. Nacque così, per impulso del La Farina e di Daniele Manin, la Società nazionale che si proponeva di raccogliere attorno a sé e sotto la bandiera dell'unitarismo monarchico tutto il patriottismo italiano. Ad essa aderì anche Giuseppe Garibaldi. L'isolamento di Mazzini era così completo. Autorizzata tacitamente in un primo tempo, incoraggiata poi pubblicamente e ufficialmente, la Società nazionale fu, come vedremo nel paragrafo seguente, uno strumento di prim'ordine della politica estera e nazionale cavourriana.

La diplomazia di Cavour e la seconda guerra di indipendenza.

La nozione di un Cavour diplomatico e « tessitore » paziente della lunga tela dell'unità d'Italia è tra le più correnti. Sarebbe però errato interpretarla nel senso che sin dagli inizi lo statista piemontese avesse chiaro davanti agli occhi quell'obiettivo dell'unità d'Italia che egli poi effettivamente raggiunse e che il suo lavorio diplomatico fosse tutto in funzione di questo grande fine. In realtà, come vedremo, fino a una data assai avanzata, il Cavour considerò l'unità d'Italia sotto casa Savoia un obiettivo praticamente irrealizzabile e la sua abilità non consistette nell'inflessibilità di colui che sa attendere che le situazioni maturino e le giornate decisive giungano una buona volta, quanto nell'empirismo di colui che sa ricavare dalle situazioni e dalle contingenze che via via gli si presentano il massimo di risultati. Ciò egli poté fare perché pienamente consapevole del fatto che, come si è visto a suo tempo, l'esistenza di uno scacchiere politico europeo non cristallizzato era il presupposto ineliminabile di ogni iniziativa italiana.

Da questo punto di vista la situazione negli anni cinquanta si presentava assai più favorevole di quella stessa che si era aperta con le giornate di luglio. L'avvento del bonapartismo — e il Cavour fu uno dei primi a comprenderlo — non aveva significato affatto, malgrado il suo « l'empire c'est la paix », un ritorno della Francia a una politica estera isolazionista, o peggio, legittimista. Fermo restando il ruolo dinamico e progressivo della politica inglese sul continente, un nuovo *atout* a favore della diplomazia piemontese era dato dal peggioramento dei rapporti austro-russi, manifestatosi come strascico degli eventi del '48 e acuitosi sino a divenire aperta dissidenza con il nuovo insorgere della questione d'Oriente e la guerra di Crimea (1853-56). Quest'ultima, come è noto, fu l'occasione che permise al Piemonte, che inviò un proprio corpo di spedizione a combattere assieme alle truppe francesi e inglesi attorno a Sebastopoli, di inserirsi nel concerto delle grandi potenze e della grande politica europea e di partecipare al congresso di Parigi del 1856. Per la verità non fu tanto il Cavour, quanto Vittorio Emanuele II, a esercitare le maggiori pressioni per l'intervento, ma al primo spetta senza dubbio il merito di aver saputo trarre dal contributo militare piemontese un cospicuo frutto politico. Il congresso di Parigi — cui il Cavour partecipò come rappresentante del Piemonte — non dette al Piemonte stesso gli sperati vantaggi territoriali (si era pensato a un'annessione dei ducati di Modena e di Parma); la discussione sulla questione italiana, sollecitata dal Cavour, ebbe luogo soltanto nell'ultima seduta e si ridusse a una requisitoria del delegato inglese, lord Clarendon, contro il malgoverno di cui

erano vittima i sudditi dello Stato pontificio e del regno di
Napoli e non dette luogo ad alcun documento comune. Se
questi sono i limiti del congresso di Parigi relativamente alla
questione italiana, è vero però che il febbrile lavorio diplomatico del Cavour e in particolare il consolidamento dei già
buoni rapporti personali esistenti tra lui e Napoleone III
avrebbero dato ben presto risultati evidenti. Inoltre, proprio
in quanto non aveva prodotto alcun risultato pratico, il congresso di Parigi aveva fatto maturare nel Cavour la convinzione che la questione italiana non si potesse risolvere per
via diplomatica e che fosse necessario affrontare coraggiosamente l'ipotesi di una ripresa della lotta armata contro
l'Austria. « Le canon seul — scriveva Cavour a Emanuele
d'Azeglio — peut nous tirer d'affaire. »

Ma chi sarebbe stato l'alleato del Piemonte nella nuova
guerra d'indipendenza? La fondata speranza che esso potesse
essere la Francia di Napoleone III parve dissolversi quando,
il 14 gennaio 1858, si sparse per l'Europa la notizia che l'imperatore era sfuggito fortunosamente a un attentato e che
l'attentatore era un italiano, Felice Orsini, che con il suo
gesto aveva inteso colpire l'uomo del 2 dicembre e l'affos-
satore della Repubblica romana. Ma accadde invece l'imprevedibile: la dignità dell'Orsini nell'affrontare il processo e
la morte, la lettera che dal carcere egli indirizzò a Napoleone esortandolo a liberare l'Italia, e la cui pubblicazione
venne autorizzata probabilmente dall'imperatore stesso, per-
suasero quest'ultimo della necessità e improrogabilità di una
soluzione della questione italiana. Sei mesi dopo l'attentato,
Napoleone III incontrava il Cavour a Plombières e nel corso
di questo loro colloquio vennero gettate le basi della futura
alleanza e dell'assetto che la penisola avrebbe avuto in caso
di vittoria. Il Piemonte avrebbe ceduto Nizza e la Savoia alla
Francia e avrebbe ottenuto tutta l'Italia settentrionale al di
qua degli Appennini; i territori dell'Italia centrale, eccetto
Roma e la regione circostante, avrebbero costituito un regno
dell'Italia centrale sotto un sovrano da designarsi, e l'Italia
meridionale avrebbe conservato la sua unità e i suoi confini,

ma sarebbe stata cambiata la dinastia regnante (Napoleone pensava forse al figlio di Gioacchino Murat). Questi tre Stati italiani avrebbero infine formato una confederazione sotto la presidenza del papa. Questi accordi, dei quali solo la parte relativa al costituendo regno dell'Alta Italia sotto la monarchia di Savoia e alla cessione di Nizza e della Savoia figurarono nel trattato stipulato nel gennaio 1859, furono suggellati dal matrimonio tra la principessa Clotilde, figlia di Vittorio Emanuele, e il principe Gerolamo Bonaparte.

Seguirono per Cavour dei lunghi mesi di snervante attesa trascorsi nel timore che l'intervento mediatore inglese pregiudicasse la riuscita del suo piano. Ma l'ultimatum austriaco del 19 aprile, costituendo quel *casus belli* che era previsto dal trattato, venne a toglierlo da queste angustie. Le ostilità ebbero inizio il 29 aprile e le operazioni militari presero subito un andamento favorevole all'esercito franco-piemontese: la vittoria francese di Magenta gli schiuse le porte di Milano e quelle di Solferino e di San Martino gli offrirono la possibilità di una rapida conclusione vittoriosa della campagna. Ma questa non venne colta per il sopraggiungere di nuovi e imprevisti (almeno per Napoleone III) avvenimenti.

Nel frattempo infatti nell'Italia centrale delle incruente insurrezioni avevano cacciato i rispettivi sovrani e, sollecitata dagli uomini della Società nazionale, vi si faceva sempre più strada l'idea di un'annessione al Piemonte. Furono questi sviluppi della situazione, oltre al timore di un possibile intervento prussiano, a indurre Napoleone a stipulare in tutta fretta a Villafranca dei preliminari di pace con l'Austria (11 luglio), i quali prevedevano la cessione al Piemonte della sola Lombardia, eccettuata la piazzaforte di Mantova, e per il resto, salva la costituzione di un'ipotetica federazione italiana, la conservazione dello *statu quo*. Di fronte a questo fatto compiuto, in base al quale l'Austria manteneva ancora saldamente il piede nella penisola, Cavour presentò amareggiatissimo le sue dimissioni e l'incarico di formare un nuovo governo venne dal re affidato al La Marmora. Se Cavour

non era più al governo i cavourriani e gli uomini della Società nazionale erano sempre attivi, a Bologna, a Firenze,
nelle Legazioni e premevano sempre più nel senso dell'annessione. Napoleone III, che a Villafranca si era decisamente
opposto a che i sovrani spodestati fossero restaurati mediante
un intervento austriaco, si veniva così a trovare in una situazione assai delicata e disagevole. Egli rischiava infatti di
scontentare tutti: gli austriaci, che volevano il ritorno del-
l'Italia allo *statu quo*, gli italiani, che avevano accolto gli
accordi di Villafranca come un tradimento e, infine, i francesi che avevano dovuto rinunciare all'acquisto di Nizza e
della Savoia. L'inclinazione dell'imperatore a uscire da questa
impasse mediante una soluzione nel senso favorevole agli interessi italiani non poté concretarsi sino a che, nel gennaio
1860, il Cavour non ritornò al potere e ruppe gli indugi
di una situazione estremamente intricata negoziando quella
che ormai era l'unica soluzione realistica: annessione della
Toscana e dell'Emilia al Piemonte e annessione di Nizza e
della Savoia alla Francia, entrambe da realizzarsi nella forma
tipicamente napoleonica dei plebisciti. Questi ebbero luogo
l'11 e il 12 marzo in Emilia e in Toscana e il 15 e il 22
aprile a Nizza e nella Savoia, e si risolsero tutti in una accettazione a maggioranza schiacciante dell'annessione rispettivamente al Piemonte e alla Francia. Ma l'« annus mirabilis »
del Risorgimento italiano non era ancora terminato. Prima
della sua fine altri eventi portentosi si sarebbero prodotti e
il traguardo ancor giudicato irraggiungibile dell'unità d'Italia
sarebbe stato raggiunto.

La spedizione dei Mille e l'unità d'Italia.

Fino alla primavera del 1860 l'iniziativa politica era
stata dunque saldamente nelle mani di Cavour e del partito moderato: i democratici — e in primo luogo Mazz-
zini — si erano visti confinati a una funzione di pungolo
di avvenimenti le cui fila non erano nelle loro mani. La pausa

succeduta ai plebisciti e la fondata sensazione che con essi il Piemonte e la Francia considerassero ormai raggiunte le colonne d'Ercole oltre le quali non si sarebbe potuti andare, restituirono fiato e vigore al programma integralmente unitario dei democratici. L'unificazione italiana non doveva esser lasciata a mezzo e, se i re e i diplomatici non avevano la forza per terminarla, sarebbe stato il popolo a portarla a compimento. L'idea — già di Pisacane e di Mazzini — di una spedizione nel Mezzogiorno, e più precisamente in quella Sicilia in cui la rivolta antiborbonica aveva assunto dai primi d'aprile un carattere endemico, e che di qui risalisse poi la penisola sino a Roma e forse anche a Venezia, venne prendendo piede tra gli emigrati siciliani, quali il Crispi e il Pilo. Questi riuscirono a convincere Garibaldi, i cui rapporti con Cavour avevano subìto subito di recente un peggioramento, a mettersi a capo dell'impresa. Né Vittorio Emanuele II, che rifiutò a Garibaldi un reggimento che questi gli aveva richiesto, né Cavour favorirono certo i preparativi dell'impresa, il cui varo del resto fu per diversi giorni in forse e alla cui riuscita ben pochi credevano. Comunque il 6 maggio la spedizione dei Mille prendeva il mare con un armamento che avrebbe ben figurato in un museo militare e una dotazione in denaro di 94.000 lire. Cavour impartì l'ordine di fermarla qualora avesse fatto scalo nel porto di Cagliari e di lasciarla proseguire se fosse passata al largo. Il *détour* che i due piroscafi carichi di volontari fecero a Talamone per rifornirsi di armi, li portò a passare assai lontano dalle coste della Sardegna e perciò la loro navigazione poté procedere indisturbata sino a Marsala, il porto siciliano in cui i garibaldini presero terra l'11 maggio su indicazione di alcuni pescatori incontrati in mare, i quali avevano segnalato loro che la piazza era sguarnita da presidi borbonici. Lo stellone d'Italia decisamente funzionava.

Il primo scontro coi borbonici avvenne il 15 maggio a Calatafimi e fu assai aspro: la vittoria, che arrise infine ai garibaldini, ebbe un effetto galvanizzante su di essi e sulle squadre di «picciotti» siciliani che ad essi si erano unite,

e il 30 maggio, dopo una brillante manovra di sganciamento dal grosso delle forze borboniche e tre giorni di combattimenti di strada, Garibaldi si rendeva padrone di Palermo.
L'Europa assisteva tra attonita e entusiasta all'inconsueto spettacolo di un pugno di armati che riusciva ad aver ragione
di un potente esercito regolare e metteva in forse le sorti
di un regno.

Cavour, per sua propria confessione, si trovava « dans
le plus cruel embarras ». Certo Garibaldi, assumendo il titolo di dittatore in Sicilia lo aveva fatto a nome di Vittorio Emanuele, e sembrava fermo nel suo lealismo monarchico. Ma d'altra parte egli sembrava deciso a marciare
su Roma, dove dal '49 stazionava sempre un presidio francese. Certo l'Inghilterra dava segni evidenti di seguire con
simpatia l'impresa garibaldina, ma non si potevano escludere
complicazioni diplomatiche di altro genere. Ma forse la perplessità maggiore del Cavour proveniva anche dal presentimento, se non dalla consapevolezza, che l'annessione dei territori meridionali avrebbe considerevolmente mutato i termini dei problemi che i futuri governi italiani avrebbero dovuto affrontare. L'Italia meridionale con i suoi « galantuomini » e le sue campagne devastate dalla siccità, i suoi contadini assetati di giustizia era ben altra cosa del suo Piemonte e della Lombardia, coi loro agricoltori-imprenditori,
i loro canali, la loro relativa prosperità. Per essa certo non
valevano quelle previsioni di uno sviluppo capitalistico e civile lento e graduale, dal basso, che valevano invece per l'Italia padana. È questa una preoccupazione che non di rado af-
fiora nei carteggi tra Cavour e i suoi corrispondenti nel Mezzogiorno in questo periodo.

Comunque, da buon giocatore qual era, Cavour accettò
anche questa volta la partita, anche se non aveva più la prima
mano. Osteggiare o ostacolare l'impresa garibaldina certo
non si poteva, ma si poteva cercare di strapparne la direzione dalle mani di Garibaldi e dei democratici, e fu questa
la via che il Cavour prescelse. S'ingaggiò così tra lui e Garibaldi una lotta sotterranea, nella quale lo statista piemon-

tese perse alcune battaglie, altre ne vinse, ma riuscì infine a vincere la guerra. Non gli riuscì infatti né di convincere Garibaldi a proclamare subito l'annessione della Sicilia all'Italia (l'isola continuò ad essere provvisoriamente retta da un governo di cui era *magna pars* il Crispi), né di persuaderlo a rinunciare allo sbarco nel continente (ma si tratta di una questione controversa), né infine di far scoppiare a Napoli dei moti che sfociassero nella costituzione di un governo moderato prima che Garibaldi, il 7 settembre, vi facesse il suo ingresso trionfale. In compenso Cavour riuscì a strappare a Napoleone III l'assenso a che un corpo di truppe regolari piemontesi muovesse ad occupare le Marche e l'Umbria in direzione del Sud.

Nei primi giorni di settembre, dopo l'ingresso dei garibaldini a Napoli, la sottile partita che da tempo opponeva il focoso e glorioso generale e l'oculato statista piemontese raggiunse il suo punto limite. L'11 settembre Garibaldi chiedeva in una lettera a Vittorio Emanuele, del quale conosceva l'insofferenza (o il complesso di inferiorità) verso il suo primo ministro, il licenziamento di Cavour. Questi però aveva previsto la mossa, e in un colloquio col re svoltosi l'8 settembre in presenza del Farini era riuscito a strappargli un impegno formale a sostenere la sua politica. Forte di questa carta, egli poté l'11 ottobre ottenere dal Parlamento l'assenso a indire in Sicilia e nel Mezzogiorno dei plebisciti per l'annessione, analoghi a quelli che già si erano avuti per l'Emilia e per la Toscana, tagliando corto così alle speranze di Garibaldi e dei democratici di contrattare sul terreno politico le loro vittorie militari. I plebisciti si tennero il 21 ottobre e dettero, sia nel Mezzogiorno che in Sicilia, una maggioranza pressoché assoluta all'annessione. La prova di forza era così finita ancora una volta con la piena vittoria di Cavour. A Garibaldi, che aveva già in precedenza rinunciato a proseguire in direzione di Roma, non rimaneva altro che dare le consegne a Vittorio Emanuele, il quale alla testa dell'esercito piemontese, travolte le resistenze pontificie, avanzava verso il Sud per ricongiungersi con i garibaldini, che

venivano dall'infliggere sul Volturno ai Borboni l'ultima e
decisiva sconfitta. L'incontro tra colui che era ormai il re
d'Italia e Garibaldi avvenne a Teano, il 27 ottobre, e fu lungi
dall'avere quella cordialità e quella solennità che l'agiografia
patriottica gli ha poi prestato.

Ma le ragioni della nuova sconfitta di Garibaldi e dei
democratici non vanno ricercate soltanto nell'abilità diplomatica di Cavour, ma anche e forse precipuamente negli
sviluppi interni della situazione in Sicilia e nell'Italia meridionale. Al momento del suo sbarco a Marsala e nel corso
della sua avanzata attraverso la Sicilia e l'Italia meridionale Garibaldi era apparso alle masse contadine del Sud come
un mitico liberatore e vendicatore delle loro sofferenze, quasi
un messia. Alcuni dei primi atti del governo provvisorio
da lui insediato in Sicilia, quali l'abolizione dell'esosa tassa
sul macinato e il decreto relativo alla divisione dei beni
comunali del 2 giugno, sembrarono incoraggiare queste speranze. Ma la delusione non doveva tardare a giungere: il
4 agosto, nella Ducea di Bronte, Nino Bixio, il fidato luogotenente del leggendario generale, reprimeva con arresti e
fucilazioni in massa una delle tante agitazioni contadine che
si erano accese in tutta la Sicilia in quei giorni di euforia
e di speranza. La delusione delle masse popolari non si manifestò soltanto attraverso l'assottigliamento del flusso dei
volontari nelle file garibaldine, ma anche con veri e propri
episodi di rivolta. Nel settembre una sollevazione generale
contadina con l'eccidio di 140 liberali divampò in Irpinia
e fu domata solo dall'invio di una colonna garibaldina al
comando dell'ungherese Türr. Erano le prime avvisaglie del
brigantaggio, di quel fenomeno cioè di guerriglia e di *jacquerie* contadina che insanguinerà le campagne di buona parte
dell'Italia meridionale nei primi anni di vita del nuovo Stato
italiano.

D'altra ·parte, se Garibaldi aveva deluso le masse contadine meridionali, egli non era riuscito neppure a tranquil-
lizzare i ceti dei possidenti e dei galantuomini. Il ritorno alla
normalità e il ristabilimento dell'ordine nelle campagne sa-

rebbe stato assicurato assai meglio — era questa la loro ferma opinione — da un re legittimo e da un esercito regolare, quali erano quelli piemontesi, piuttosto che da un capopopolo improvvisatosi generale, circondato da una pericolosa accolta di agitatori democratici. Autonomisti o unitari a seconda delle circostanze, conservatori sempre, i notabili e gli aristocratici siciliani non furono da meno dei loro colleghi del continente nell'invocare l'intervento piemontese e nel salutare con gioia la soluzione cavourriana dell'annessione attraverso il plebiscito. Sotto l'occhio vigile del nobile del luogo e del fattore i contadini meridionali andarono — si ricordi la descrizione efficacissima del plebiscito in un villaggio siciliano nel romanzo *Il Gattopardo* — a deporre nell'urna il loro *sì* all'unità d'Italia. Quest'ultima ereditava però, insieme a questi suoi nuovi cittadini, anche le loro sofferenze e i loro rancori; ereditava la pesante e difficile « questione meridionale ».

Arte e cultura nel Risorgimento.

Esiste certamente — e già abbiamo avuto occasione di farne cenno — una cultura del Risorgimento. Essa ebbe prevalentemente una dimensione romantica e storico-nazionale, fu volta cioè a svolgere una sistematica azione di recupero nella storia della nazione e della cultura italiana ai fini della formazione di una coscienza nazionale.

L'Italia agli occhi dei neoguelfi era la nazione i cui liberi comuni, sostenuti dal papato, avevano per primi innalzato la bandiera della rivolta contro l'universalismo imperiale e le gerarchie cavalleresche del mondo feudale; oppure, agli occhi dei laici e dei cosiddetti neoghibellini, la nazione che aveva generato Arnaldo da Brescia e gli altri eretici medievali e che con Machiavelli aveva puntato il dito accusatore sul potere temporale dei papi. Essa non era stata soltanto la patria dei letterati e dei mercanti, ma anche di uomini d'arme e di combattenti contro lo straniero, dal milanese Alberto da Giussano, vincitore del Barbarossa, a Francesco Ferrucci, eroico difensore della libertà fiorentina e protagonista di un romanzo storico del Guerrazzi, a quell'Ettore Fieramosca — anche lui personaggio di un romanzo storico di Massimo d'Azeglio — che sconfisse il francese La Motte alla disfida di Barletta. A prescindere però da questi aspetti più appariscenti e più ingenui, l'azione di recupero culturale svolta dalla cultura romantica nel periodo del Risorgimento produsse risultati notevoli. Il più importante e quello destinato a lasciare un segno più profondo su generazioni di futuri italiani è certo la *Storia della letteratura italiana* di Francesco De Sanctis, la prima storia letteraria concepita non più, alla moda delle precedenti storie settecentesche, come un florilegio di belle pagine e di buoni autori, ma come un profilo dello svolgimento storico delle lettere e della cultura italiana. Per queste sue caratteristiche essa non è soltanto una storia letteraria, ma costituisce anche l'approssimazione più vicina a una storia generale d'Italia che la cultura ottocentesca sia riuscita a darci.

Accanto al nome del De Sanctis potremmo ricordare quello del Ferrari, che ci ha lasciato pagine stimolantissime, sulla scia del Sismondi e del Quinet, circa la storia delle città e delle rivoluzioni italiane, o quello di Michele Amari, autore di una ricerca storica esemplare sulla Sicilia musulmana; o ancora quello di Niccolò Tommaseo, cui dobbiamo un importante vocabolario della lingua italiana. Nel complesso la mole di lavoro svolta dalla cultura romantica italiana fu imponente e costituisce ancor oggi la base dell'insegnamento delle materie umanistiche quale viene impartito nelle scuole superiori. Ciò non significa naturalmente che non vi si possano riscontrare lacune: la scoperta ad esempio del Rinascimento come età storica fu prevalentemente opera di studiosi stranieri, quali il Michelet e il Burckhardt.

Se dunque una cultura del Risorgimento certo esiste, non si può dire invece con altrettanta sicurezza che esista una letteratura del Risorgimento. Naturalmente ciò non significa che non vi siano opere e testi letterari che si sfor-

zano di esprimere i sentimenti e le passioni civili delle generazioni che vissero il Risorgimento, ma soltanto che queste opere e questi testi presentano un valore letterario assai
relativo. È il caso dei numerosissimi romanzi storici dei
quali si è già fatto cenno, e nei quali invano si cercherebbe
una traccia della grande lezione manzoniana. È questo il caso
della lirica patriottica del Berchet e dei suoi imitatori. Poesie
quali quella sull'assedio di Venezia del Fusinato o quella
sulla spedizione di Sapri del Mercantini riescono solo a presentare sotto una luce falsamente elegiaca episodi storici di
ben diversa drammaticità. Tra i poeti italiani del periodo
del Risorgimento il solo Giusti, con i suoi componimenti
satirici e burleschi, ha una sua, sia pur minore, personalità
e tra gli scrittori in prosa il solo Ippolito Nievo, un democratico di idee molto avanzate, che partecipò alla spedizione
del 1860, riuscì a conseguire con le sue *Confessioni di un
italiano* risultati artisticamente validi. Quanto al teatro del
Risorgimento — un genere letterario peraltro eminentemente
civile — esso è praticamente inesistente: a un conoscitore
come Gogol, che viaggiò in Italia nei primi decenni del secolo, la scena italiana apparve « arida e vuota » e capace
soltanto di « ripetere l'eterno vecchio Goldoni ». Le tragedie storico-patriottiche del Niccolini o di Silvio Pellico non
erano certo tali da riempire questo vuoto.

In definitiva l'unico artista del Risorgimento che sia riuscito a risolvere sul piano della larga comunicatività una elaborazione artistica originale e autentica e che, in quanto
tale, possa esser considerato veramente un artista del Risorgimento fu Giuseppe Verdi. Con le sue opere dai libretti
victorhughiani, e il suo romanticismo e populismo musicale,
infiammò le platee dell'epoca. Ma un'arte come la sua, in
cui l'elemento nativo e tradizionale del « temperamento »
italiano occupa un posto così importante, non può bastare
a dare il sigillo a un'intera età storica.

VII

UN DECOLLO DIFFICILE

Il prezzo dell'unificazione.

A chi nella primavera del 1859, al momento in cui le truppe franco-piemontesi varcavano il Ticino, avesse pronosticato che di lì a poco più di un anno l'intera penisola, con l'eccezione del Veneto e del Lazio, sarebbe stata unificata, ben pochi — e forse anche Cavour — avrebbero prestato credito. Eppure il grande evento si era compiuto e il 4 marzo 1861 il Parlamento subalpino, riunitosi dopo la caduta di Gaeta, l'ultima piazzaforte borbonica, proclamò solennemente l'unità d'Italia. A renderla possibile avevano contribuito una congiuntura diplomatica estremamente favorevole e l'estrema abilità di Cavour nello sfruttarla, lo spirito di avventura di Garibaldi e lo «stellone» che lo aveva assecondato, il sangue dei caduti sui campi di battaglia di Lombardia e quello dei contadini trucidati a Bronte, una serie cioè di eventi e un intreccio di forze contrastanti quali raramente si manifestano simultaneamente nella storia e che, quando ciò accade, danno a chi li rievochi l'impressione di una forzatura del ritmo normale della vita collettiva.

Ma tutte le forzature e tutte le accelerazioni hanno un loro prezzo ed anche l'unità d'Italia ebbe il suo.

Anzitutto nel senso più letterale e corrente della parola, e se ne accorgeranno, come vedremo più avanti, i primi presidenti del Consiglio e i primi ministri delle Finanze del

nuovo regno d'Italia. Ma il prezzo dell'unificazione fu soprattutto politico e va considerato come una conseguenza
del modo in cui l'unificazione stessa si era realizzata. Come
infatti si è visto, ad essa si era giunti attraverso una serie
di successive annessioni al Piemonte dei vari Stati italiani
preesistenti. Il desiderio di bruciare i tempi e di mettere
l'Europa di fronte a un fatto compiuto e, soprattutto, la
ferma risoluzione di Cavour e dei moderati di contrastare,
sino a tacitarla, l'iniziativa democratica e garibaldina, avevano fatto sì che la struttura del nuovo Stato si venisse
sin dagli inizi configurando più come una dilatazione del
vecchio Piemonte che come un organismo politico nuovo e
originale. Non solo fino al 1864 la capitale del regno rimase
a Torino, in una posizione cioè del tutto eccentrica, per raggiungere la quale i deputati dell'Italia meridionale dovevano
compiere, dato lo stato delle ferrovie, un viaggio di parecchi giorni, ma il suo primo re continuò imperturbabilmente
a farsi chiamare Vittorio Emanuele II. Ciò che più conta
è che vennero lasciati cadere i progetti di un assetto amministrativo basato sull'autonomia delle regioni e sul decentramento, elaborati dal Farini e dal Minghetti, e venne per
contro adottato un sistema di rigido accentramento, che rendeva i prefetti arbitri praticamente della vita locale, di tipo
più napoleonico che francese. Anche la legge elettorale estesa
a tutto il paese fu quella in vigore nel Piemonte dopo il
1848, con il risultato che, dato il più basso grado di sviluppo economico della maggior parte delle altre regioni e
in particolare del Mezzogiorno, il già ristretto sistema censitario ne risultò accentuato e il voto divenne, in più di una
regióne d'Italia, il privilegio di pochi notabili. Nelle elezioni del 1861, le prime della storia italiana, gli iscritti alle
liste elettorali erano 167.000 nell'Italia settentrionale, 55.000
in quella centrale, 129.000 nell'Italia meridionale e 66.000
nelle isole. Coloro che poi esercitavano effettivamente il loro
diritto di voto erano ancor meno: si ebbero in non pochi
casi deputati eletti con poche decine di voti. Lo Stato italiano nasceva così con una forte impronta burocratica e cen-

sitaria e alla grande maggioranza dei suoi nuovi cittadini esso appariva come impersonato nell'agente delle tasse e nella coscrizione militare obbligatoria. Di qui la sua rapida « impopolarità », tanto più acuta quanto più grandi erano state le speranze suscitate dal generale rivolgimento politico avvenuto. E fu appunto questa « impopolarità », questo distacco fra governanti e governati che costituì il prezzo più cospicuo del modo in cui l'unificazione era stata realizzata. Ancor oggi l'Italia non ha finito di pagarlo.

Il divorzio tra governanti e governati, tra *élite* e masse, che si manifestò sin dai primi anni di vita dello Stato unitario, avrebbe potuto forse essere attenuato e medicato, se fosse esistito un movimento di opposizione capace di convogliare il malcontento esistente, di incarnarlo e di suggerirgli alternative realistiche. Ma Garibaldi si era ritirato nell'isolotto di Caprera e Mazzini era ancora un esule. Entrambi poi erano ormai avanzati negli anni e provati e delusi nello spirito: non vi è prova più difficile a superare per un rivoluzionario di quella di veder attuata la parte essenziale del suo programma dai suoi avversari. Essi — come vedemmo — potevano ancora tener viva l'agitazione per la riunione alla patria di Roma e di Venezia, potevano cercare di stabilire un contatto meno vaporoso di quello che erano riusciti a stabilire in passato con le masse popolari aderendo alla Prima Internazionale o inneggiando al nuovo astro sorgente del socialismo, ma la loro, come quella dei loro non molti seguaci, era più che altro una tenacia di sopravvissuti. E se le dottrine mazziniane potevano suscitare ancora un certo consenso tra la piccola borghesia e l'artigianato cittadino, ben scarso, per non dire inesistente, era il loro mordente nei confronti delle plebi delle città e delle moltitudini delle campagne. Queste ultime, abbandonate a se stesse, si trovarono così quasi di necessità indotte a esprimere la loro protesta e il loro rancore nelle forme più elementari e immediate.

Nell'Italia meridionale, la parte più derelitta del paese, ciò avvenne nella forma tradizionale e disperata del brigantaggio. L'appoggio dato da agenti borbonici e pontifici alle

bande costituitesi nell'Italia meridionale sin dal periodo garibaldino, il grosso delle quali era costituito da contadini
e da renitenti alla leva, non basta a spiegare l'asprezza della
guerriglia che esse condussero per quattro anni contro un
contingente di truppe regolari che arrivò a contare 100.000
uomini e al quale inflissero perdite assai maggiori di quelle
di tutte le guerre del Risorgimento. Facendosi bandito, il contadino meridionale non intendeva — e lo riconobbe l'inchiesta promossa dal Parlamento italiano e redatta dal deputato Massari con notevole perspicacia di giudizio — esprimere il suo attaccamento al vecchio ordine di cose, quanto
piuttosto la sua avversione al nuovo, dare sfogo alla propria
delusione e disperazione. La sua fu una guerra rusticana e
terribile, senza risparmio di crudeltà e efferatezze. Ma la repressione che alla fine riuscì ad averne ragione non lo fu
meno.

Sempre nel Mezzogiorno manifestazioni di collera popolare si ebbero anche nelle città, come la rivolta di Palermo del 1866, che dovette essere repressa con l'invio di
un corpo di spedizione. Al Nord invece violente e diffuse
sollevazioni contadine si ebbero nel 1869, in seguito all'entrata in vigore dell'impopolarissima tassa sul macinato. Anche in questo caso si rese necessario l'intervento della truppa
e gli arresti si contarono a migliaia. La protesta delle masse
diveniva una costante del panorama sociale e politico della
nuova Italia.

È a questo sottofondo di malcontento e di esasperazione che si deve far riferimento se si vogliono comprendere le particolarità del modo in cui si venne formando in
Italia un primo embrione di opposizione popolare e rivoluzionaria organizzata. L'uomo che più e con maggiore chiarezza di idee operò in questo senso fu Michele Bakunin,
il quale, dopo tutta una vita di tempestosa milizia rivoluzionaria, approdò nel 1864 in Italia convinto che quest'ultima rappresentasse l'anello più debole della reazione europea e fosse perciò il paese in cui si aprivano più promettenti prospettive rivoluzionarie. L'influenza di Bakunin fu

decisiva nell'orientare verso concezioni più radicali della milizia rivoluzionaria molti dei circoli operai e popolari esistenti nella penisola e nello scalzare la precedente influenza dell'ideologìa mazziniana su di essi. Particolarmente notevole fu il successo del proselitismo bakuniniano a Napoli e nel Mezzogiorno, quel Mezzogiorno in cui l'idea che le masse contadine meridionali sarebbero state le forze motrici della futura rivoluzione italiana circolava già dai tempi di Pisacane. L'atteggiamento di condanna assunto da Mazzini nei confronti della Comune di Parigi contribuì ad accrescere. ancora il prestigio di Bakunin, e a far sì che la sua intransigenza rivoluzionaria apparisse agli occhi di molti come il simbolo di quella misteriosa e potente « Internazionale », sotto la cui bandiera avevano combattuto i gloriosi comunardi parigini. Ben poco si sapeva infatti in Italia delle violente polemiche che proprio in quegli anni si erano svolte nel campo della Prima Internazionale tra i seguaci di Marx e quelli di Bakunin, e sulle perplessità che in un primo tempo il Consiglio generale della stessa Internazionale aveva manifestato verso la Comune di Parigi. Attorno al 1871 anarchismo, socialismo e internazionalismo erano in Italia, se non sinonimi, equivalenti e il nome di Bakunin vi era molto più conosciuto di quello di Marx. E fu sotto la sua influenza che le sezioni italiane dell'Internazionale si moltiplicarono e l'attività dei loro affiliati divenne più intensa. Nell'agosto del 1874 vi fu addirittura un tentativo di *putsch* insurrezionale, che ebbe il proprio epicentro nella Romagna e che fallì sul sorgere. Così il movimento internazionalista che, dopo la Comune di Parigi si era praticamente dissolto nel resto d'Europa, entrava invece in Italia nella sua fase di maggiore effervescenza e attività, e, quel che più conta, gli esordi dell'opposizione popolare e proletaria italiana avvenivano sotto il segno di un'ideologia — l'anarchismo — che negli altri paesi — eccezion fatta per la Spagna — stava già per entrare nella sua parabola discendente.

Ciò va naturalmente posto in relazione con l'arretratezza delle strutture economiche e sociali italiane, e, in particolare, con la lentezza con cui procedeva il processo di formazione di un'industria moderna e di un proletariato operaio. Gli affiliati alle sezioni italiane dell'Internazionale erano nella loro grande maggioranza artigiani e elementi della piccola borghesia, quegli avvocati senza cause e studenti giocatori di biliardo dei quali parla con sarcasmo Federico Engels. Occorre però anche tener conto che in un paese in cui il distacco tra governo e governati e l'impopolarità dei poteri pubblici erano, come si è visto, tanto profondi e radicati, l'anarchismo si presentava come una tappa obbligata nel cammino verso la formazione di un movimento di opposizione popolare: la negazione dello Stato costituiva, in ultima analisi, la prima embrionale presa di coscienza dell'esistenza del medesimo e della necessità di trasformarlo.

La Destra storica e la « questione romana ».

Nel giugno del 1861, a pochi mesi dalla proclamazione del regno d'Italia, moriva improvvisamente il conte di Cavour e l'Italia si trovava a un tratto orfana della sua prestigiosa guida. Egli lasciava però nel costume politico del nuovo Stato un'impronta e uno stile da cui difficilmente i suoi successori immediati avrebbero potuto distaccarsi. Gli uomini che ne raccolsero la pesante eredità e che costituirono la cosiddetta Destra storica, misero tutto il loro impegno nel non discostarsi troppo dalla via segnata dal grande statista piemontese: la moderazione, il rispetto scrupoloso dello Statuto, uno spiccato senso dello Stato furono tratti caratteristici della loro condotta politica. Buona parte di essi, come il Rattazzi che fu in due occasioni presidente del Consiglio, il Lanza, che tenne la presidenza dal 1869 al 1873 e il Sella, inflessibile e integerrimo ministro delle Finanze, erano piemontesi e, come tali, meglio predisposti ad assimilare la lezione del moderatismo cavourriano. Quelli che non lo erano, come il toscano Ricasoli e gli emiliani Minghetti e Farini, avevano collaborato con il conte nella delicatissima operazione delle annessioni e dagli oppositori della destra erano considerati perciò, per usare un vocabolo che ebbe allora assai fortuna, « piemontesizzati ». Comunque, piemontesi o piemontesizzati, gli uomini della Destra costituivano una classe politica, malgrado gli inevitabili attriti che si manifestarono tra alcuni di loro, assai omogenea, dotata di uno stile quale nessuna delle *équipes* che si succederanno al potere dopo di loro e sino ad oggi ha potuto vantare. Di un'integrità che a tratti sfiorava l'ascetismo, essi erano troppo aristocratici per coltivare quell'attaccamento al potere e quel gusto della popolarità a buon mercato che è caratteristico dei *parvenus*. Faceva peraltro loro difetto quella capacità di iniziativa che il Cavour aveva posseduto in sommo grado; essi riuscirono perciò dei capaci amministratori di un patrimonio già accumulato, ma nulla più di questo.

I problemi principali che, dal punto di vista della politica nazionale, si ponevano all'indomani dell'unità alla classe dirigente del paese erano quelli del ricongiungimento del Veneto e di Roma alla nuova patria italiana. Il primo di questi obiettivi fu raggiunto nel 1866 con quella che piuttosto eufemisticamente si suole denominare la « terza guerra di indipendenza ». Sul piano militare la campagna ebbe uno svolgimento disastroso per le armi italiane, battute per terra a Custoza e per mare a Lissa, e costituì certo un debutto infelice per il nuovo esercito e per il suo stato maggiore. L'acquisto del Veneto fu reso possibile soltanto dalla vittoria della Prussia, della quale l'Italia era alleata, ottenuta sull'Austria a Sadowa.

Più laborioso e più contrastato si rivelò invece il conseguimento del secondo obiettivo, la liberazione di Roma. La questione infatti non era soltanto quella dell'annessione di una nuova provincia allo Stato italiano, ma anche e soprattutto quella dell'abbattimento del potere temporale dei papi. Mentre il fatto che l'Italia si annettesse un ultimo lembo di territorio di nessuna importanza strategica e posto nel bel mezzo della penisola non poteva suscitare grande opposizione da parte delle cancellerie, il fatto che il sommo pontefice tornasse a subire, dopo secoli, un nuovo schiaffo di Anagni suscitava lo sdegno e l'opposizione di tutta l'opinione pubblica cattolica europea, e in particolare di quella francese, che Napoleone III aveva molte ragioni di blandire. Non si dimentichi poi che a Roma stanzionava ancora un presidio francese e che il Secondo impero aveva contratto col papato l'obbligo morale di difenderne la sovranità temporale. Lo si vide nell'agosto 1862, quando Garibaldi, alla testa dei volontari che egli riusciva sempre a trovare, varcò nuovamente lo stretto di Messina deciso a ripetere, ma questa volta sino a Roma, la marcia liberatrice che aveva compiuto nel 1860. L'atteggiamento del governo (era presidente del Consiglio il Rattazzi) appariva, se non connivente, certo ambiguo, ma le pressioni diplomatiche francesi e la poco tranquillizzante prospettiva di uno scontro tra garibaldini e regolari francesi lo convinsero rapidamente a modificarlo. Incontro ai garibaldini vennero inviate le truppe regolari, che ad Aspromonte, in Calabria, ebbero rapidamente la meglio. Garibaldi stesso, che nello scontro era stato ferito a un piede, venne arrestato.

Dimessosi il Rattazzi, e dopo un brevissimo ministero Farini, il nuovo presidente del Consiglio, Marco Minghetti, si affrettò, anche per tagliar corto alla politica e alle iniziative personali di Vittorio Emanuele II, che avevano avuto un ruolo non secondario nei dolorosi giorni di Aspromonte, a cercare una soluzione negoziata della questione romana con la Francia. Si giunse così alla cosiddetta Convenzione del settembre 1864, in base alla quale la Francia si impegnava a ritirare entro due anni le truppe da Roma e l'Italia a garantire il territorio pontificio da attacchi esterni. Un protocollo aggiuntivo stabiliva che la capitale del regno d'Italia sarebbe stata trasferita da Torino a Firenze. Si trattava, malgrado le apparenze, di una soluzione interlocutoria e provvisoria: era chiaro che il governo italiano intendeva il trasferimento della capitale a Firenze come una marcia di avvicinamento a Roma e che la « questione romana », lungi dall'essere chiusa, era solo rinviata. A riaprirla e a metterne a nudo le implicazioni più universali contribuì molto la pubblicazione, a soli due mesi di distanza dalla Convenzione di settembre, del *Sillabo*, una vera e propria dichiarazione di guerra ~contro il liberalismo e preannuncio di quella dottrina dell'infallibilità papale che sarà proclamata dal concilio vaticano del 1869. Il governo italiano dovette allora toccare con mano che oltre a un'Europa legittimista vi era anche un'Europa laica e anticlericale, oltre all'opinione pubblica cattolica anche quella liberale. In Italia in particolare l'ondata anticlericale fu fortissima e portò nel 1866 all'approvazione da parte del Parlamento di una serie di provvedimenti improntati a un deciso laicismo (soppressione di molti ordini religiosi, incameramento dei loro beni, obbligatorietà del matrimonio civile, obbligo per i seminaristi del servizio militare) e nel 1867 a una ripetizione del tentativo garibaldino di Aspromonte. Era presidente del Consiglio anche in questa occasione Urbano Rattazzi, il quale, confidando in una sollevazione della popolazione romana, permise e anzi incoraggiò i preparativi di Garibaldi. Si imbatté però, ancora una volta, nella decisa opposizione della Francia che rispedì a Roma le truppe già ritirate in osservanza alla Convenzione di settembre. Abbandonati a loro stessi, i garibaldini furono dispersi dalle truppe francesi a Mentana, il 3 novembre. La « questione romana » ritornava così al punto di partenza e il governo italiano, pungolato da una parte dall'opinione pubblica democratica che reagì con indignazione all'episodio di Mentana costringendo il Rattazzi alle dimissioni, e frenato dall'altra dalla Francia e dal legittimismo europeo, si veniva a trovare in un'autentica *impasse*. A togliernelo ancora una volta sopraggiunse un fatto imprevisto e imprevedibile, la guerra franco-prussiana e il disastro di Sedan. Due settimane dopo la sconfitta francese, il 20 settembre 1870, le truppe italiane entrarono a Roma per la breccia di Porta Pia. Come Sadowa aveva dato Venezia all'Italia, così ora Sedan le restituiva la sua capitale.

A prescindere dal modo alquanto fortunato del suo conseguimento, è tuttavia certo che l'obiettivo del ricongiungimento di Roma alla patria era stato, malgrado le incertezze e gli errori, tenacemente perseguito dagli uomini della Destra e ancora una volta Garibaldi e i democratici del Partito d'azione dovevano rassegnarsi a veder portate a compimento dai loro avversari le loro rivendicazioni. Non solo Roma era divenuta italiana, ma ciò era avvenuto senza patteggiamenti con il potere temporale, con la forza. A un anno di distanza dalla proclamazione del dogma dell'infallibilità pontificia *ex cathedra*, la breccia di Porta Pia appariva come una rivincita del liberalismo e della democrazia europea e conferiva alla vicenda storica del Risorgimento un suggello di universalità.

Per l'Italia, per un paese il cui Statuto dichiarava la religione cattolica religione dello Stato, si poneva ora il difficile problema dei rapporti con il papato. A ciò provvide la cosiddetta legge delle Guarentigie approvata dal Parlamento italiano subito dopo la presa di Roma, in base alla quale lo Stato s'impegnava al rispetto dell'inviolabilità e libertà del pontefice e alla corresponsione al medesimo di un'indennità di 3 milioni annui e istituiva un regime di separazione tra la Chiesa e lo Stato. Essa non venne accettata da Pio IX, il quale rifiutò ogni possibilità di conciliazione e di compromesso e si rinchiuse in Vaticano. Si poneva così per i cattolici italiani il problema di conciliare i loro doveri di cittadini con quelli di credenti. Avrebbero essi — ad esempio — partecipato alle elezioni, avallando così l'operato di un governo usurpatore? La risposta vaticana fu radicale: né eletti né elettori. In realtà, già sin dalle elezioni del 1874, questa assoluta intransigenza venne progressivamente attenuandosi. Inoltre tra i 500.000 elettori italiani, nella maggior parte di estrazione sociale borghese, gli intransigenti e i «clericali» non erano poi molti e si può perciò anche pensare che il *non expedit* fosse un ingegnoso espediente per non cimentare gli eventuali candidati cattolici in una battaglia dalla quale avevano moltissime probabilità di uscire sconfitti. Quanto alle masse contadine, la Chiesa e il clero dei tempi del *Sillabo* e del concilio vaticano non erano certo inclini, con il loro conservatorismo politico e sociale, a far leva sul loro malcontento: il « comunismo » o il « socialismo », condannati dal *Sillabo*, non erano ai loro occhi errori meno gravi del liberalismo borghese trionfante, né essi erano esasperati e miopi al punto da fare propria la teoria del « tanto peggio, tanto meglio ». I più accorti tra i cattolici militanti si rendevano anzi conto che un giorno il nuovo Stato borghese avrebbe avuto bisogno di loro: allora si sarebbe potuto trattare su una base di maggiore uguaglianza. Per ora conveniva mantenere un atteggiamento ufficiale di assoluta intransigenza e approfittare nel contempo della libertà che lo Stato italiano aveva pur lasciato alla Chiesa, per tener viva la coscienza cattolica dei fedeli.

La politica economica della Destra.

Se, sotto il profilo della politica estera e del compimento dell'unità nazionale, il quindicennio di governo della Destra si chiuse certamente con un bilancio in attivo, più complesso è il discorso attorno alla sua politica economica.

L'alfa e l'omega degli uomini che si succedettero al governo dal 1861 al 1876 fu il risanamento del pauroso disavanzo delle finanze dello Stato e il raggiungimento del pareggio. Gravavano infatti sulle finanze italiane gli arretrati delle ingenti spese sostenute dal Piemonte nella fase finale del Risorgimento e da questi accollate al nuovo Stato unitario. La sola, piccola, guerra di Crimea era costata 50 milioni. Successivamente la guerra per la liberazione di Venezia, inghiottendo somme considerevolissime, aveva allontanato ancor più il traguardo del pareggio. Nel 1866 il deficit del bilancio superava per più del 60 per cento l'ammontare del medesimo e si dovette perciò ricorrere al corso forzoso delle banconote emesse dalla Banca nazionale, tale era il discredito in cui i titoli della rendita italiana erano caduti. Fu questo il punto più basso raggiunto dalla finanza italiana: dal 1869, grazie soprattutto al nuovo asprissimo giro di vite fiscale voluto dal Sella (l'introduzione della già citata tassa sul macinato è appunto del gennaio 1869), le sue condizioni non cessarono di migliorare fino a che nel 1876 l'agognato pareggio del bilancio poté essere raggiunto. ·

Nel frattempo, per quanto la politica finanziaria della Destra sia passata alla storia sotto il nome di « politica della lesina », non venne lasciato cadere l'impulso dato da Cavour alla costruzione di opere pubbliche e di infrastrutture. Imponente fu soprattutto lo sforzo nel campo ferroviario e grazie ad esso la rete ferroviaria italiana passò dai 2.175 chilometri del 1870 agli 8.713 del 1880. Vero è peraltro che nelle costruzioni ferroviarie preponderante fu l'apporto del capitale straniero, ma anche lo Stato vi aveva contributo per una parte cospicua.

Una politica di lavori pubblici e di risanamento di un bilancio, del quale le spese militari e gli interessi del debito pubblico assorbivano più della metà, non si poteva naturalmente fare, in un paese di limitate risorse economiche, che attraverso lo strumento di un prelievo fiscale estremamente severo e precipuamente impostato sulla tassazione indiretta. Di fatto, il contribuente italiano passò ben presto per essere il più tartassato d'Europa: si pensi che tra il 1862 e il 1880 le entrate ordinarie dello Stato furono più che raddoppiate. Gli effetti di questo fiscalismo si fecero naturalmente sentire sul livello dei consumi, che rimasero sostanzialmente stazionari, e, attraverso questi ultimi, sulla produzione. Lo scarsissimo potere d'acquisto delle larghe masse dei consumatori non favorì certamente lo sviluppo di quel tanto di industria manifatturiera esistente, la quale, oltre tutto, non era certo in grado di reggere la concorrenza dei prodotti stranieri cui la politica liberista della Destra lasciava aperte le frontiere. Nel Mezzogiorno, in particolare, questa combinazione di liberismo e di fiscalismo portò praticamente alla scomparsa della diffusa industria domestica. Quanto all'agricoltura, se essa beneficiò della generale lievitazione dei prezzi dei prodotti e poté così compensare il fortissimo prelievo fiscale cui essa era chiamata a sopperire in modo preponderante, nessuna modificazione ebbe luogo, specie nelle regioni dell'Italia meridionale e centrale, nel senso di una sua modernizzazione e della riduzione del peso della rendita assoluta. Le alienazioni massicce operate dallo Stato di beni già appartenenti a ordini religiosi (circa un milione di ettari) non modificarono profondamente l'assetto e la distribuzione delle proprietà esistenti e il panorama agrario di molte regioni italiane seguitò a esser contraddistinto dalla contemporanea presenza di una piccola proprietà al livello dell'autoconsumo e di una grande proprietà di tipo, se non feudale, certo precapitalistico.

Vi sono studiosi che hanno sostenuto che il tipo di politica economica che ci siamo sforzati di illustrare corrisponde a quella fase iniziale dello sviluppo capitalistico che precede il « decollo » vero e proprio di quest'ultimo e nella quale i problemi fondamentali sono quelli di un'accumulazione « originaria » dei capitali e della costruzione delle infrastrutture necessarie: una fase insomma di preindustrializzazione. Ed è appunto quanto la Destra storica avrebbe fatto, da una parte con la sua inflessibile politica fiscale, dall'altra con la sua politica di lavori pubblici, specie nel settore ferroviario. Il problema non era, sempre secondo il punto di vista di taluni studiosi, quello di incoraggiare uno sviluppo della produzione industriale, che sarebbe stato prematuro; e neppure quello di modificare l'assetto del regime di proprietà fondiaria, in quanto ciò non avrebbe potuto non avere, con la formazione di una piccola proprietà contadina, delle ripercussioni negative sul ritmo di accumulazione. Il problema era quello, come si è detto, di favorire questa stessa accumulazione e di preparare le condizioni in cui il « decollo » potesse aver luogo.

A questi argomenti si è risposto da parte di altri studiosi con la constatazione che sulla base degli indici, comunque calcolati, a nostra disposizione a cominciare da quello del reddito nazionale *pro capite* (che rimase sostanzialmente stazionario nel ventennio tra il 1860 e il 1880) si ricava

« l'impressione complessiva... che qualunque fosse la trasformazione economica iniziata durante questi decenni " preparatori ", essa non era abbastanza rilevante da influire in maniera davvero significativa sul complesso dell'economia nazionale » (Gerschenkron). In altre parole il fatto che negli ultimi decenni del secolo si verifichi effettivamente il « decollo » dell'industrializzazione italiana non significa che tutto ciò che lo ha preceduto ne sia necessariamente una preparazione, se non si vuol cadere in una sorta di panglossismo storiografico. Né vale, a questo punto, per giustificare la lentezza dello sviluppo economico italiano nel primo ventennio di vita dello Stato unitario, chiamare in causa il forte tasso di incremento demografico. Anche questo infatti è un elemento in buona parte storico: gli alti tassi di incremento delle nascite sono spesso propri di quei paesi la cui popolazione agricola (nel caso italiano più del 60 per cento della popolazione attiva) rimane ancorata, nella sua maggioranza, a un livello di vita caratterizzato dalla presenza contemporanea del sopralavoro e del sottoconsumo, per cui due braccia in più rendono maggiormente di quanto non consumi una bocca in più.

Anche nel campo della politica economica della Destra siamo dunque ricondotti ai termini del giudizio che si è già avuto modo di anticipare sulla sua politica generale. Essa si limitò ad amministrare il lascito cavourriano e a governare l'Italia come Cavour aveva governato il Piemonte. Ma l'Italia non era il Piemonte: era qualcosa di assai più complesso e contraddittorio. Gli uomini della Destra se ne sarebbero dovuti accorgere ben presto.

Verso un assestamento.

Il decennio compreso tra il 1861 e il 1870 può considerarsi, per certi aspetti, quasi un'appendice e una coda del Risorgimento. Il problema del compimento dell'unità nazionale con l'acquisto del Veneto e del suo coronamento con il ricongiungimento all'Italia di Roma non poteva non apparire, a una classe politica che si era formata nelle battaglie risorgimentali, come il più importante e non costituire il banco di prova di qualsiasi governo. Il fatto che gli uomini della Destra si fossero dimostrati, nel complesso, all'altezza di questo compito contribuì certo in misura notevole a far sì che l'opinione pubblica e gli elettori accettassero di esser governati da statisti dei quali per altri aspetti avevano ragioni più o meno valide di lamentarsi. Con la presa di Roma il ciclo eroico del Risorgimento si chiudeva definitivamente e l'attenzione dell'opinione pubblica veniva ora naturalmente indotta a concentrarsi sui problemi interni e della vita economica.

Si scopriva così che gli analfabeti ammontavano al 78 per cento della popolazione, che le condizioni di vita nelle campagne erano spesso inferiori al minimo di sussistenza; si scopriva soprattutto che una parte d'Italia, il Mezzogiorno, era caratterizzata da condizioni di vita di estrema arretratezza. Del 1874 è l'inchiesta del Franchetti sulle condizioni dei contadini meridionali, cui seguì nel 1876 quella del Franchetti stesso e del Sonnino sui contadini in Sicilia. Nasceva così un genere di saggistica politico-sociale — la cosiddetta letteratura meridionalistica — che non cesserà di aver cultori illustri e appassionati lungo tutto l'arco della storia dell'Italia contemporanea. Uno dei più acuti tra questi meridionalisti sarà Giustino Fortunato, i cui scritti contribuirono notevolmente a dissipare quel mito georgico e virgiliano dell'Italia meridionale come madre di messi che pure, per quanto incredibile possa sembrare, era ancora corrente in certi settori dell'opinione pubblica, e a svelare la realtà amara di un Mezzogiorno senz'acqua e senza civiltà.

A mano a mano che questo ripiegamento dell'opinione pubblica verso i problemi interni veniva delineandosi, si faceva sempre più strada la convinzione che la politica eroica e spartana imposta dalla Destra al paese non poteva più esser sostenuta e che il paese stesso aveva bisogno di respirare, di meno tasse e di più libertà. Alla vecchia opposizione

di ispirazione mazziniana e garibaldina (Mazzini era morto
nel 1872 e Garibaldi morirà nel 1882) veniva così sostituen-
dosi una nuova opposizione, meno intransigente nei princìpi,
ma più aderente alla realtà delle cose, alla « Sinistra storica »
una — così appunto fu chiamata — « Sinistra giovane ».
Delineatosi con le elezioni del 1865, che nel Mezzogiorno
videro un arretramento dei candidati ministeriali, questo processo di formazione di un cartello di opposizione, dopo aver
subìto una pausa attorno al 1870, venne a maturazione nel
1874.

   Il termine « cartello » non è stato impiegato a caso:
nella « Sinistra giovane » confluivano infatti diversi orientamenti e diversi livelli di coscienza politica. Vi erano innanzitutto i vasti strati della borghesia e della piccola borghesia settentrionale che, oltre a una politica fiscale meno
vessatoria, rivendicavano un allargamento del suffragio elettorale sino ad includere le frange superiori del ceto operaio,
un maggior decentramento e, più in generale, delle « riforme » sulla via di una maggior democratizzazione dello Stato.
Il manifesto di questa parte dell'opinione pubblica fu il discorso tenuto nell'ottobre 1875 a Stradella da Agostino Depretis, già deputato della Sinistra al Parlamento subalpino e
collaboratore di Garibaldi in Sicilia. Ma, oltre ai borghesi
di Milano e dell'Italia settentrionale, la « Sinistra giovane »
fu anche il partito di molti « galantuomini » e di larga parte
della borghesia umanistica e professionista del Mezzogiorno.
Costoro non si curavano molto di riforme, di istruzione elementare obbligatoria o di allargamento del suffragio elettorale, quando addirittura non vi erano avversi. Tutto ciò che
essi, e con grande insistenza, reclamavano era un alleviamento
del carico fiscale e maggiori stanziamenti per il Mezzogiorno,
un Mezzogiorno che naturalmente essi identificavano con i
loro interessi e coi loro privilegi. Essi volevano uno Stato
meno piemontese e più generoso verso le province meridionali, ma erano ben lungi dal pensare che i problemi di queste ultime si potessero risolvere nell'ambito di una generale
democratizzazione della vita pubblica italiana, ché anzi un

malinteso amor proprio regionale li portava spesso a chiudere gli occhi sulla realtà economica e sociale della loro terra e a attribuire tutti gli antichissimi mali e scompensi di cui essa soffriva alla politica dei governi succedutisi dopo l'unità.

Le elezioni del 1874 segnarono, specie nel Mezzogiorno, una notevole affermazione della Sinistra, la quale, anche se non riuscì a conquistare la maggioranza dei seggi, pose però una seria candidatura alla direzione dello Stato. I tempi per un cambiamento dell'indirizzo della politica generale del paese erano ormai maturi e quando, il 18 marzo 1876, il governo Minghetti cadde su di una banale questione di procedura, l'opinione pubblica si rese immediatamente conto che qualcosa di definitivo era accaduto e si parlò di « rivoluzione parlamentare ». Le successive elezioni generali risultarono infatti un trionfo per la Sinistra, trionfo peraltro cui non furono estranee le intimidazioni e le manipolazioni elettorali del nuovo ministro dell'Interno, Giovanni Nicotera, già compagno di Pisacane nella spedizione di Sapri, ma che da allora aveva versato molta acqua nel vino del suo radicalismo democratico.

L'avvento della Sinistra al potere non segnò quel radicale mutamento di rotta che molti avevano temuto e qualcuno aveva sperato. Il bilancio delle riforme da essa introdotte nei suoi primi anni di governo, se non è trascurabile, non è nemmeno cospicuo: una legge che stabiliva la gratuità e l'obbligatorietà dell'istruzione dai sei ai nove anni (la precedente legge Casati del 1859 prevedeva due soli anni di istruzione obbligatoria), la quale peraltro fu ben lungi dall'essere applicata in modo sistematico, l'abolizione nel 1879 della tassa sul macinato, la riforma dei codici (vi trovò posto anche un limitato riconoscimento del diritto di sciopero) e, infine, la riforma elettorale del 1882, della quale avremo occasione di riparlare. Un mutamento sostanziale e che fu avvertito da tutti si ebbe invece nello stile di governo e nel tono della vita politica e pubblica: fu l'ora infatti del cosiddetto « trasformismo ». Con questo termine si è soliti designare una prassi parlamentare in cui Depretis fu maestro, consistente nell'assicurare al governo una congrua maggioranza in Parlamento, sia mediante una contrattazione preliminare con gli oppositori più in vista e il loro eventuale assorbimento nella compagine governativa, sia mediante il favoritismo e, anche, la corruzione esercitata nei confronti dei deputati meno influenti della « palude » presente in tutte le Camere, sia infine con l'uso combinato di entrambi questi sistemi. Ne risultò così un processo di « trasformazione » dei partiti tradizionali e la formazione di una stabile maggioranza governativa, analoga per certi aspetti a quella che si era formata nel Parlamento subalpino in seguito al connubio realizzato da Cavour con la sinistra costituzionale. La frequenza delle crisi di governo non deve trarre in inganno: nella maggior parte dei casi esse furono provocate dal Depretis in vista di un riaggiustamento e di un riequilibramento della compagine governativa e di fatto, dal 1876 al 1887, anno della sua morte, Agostino Depretis fu l'arbitro e il grande regista della vita parlamentare e politica italiana. Esecrato da letterati come il Carducci come fomite di corruzione e causa prima dello scadimento del tono della vita pubblica, il « trasformismo » fu tacitamente accettato, salvo che dalla pattuglia repubblicana dell'Estrema, da tutta la classe politica italiana, dalla Sinistra come dalla Destra, e divenne anzi il contrassegno all'insegna del quale si svolgerà la vita politica anche dopo la morte di Depretis. Giolitti stesso, il maggiore statista italiano dopo Cavour, se ne varrà come uno strumento della sua lunga egemonia parlamentare.

Le ragioni del successo di questo nuovo corso della vita politica italiana non vanno ricercate soltanto nelle modificazioni intervenute nel frattempo nella prassi parlamentare, nel fatto cioè che, attraverso un tacito processo di evoluzione, si stabilì il principio della responsabilità dei ministri nei confronti delle Camere e non solo nei confronti del re, come voleva lo Statuto. Anche i governi della Destra erano stati governi di tipo parlamentare, subordinati in pratica al voto di fiducia della Camera. Tali ragioni vanno ricercate più a

fondo e, in particolare, nella composizione e negli orientamenti della nuova classe politica che l'avvento della Sinistra
al potere aveva promosso alla direzione del paese.

Si è già visto come l'opposizione che si affermò nelle
elezioni del 1874 e giunse al potere nel 1876 era, più che
un partito vero e proprio, un cartello di forze sociali e opi-
nioni politiche assai diverse, una coalizione di interessi talvolta anche contrastanti. Il trasformismo fu essenzialmente
l'espediente e lo strumento che rese possibile la continuazione, anche sul piano dell'attività di governo, di questa
coalizione. In termini più brevi e più espliciti esso fu un
contratto tra i ceti borghesi dell'Italia settentrionale e i « galantuomini » del Mezzogiorno, stipulato sulla base di un compromesso dal quale entrambe le parti ricavavano dei vantaggi.
La borghesia settentrionale aveva via libera a una politica
di riforme e di democratizzazione dello Stato alla condizione
che questa non scalfisse gli interessi costituiti dei ceti dominanti meridionali. Questi ultimi, per maggior garanzia, ot-
tenevano di essere rappresentati in maniera adeguata nel governo: di fatto, con l'avvento della Sinistra al potere, la rappresentanza del Mezzogiorno nel ministero si accrebbe sensibilmente e da allora data quel processo di meridionalizza-
zione dell'amministrazione pubblica che è caratteristico del-
l'Italia contemporanea.

L'atto notarile di questo contratto fu la già ricordata
riforma elettorale del 1882, approvata dopo un dibattito
nel Parlamento e nel paese trascinatosi per anni. Tra le varie
soluzioni proposte venne scartata, come troppo radicale e ricca
di incognite, quella del suffragio universale, che pure era patrocinata da parlamentari assai autorevoli, non solo, come
il Crispi, di sinistra, ma anche, come il Sonnino, di destra.
Prevalse invece quella basata su di un abbassamento del censo,
dell'età e del grado di istruzione richiesti per essere elettore
e sull'introduzione dello scrutinio di lista. Gli elettori salirono così da 500.000 a più di 2 milioni e, in percentuale,
dal 2 al 7 per cento della popolazione. Vale però la pena di

sottolineare che la riforma era congegnata in maniera tale da favorire più le città che le campagne. Coloro perciò che maggiormente beneficiarono dell'allargamento del suffragio furono la piccola borghesia e le frange più elevate dei ceti operai e artigiani. Non è un caso se in questo periodo e in coincidenza con la riforma una parte del movimento anarchico ruppe con la sua intransigenza e con il suo astensionismo precedenti orientandosi invece verso posizioni più realistiche e verso il socialismo. Il principale esponente di questa nuova tendenza dell'opposizione popolare italiana, il romagnolo Andrea Costa, già arrestato per i moti internazionalisti del 1874, venne eletto nelle elezioni del 1882 nel collegio di Imola e fu il primo e, per il momento l'unico, deputato socialista italiano. Il limite di classe della riforma elettorale del 1882 risultò naturalmente ancor più accentuato nell'Italia meridionale, dove l'aumento assoluto del numero degli elettori fu minore e, più marcatamente ancora che nel Nord, circoscritto alle città, con le loro turbe di avvocati senza cause, di giornalisti improvvisati e carrieristi, di studenti a vita. La vita politica meridionale rimaneva così dominata sostanzialmente dalle clientele e dai « galantuomini ».

Il compromesso realizzato con il trasformismo e sigillato con la riforma elettorale del 1882 costituiva senza dubbio un assestamento dei contrasti sociali e regionali derivati dal modo in cui l'unificazione nazionale aveva avuto luogo. D'ora in poi la borghesia settentrionale, e in particolare gli imprenditori lombardi, avrebbero avuto le mani più libere e più ampie possibilità di sviluppare le loro iniziative economiche, mentre ai figli dei « galantuomini » del Sud si schiudevano più largamente le porte degli impieghi nell'amministrazione, nella magistratura e nello stesso governo e al Mezzogiorno sarebbe toccato un lotto più consistente del bilancio dei lavori pubblici. Ma si trattava di una soluzione che, più che risolvere, rinviava e dilazionava i grandi problemi del paese e così facendo contribuiva in definitiva a renderli più acuti. Dando per scontato che le campagne e le regioni più arretrate del paese non erano mature per quella promozione democratica che veniva invece realizzata nelle città e nelle zone più progredite, si creavano le premesse di uno sviluppo squilibrato e di una acutizzazione dei contrasti già esistenti, fra città e campagna, tra Nord e Sud. Avremo modo più avanti di constatare come la realtà dello sviluppo economico e politico italiano a partire dagli anni ottanta corrispondesse appunto a queste premesse.

VIII

ORIGINI E CARATTERI
DEL CAPITALISMO ITALIANO

Crisi agraria e mondo contadino.

Durante il quindicennio di governo della Destra, come si è avuto modo di accennare, l'agricoltura italiana aveva attraversato un periodo di congiuntura sostanzialmente favorevole, determinato essenzialmente dalla continua ascesa dei prezzi e dalla richiesta sostenuta del mercato. Le cose cambiarono radicalmente proprio negli anni in cui la Sinistra giunse al potere. La grande crisi agraria, che, in seguito all'invasione del grano americano, resa a sua volta possibile dalla drastica riduzione dei noli marittimi, aveva già investito gli altri paesi europei, giunse infatti anche in Italia e fu tanto più grave quanto più deboli e impreparate a fronteggiarla erano le strutture di un'agricoltura povera di capitali quale era quella italiana.

Le importazioni massicce di grano americano o russo (si passò dal milione e mezzo di quintali del 1880 ai 10 milioni del 1887) provocarono una drastica contrazione, pari quasi al 30 per cento, del prezzo del grano, al punto da rendere la sua coltura non remunerativa nelle terre più povere e da determinare una netta caduta degli indici complessivi della produzione nazionale. Ma la coltura granaria, che pur rappresentava il cespite di gran lunga dominante dell'agricoltura italiana, non fu la sola a essere sconvolta dalla crisi

agraria: anche la coltura dell'olivo, dei legumi, l'allevamento
del bestiame ne furono seriamente colpiti. Il solo settore che
si avvantaggiò fu quello della viticoltura, che passò da una
produzione di 27 milioni di ettolitri nel 1879-80 ai 36 milioni del 1886-87. Si trattò però in questo caso di una congiuntura eccezionale determinata dalla distruzione ad opera
della fillossera dei vigneti francesi e destinata ad esaurirsi
in un brevissimo giro di anni, come avremo occasione di vedere più avanti. Nel complesso l'ammontare della produzione agricola e zootecnica calò dai 28.308 milioni — in lire
del 1938 — del 1880 ai 25.916 del 1887.

Ancora una volta naturalmente a pagare il prezzo della
crisi furono i ceti più poveri della campagna: non vi è
infatti bisogno di dire che la media di 1.837 lire che rappresenta il punto più basso della curva del reddito *pro capite*
di tutta la storia dello Stato unitario e che fu raggiunta nel
1881, costituiva pur sempre una cifra astronomica per la
grande massa dei contadini italiani. Proprio nel bel mezzo
della crisi agraria i 18 volumi dell'inchiesta parlamentare sulle
condizioni di vita nelle campagne che, sotto la direzione di
Stefano Jacini, era stata iniziata nel 1877, vennero a gettare un potente fascio di luce sullo stato in cui versava la
classe più numerosa della popolazione italiana. L'Italia ufficiale seppe allora che in vastissime plaghe delle sue campagne la denutrizione era la regola, che la malaria infieriva
nelle campagne del Sud e la pellagra, una malattia originata
da un'alimentazione a base di granturco, in quelle del Nord
e che le vittime di queste malattie si contavano ogni anno
per migliaia. Seppe delle case-tuguri, dei bambini costretti
al lavoro in acerbissima età, dell'analfabetismo e della degradazione.

Ma — si sa — le inchieste parlamentari finiscono spesso
con l'essere dimenticate prima che i rimedi proposti dai
loro diligenti estensori abbiano avuto il tempo di essere ap-
plicati. In Italia poi si può dire che ciò sia stata una regola: la storia parlamentare italiana è ricca di inchieste condotte con grande impegno e serietà, da questa dello Jacini,

a quella dell'età giolittiana sulle condizioni dell'Italia meridionale, alle più recenti sulla disoccupazione e la miseria, ma i molti volumi in cui esse si articolano sono stati forse più letti dagli studiosi e dagli storici di oggi che messi a frutto dai politici di allora.

Ma coloro che erano stati le vittime della grande crisi agraria non potevano aspettare e in molti di essi si faceva strada la volontà, risoluta e disperata, di uscire una buona volta dal cerchio di miseria e di degradazione in cui erano rimasti prigionieri. Ed ecco, prima timidamente, poi con un ritmo sempre più serrato, prendere corpo quel fenomeno dell'emigrazione di massa che l'Italia della seconda metà dell'Ottocento e dei primi decenni del Novecento ha in comune con le nazioni e le zone più povere dell'Europa centrale e orientale. Ecco nei miserabili paesi dell'Italia meridionale, unico segno della civiltà moderna, aprirsi le agenzie delle grandi compagnie di navigazione; ecco le folle degli emigranti accalcarsi nelle stive dei transatlantici per andare a gettarsi, come operai, nel grande crogiolo dell'America settentrionale, oppure per tentare la sorte, come contadini, nelle distese dell'America latina. Altri, specie nell'Italia settentrionale, preferirono battere le vie dell'emigrazione permanente o stagionale in Francia, nel Belgio, nella Svizzera e, soprattutto, in Germania. Il loro acclimatamento in questi paesi non fu sempre facile, e talvolta, come a Aigues-Mortes nel 1892, si ebbero conflitti tra i lavoratori del paese ospite e gli immigrati italiani, accusati di vendere le loro braccia al di sotto dei salari normali e di essere i cinesi d'Europa. Ma molti di coloro che ritornarono in Italia, specie dalla Germania, avevano imparato che cos'era un sindacato, come si faceva uno sciopero e non avrebbero mancato di far tesoro in patria della loro esperienza oltremontana.

Ben presto l'emigrazione italiana assunse le dimensioni di un fenomeno imponente: nel quinquennio 1886-90 la media annuale degli emigrati si aggirava attorno alle 222.000 unità. Basti pensare, se si vuol cogliere la portata generale del fenomeno, che la differenza tra incremento naturale della popolazione e incremento effettivo, comprensivo cioè della corrente migratoria, che era nel periodo compreso tra il 1872 e il 1882 di 36.000 unità a favore del primo, balzò a 114.000 nel periodo compreso tra il 1882 e il 1900. Il che significa che la popolazione italiana, che risultò essere al censimento del 1901 di quasi 34 milioni, sarebbe stata, senza l'emigrazione, di 36 milioni.

Ma non tutti, naturalmente, partivano e non tutti quelli che restavano erano rassegnati a accettare come una fatalità le loro condizioni di vita. Dalla grande crisi agraria degli anni ottanta non prese origine soltanto il grande fenomeno dell'emigrazione, ma mosse i suoi primi passi il movimento contadino italiano, anch'esso un fenomeno tipico della storia dell'Italia moderna, con tratti profondamente originali. La sua culla furono le campagne del Mantovano, dove nel 1884 si ebbero delle agitazioni e degli scioperi agrari di notevole ampiezza, del Polesine, del Ferrarese e del Ravennate, tutte province poste a cavaliere del basso corso del Po, in un paesaggio di argini, di grandi lavori di bonifica, di villaggi improvvisati e privi persino della consueta e familiare presenza della chiesa. I braccianti che vi lavoravano e che spesso erano emigrati dalle province vicine costituivano un aggregato sociale e umano che non trova riscontro nel proletariato agricolo di altri paesi europei. A differenza dei servi delle campagne tedesche ad est dell'Elba, essi non avevano dietro alle loro spalle un passato di soggezione e di rassegnazione. Essi erano una classe sociale di nuova formazione e, per certi aspetti, più vicina alla mentalità dell'operaio e del salariato che a quella del contadino. Il paesaggio stesso in cui vivevano e lavoravano, un paesaggio in continua trasformazione, li aiutava a comprendere l'inutilità di ogni sforzo teso a ricomporre l'unità del vecchio equilibrio contadino. La speranza non stava nel ritorno al passato, ma al contrario nell'avvenire, nel progresso, nel socialismo. Ed è infatti tra i braccianti della Valle padana che la propaganda delle idee socialiste, che fino allora era rimasta circoscritta a ristrette cerchie di intellettuali e agli strati più elevati del proletariato urbano, opera la sua prima profonda breccia ed è attraverso il loro tramite che il socialismo inizia a diffondersi nelle campagne.

Si è già ricordato il nome di Andrea Costa; ad esso si potrebbero aggiungere quelli di Camillo Prampolini a Reggio Emilia, del medico Nicola Badaloni nel Polesine, di Egidio Bernaroli a Mantova, di Nullo Baldini a Ravenna, del Bissolati nel Cremonese. Furono questi gli uomini che con un'attività indefessa e tenace organizzarono le prime « leghe » di braccianti, promossero la formazione delle prime cooperative, diffusero nelle campagne dell'Emilia e della Bassa padana le idee del socialismo, furono alla testa dei primi scioperi. Essi compivano, modestamente e oscuramente, un lavoro della cui importanza e delle cui conseguenze forse neppure essi erano consapevoli. L'Italia fu l'unico paese europeo in cui, nei decenni successivi, lo sviluppo del socialismo e del movimento operaio non si imbatterà nella sordità e nelle diffidenze delle masse contadine, e comunque quello in cui il problema della « conquista delle campagne » da parte delle avanguardie proletarie e intellettuali delle città si porrà in termini di minore difficoltà. Ché anzi in certi casi (tipico è l'esempio dell'Emilia) fu proprio la campagna « rossa » a stringere d'assedio la città bianca e a conquistarla.

Sviluppo capitalistico e via prussiana.

Per uomini come Camillo Cavour, Carlo Cattaneo e Francesco Ferrara, cresciuti nell'età del capitalismo trionfante e del libero scambio, la via che l'Italia avrebbe dovuto percorrere per diventare un moderno paese borghese aveva per presupposto il suo inserimento senza riserve nel grande circuito dell'economia europea. Una volta esposti al rude, ma tonificante vento della concorrenza, gli agricoltori e gli imprenditori italiani avrebbero dovuto fare di necessità virtù, si sarebbero rimboccate le maniche e avrebbero trasformato le loro aziende in organismi moderni, capaci di competere sui mercati internazionali. Naturalmente su questa strada essi avrebbero cozzato contro il muro di privilegi, di incongruenze e di particolarismo che costituivano l'*ancien régime* italiano e sarebbero perciò stati costretti a trasferire la loro battaglia sul piano politico: rigenerazione economica e rigenerazione civile avrebbero così proceduto entrambe dal basso, dalla libera iniziativa dei singoli produttori, così come del resto era accaduto nei grandi paesi borghesi europei. Certo si sarebbe trattato di un processo lento, ma questa gradualità era garanzia di serietà e di riuscita.

Sostanzialmente i governi che si succedettero nei primi venti anni di vita dello Stato unitario rimasero fedeli a questa prospettiva e, in particolare, al suo presupposto liberista. I trattati commerciali da essi stipulati (il principale fu quello con la Francia del 1863) furono, come già quelli negoziati da Cavour, improntati a un intransigente liberismo. Ma da esecutori testamentari privi di fantasia quali erano dell'eredità cavourriana, essi, come si è visto, non fecero nulla o quasi per cercare di rimuovere gli ostacoli che, nel più vasto e contraddittorio ambito della nuova patria italiana, si frapponevano al libero sviluppo delle energie borghesi di base.

Col passare degli anni e con il prolungarsi della stagnazione il dubbio che una siffatta prospettiva di uno sviluppo lungo e dal basso non fosse il più idoneo per un paese che, come l'Italia, aveva da recuperare molto tempo perduto ed era assillato da problemi urgenti e indilazionabili, cominciava a insinuarsi nell'opinione pubblica più avvertita. Non era possibile — ci si cominciava a chiedere — che anche l'Italia prendesse quelle scorciatoie che avevano permesso alla nuova Germania, a pochi anni dalla sua costituzione a nazione, di divenire una grande potenza indipendente, i cui prodotti correvano ormai per i mercati del mondo e la cui tecnica suscitava l'invidia di tutti i suoi concorrenti? Si delineava così, ancora confusamente, la prospettiva di una via prussiana di sviluppo capitalistico, di una trasformazione economica cioè operata dall'alto e con il concorso determinante dello Stato, all'insegna del protezionismo e del rafforzamento del prestigio internazionale del paese.

Attorno al 1874, negli anni cioè in cui maturava l'avvento della Sinistra al potere, si era cominciato in Italia a discorrere di « germanesimo economico » e un gruppo di economisti, tra i quali fa spicco il nome di Luigi Luzzatti, aveva fondato una nuova rivista, il « Giornale degli Economisti », per propugnare appunto la necessità di rivedere il tradizionale indirizzo liberistico della politica economica italiana. Le loro idee non avrebbero però incontrato il consenso che incontrarono tra gli intellettuali e, quel che più conta, tra gli imprenditori, se esse non avessero avuto degli addentellati nella realtà della situazione italiana. Che lo Stato, costruttore di ferrovie e di arsenali, dovesse avere un ruolo di acceleratore nello sviluppo economico del paese era cosa non solo ammessa in teoria, ma praticata da tutti i governi che si erano succeduti in Italia e nello stesso Piemonte cavourriano. Un'altra premessa per uno sviluppo economico di tipo prussiano e che aveva sensibile analogia con quanto accadeva nella Germania bismarckiana, con i suoi Junker e con i suoi industriali liberali, era costituita dal *modus vivendi* che, come si è visto, era stato possibile raggiungere tra i ceti sociali di maggiore prestigio e influenza, la borghesia manifatturiera e commerciante del Nord e gli agrari meridionali. Forti di questa unità, le classi dominanti italiane potevano affrontare con relativa tranquillità gli inevitabili sconvolgimenti e le prevedibili reazioni popolari che uno sviluppo economico manovrato dall'alto e a tappe forzate non avrebbe mancato di produrre. Vi era infatti la reciproca certezza che nessuno avrebbe barato al gioco: nessuno dei due *partners* aveva interesse a pescare nel torbido e a utilizzare contro l'altro i risentimenti e le proteste che venivano dal fondo della società.

I primi accenni di questo nuovo corso economico cominciarono a delinearsi attorno al 1878, quando la pressione degli industriali tessili e meccanici del Nord riuscì a strappare al governo una prima tariffa doganale protettiva. Da allora il tono della vita economica del paese divenne più sostenuto e il mercato dei capitali più animato. A ciò contribuì anche l'acclimatamento in Italia di nuove forme di credito, sull'esempio di quelle già sperimentate in Francia dai fratelli Péreire, con finalità specifiche di finanziamento degli investimenti. Su questa strada si mossero i nuovi organismi bancari del Credito mobiliare e della Banca generale. Parte di questi capitali presero la via di investimenti a carattere prevalentemente speculativo: gli anni ottanta conoscono il primo *rush* verso la speculazione edilizia. Dagli sventramenti operati indiscriminatamente a Roma, il centro della capitale uscì con un volto pretenziosamente moderno e deturpato per sempre da alcune brutture, tra le quali il cosiddetto « altare della patria », il cui progetto venne prescelto nel 1884, è senza dubbio la più monumentale. A Firenze il vecchio e storico quartiere di Calimala fu completamente distrutto per far posto a una piazza che costituisce oggi l'unica bruttura esistente in una città di una bellezza e di un'unità ineguagliabili. Anche a Napoli il piccone demolitore infierì senza peraltro risolvere che assai parzialmente i tradizionali problemi di sovraffollamento e di igiene pubblica la cui gravità era stata tragicamente sottolineata dall'epidemia di colera del 1878. Ma una parte cospicua dei capitali disponibili sul mercato trovò invece impiego in investimenti più produttivi e più a lungo termine, nell'industria. Dal 1881 al 1887 gli indici della produzione delle varie branche industriali mostrano infatti una netta e costante tendenza all'ascesa. Nel settore dell'industria cotoniera le importazioni di cotone greggio passarono dai 218.000 quintali del 1881 ai 617.000 del 1887; in quello dell'industria metallurgica, l'incremento, tenuto conto soprattutto del basso livello di partenza, fu spettacolare e sostenuto quello delle industrie chimica, meccanica e estrattiva. Muoveva i suoi primi passi anche l'industria elettrica: Milano fu una delle prime città d'Europa in cui, con la costruzione della centrale di Santa Radegonda nel 1884, vennero effettuati esperimenti di illuminazione elettrica.

Nel complesso, secondo un indice calcolato dal Gerschenkron, tra il 1881 e il 1887 l'industria italiana conobbe un incremento generale della sua produzione del 37 per cento, con un saggio di sviluppo annuo del 4,6 per cento. Un peso determinante nell'avvio e nell'accelerazione di questo processo di sviluppo ebbe lo stimolo e l'intervento dello Stato: la società Terni, che nel 1884 iniziò la costruzione della prima grande acciaieria italiana e alla cui testa stava l'ingegner Vincenzo Stefano Breda, usufruì fin dal suo sorgere di un sostanzioso appoggio dello Stato, la cui marina militare era del resto il suo maggiore, se non unico cliente. Anche l'industria cantieristica, della quale l'esponente più in vista fu l'ingegner Luigi Orlando, fu fortemente sovvenzionata dallo Stato mediante uno stanziamento di 53 milioni concesso nel 1885. Così pure le maggiori compagnie di navigazione, la Florio e la Rubattino, che nel 1881 si fusero per costituire la Navigazione generale italiana. Merita di essere notato come parecchi dei nuovi capitani dell'industria italiani fossero uomini con un passato di milizia politica democratica o mazziniana: Luigi Orlando era stato un membro della Giovine Italia, Giovanni Pirelli, il fondatore dell'industria della gomma italiana, era stato un combattente garibaldino, Vincenzo Florio, l'esponente più in vista della Navigazione generale italiana, era stato attivo nel movimento patriottico siciliano e, quanto all'armatore genovese Raffaele Rubattino, era stato su due suoi piroscafi che i Mille erano salpati per la loro impresa. A questi aggiungiamo il nome di Erasmo Piaggio, armatore e industriale meccanico, anch'egli ex-garibaldino.

Il primo modesto *boom* industriale italiano veniva così a coincidere con l'inizio della grande crisi agraria della quale abbiamo parlato nel paragrafo precedente, e si determinava in tal modo una tipica congiuntura « a forbice ». All'aumento dei prezzi dei prodotti industriali protetti dalle tariffe doganali faceva riscontro il calo dei prodotti agricoli e il drenaggio dei capitali dalla campagna alla città, dal Sud al Nord, procedeva a un ritmo sempre più intenso. Era evidente che, se si voleva proseguire nella direttiva di sviluppo intrapresa, occorreva compensare in qualche modo i proprietari agricoli delle perdite che essi avevano subìto e riequilibrare su di una nuova base i rapporti tra i ceti dominanti del paese. Si giunse così alla nuova tariffa doganale del 1887, che segnò una tappa di grande importanza nella storia del capitalismo italiano e che può veramente essere considerata come l'atto di nascita di ciò che Gramsci chiamò il blocco agrario-industriale delle classi dominanti italiane. Le sue conseguenze sulla storia dell'Italia moderna non furono minori di quelle della svolta protezionistica e conservatrice operata da Bismarck nel 1879 su quella della Germania.

In base a questa tariffa non solo le barriere doganali erette a difesa della nascente industria italiana erano ulteriormente e sensibilmente elevate, ma il criterio della protezione veniva esteso anche a certi settori dell'agricoltura. Ne beneficiarono infatti le colture dello zucchero, della canapa, del riso (tutte praticate quasi esclusivamente nell'Italia settentrionale) e, in misura assai alta, quella fondamentale del grano. Veniva così posto un freno alle massicce importazioni di grano americano e venivano incoraggiati ancora una volta la pigrizia e l'assenteismo di quei proprietari agricoli del Mezzogiorno che dalla cerealicoltura praticata in forma estensiva ricavavano gran parte delle loro rendite. I prodotti dell'Italia settentrionale — le lane di Biella e di Valdagno, i cotoni della Lombardia — conquistavano così definitivamente il mercato nazionale e lo sviluppo industriale italiano entrava decisamente nella sua fase di decollo; mentre il Mezzogiorno rimaneva inchiodato ancora più saldamente alla sua arretratezza e alla sua condizione di subordinazione. Anziché attraverso un processo di livellamento e di rigenerazione dal basso, la via dello sviluppo capitalistico passava in Italia attraverso un approfondimento dei già gravi squilibri sociali e regionali esistenti nel paese. Ne risultava un tessuto sociale in cui il nuovo e il vecchio si giustapponevano e si intrecciavano, in cui un capitalismo con tutti i tratti dell'analisi leniniana dell'imperialismo — alto grado di concentrazione monopolistica, compenetrazione tra banca e industria, protezione statale — conviveva con un'agricoltura che, in certe regioni, si trovava ancora ad uno stadio semifeudale e con un artigianato onnipresente e a livello familiare.

« Uno Stato moderno — scriveva Antonio Labriola nel 1896 — in una società quasi esclusivamente agricola, e in gran parte di vecchia agricoltura, crea un sentimento universale di disagio, ciò dà la generale coscienza dell'incongruenza di tutto e di ogni cosa. » Incongruenza: un termine che più volte ci si presenterà spontaneamente a mano a mano che procederemo nell'esposizione della storia dell'Italia contemporanea.

Triplice alleanza e ambizioni coloniali.

I cardini della politica estera piemontese prima e italiana poi erano stati l'amicizia con l'Inghilterra e con la Francia. Con la prima di queste potenze i rapporti rimasero sostanzialmente inalterati e improntati a cordialità e comprensione lungo tutto il corso della storia italiana, tranne il periodo fascista. Diversamente invece andarono le cose con la Francia: l'episodio di Mentana dette l'avvio a un progressivo raffreddamento che si venne sempre più accentuando sino a sfociare, come si vedrà, alla fine degli anni ottanta in aperta tensione. Parallelamente a questo distacco dalla Francia si delinea nella politica estera italiana un sempre più pronunciato avvicinamento alla Germania prima (si ricordi l'alleanza del 1866) e in un secondo tempo anche all'Austria. Nel 1873 Vittorio Emanuele II effettuava visite a Vienna e a Berlino, cui seguì due anni dopo una visita di Francesco Giuseppe a Venezia. Da parte degli imperi centrali e da parte soprattutto di Bismarck non si lesinarono sforzi per assecondare questo nuovo corso della politica italiana e per approfondire il solco che si era aperto fra Italia e Francia. Più volte tra il 1876 e il 1877 da parte austriaca e tedesca vennero sollecitazioni perché l'Italia prendesse l'ini-

ziativa dell'occupazione della Tunisia, dove esisteva da tempo
una forte minoranza italiana, nella speranza in tal modo di
ottenere il doppio obiettivo di stornare le rivendicazioni italiane sul Trentino richieste a gran voce dagli « irredentisti »
e di creare un nuovo motivo di attrito con la Francia.

In un primo tempo la diplomazia italiana sembrò restia a prestare orecchio a queste sollecitazioni e al congresso
di Berlino del 1878 l'Italia mantenne una linea politica di
disimpegno che venne definita delle « mani nette ». Non
mancarono naturalmente in Italia le proteste, espresse anche in forma assai rumorosa, di coloro che accusavano il
governo (era presidente del Consiglio il Cairoli) di non aver
saputo contrattare l'annessione italiana del Trentino con l'occupazione austriaca della Bosnia-Erzegovina e, più in generale, di aver seguito una linea politica debole e rinunciataria.
Queste proteste si fecero ancora più forti e insistenti quando,
nell'aprile-maggio 1881, la Francia procedette all'occupazione
della Tunisia e alla sua trasformazione in protettorato. L'idea
di un definitivo svassallamento dall'alleanza francese e di un
avvicinamento agli imperi centrali diveniva — salvo che nei
circoli degli « irredentisti » irriducibili — sempre più popolare. Si giunse così nel maggio del 1882 alla stipulazione del
trattato tra l'Italia, Germania e Austria, passato alla storia
sotto il nome di Triplice alleanza.

Tale trattato consisteva essenzialmente in una reciproca
garanzia tra le varie potenze firmatarie contro una eventuale
aggressione francese e in un impegno altrettanto reciproco
alla benevola neutralità nel caso che l'iniziativa della guerra
contro la Francia fosse stata presa invece da parte austriaca,
italiana o tedesca. Era cioè, nella sua parte essenziale, un
trattato di natura difensiva diretto esclusivamente nei confronti della Francia. Su insistenza italiana era infatti stata ag-
giunta una clausola in cui si specificava che l'alleanza in nessun caso avrebbe dovuto intendersi diretta contro l'Inghilterra. Nel 1887, quando esso venne rinnovato, venne inoltre
specificato, su insistenza del ministro degli Esteri italiano, il
conte di Robilant, che l'Italia avrebbe avuto diritto a delle

compensazioni qualora lo *statu quo* nei Balcani fosse stato modificato a favore dell'Austria: era una maniera di tenere in qualche modo aperta la questione delle terre italiane ancora sotto sovranità austriaca.

A prescindere però da questi aspetti strettamente diplomatici, il trattato della Triplice aveva anche un valore e un significato politico, specie nei confronti della politica interna. È assodato infatti che l'adesione dell'Italia alla Triplice va considerata anche come una manifestazione di affinità elettiva verso la Germania bismarckiana, verso una nazione cioè che stava offrendo all'Europa la prova di come il rispetto delle gerarchie all'interno e una politica di forza e di prestigio all'esterno fossero i migliori presupposti per lo sviluppo economico e culturale di un paese. A questa interpretazione in chiave conservatrice e gerarchica del trattato erano particolarmente sensibili non solo il nuovo re Umberto I (Vittorio Emanuele II era morto nel 1878) e la sua sposa, la regina Margherita, nelle cui vene scorreva sangue tedesco, ma anche, come si è visto, larghi settori della classe politica e della stessa opinione pubblica. Inoltre agli occhi di costoro l'Italia con la Triplice usciva finalmente di tutela, cessava di essere una potenza di secondo rango, riacquistava in parte il prestigio perduto con la disastrosa guerra del 1866. Si può anzi dire che da questo punto di vista la stipulazione della Triplice alleanza contribuì notevolmente a rendere consapevoli e a far coagulare quei motivi e quelle tendenze nazionalistiche che fermentavano entro il paese. La lotta fra le nazioni — insegnava la filosofia positivista di moda — era altrettanto ineliminabile quanto la lotta per l'esistenza e la selezione naturale nell'evoluzione degli esseri. Avrebbe una nazione come l'Italia potuto sottrarsi a questa ferrea necessità?

Ma il nazionalismo, per definizione, è sempre diretto contro qualcuno e questo qualcuno per molti italiani non poteva essere che l'Austria, l'« eterno nemico », che ancora occupava le città italianissime di Trento e di Trieste. Il trattato della Triplice lasciava però poche speranze in questo

senso e, quando nel 1882 l'irredentista triestino Guglielmo
Oberdan venne impiccato dagli austriaci, il governo italiano,
che pochi mesi prima aveva apposto la sua firma alla Triplice, si trovò in serio imbarazzo e dovette porre la sordina
alle veementi manifestazioni studentesche. Ma, se la speranza
di raggiungere i confini del Brennero e del Quarnaro doveva per il momento essere coltivata con moderazione, vi
erano ben altri campi in cui l'Italia avrebbe potuto dar prova
del suo ritrovato orgoglio nazionale. Perché essa, nazione
eminentemente mediterranea e colonizzatrice, non avrebbe
dovuto ad esempio partecipare all'espansione coloniale in cui
erano impegnate tutte le altre potenze europee? Quest'idea
della missione mediterranea e civilizzatrice dell'Italia attec-
chì in un primo tempo anche presso uomini e ambienti della
Sinistra e venne fatta propria persino da alcuni dei primi
socialisti, i quali pensavano che le colonie avrebbero potuto
accogliere una parte di quell'emigrazione che ora si riversava
al di là dell'oceano e avrebbero fornito un terreno vergine
per arditi esperimenti di conduzione cooperativa delle terre.
E non è del tutto casuale che, per comandante del primo
corpo di spedizione italiano in Africa, venisse scelto un ex-garibaldino, il generale Baratieri. La prospettiva di un'espansione coloniale trovò però naturalmente udienza soprattutto
negli ambienti più retrivi e più impregnati di spirito nazionalistico. Comunque, democratico o forcaiolo che fosse, uma-
nitario o inutilmente tracotante, il colonialismo italiano recava fin dalle origini le stigmate del velleitarismo o, secondo
la definizione di Lenin, dell'« imperialismo degli straccioni ».
Fu infatti — si potrebbe dire — un colonialismo ad uso
interno, fatto cioè in funzione della politica interna, per convincere gli italiani che anche l'Italia era una grande potenza
e circondare così di un'aureola di prestigio uno Stato che
altrimenti non ne avrebbe avuto molto.

I suoi esordi furono altrettanto infelici e stonati quanto
tutta la sua storia. Trascinata dall'Inghilterra, cui nel 1882
essa aveva opposto una *fin de non-recevoir* quando le era
stato proposto di collaborare nell'occupazione dell'Egitto, a

occupare Massaua, in Eritrea, l'Italia si trovò nel 1885, in seguito alla sconfitta del generale Gordon da parte dei dervisči sudanesi, coinvolta in operazioni militari contro l'Etiopia. Nel gennaio del 1887 un contingente di 500 uomini venne attaccato a Dogali da soverchianti forze al comando di Ras Alula e completamente annientato. L'impressione in Italia fu enorme e il ministro degli Esteri, il di Robilant, quello stesso che aveva condotto a termine felicemente e con fermezza le trattative per il rinnovo della Triplice, fu costretto alle dimissioni. Quello che avrebbe potuto essere un incidente di scarso rilievo, diveniva così una questione d'onore nazionale e l'Italia si trovava moralmente impegnata a proseguire in una politica coloniale dalla quale non avrebbe ricavato che delusioni.

La vita letteraria e culturale.

Il panorama della vita letteraria italiana attorno agli anni ottanta non manca certo di animazione: dagli « scapigliati » milanesi, versione italiana della *bohème* parigina e tipica manifestazione di un'avanguardismo programmatico, ai « veristi » ammiratori di Zola, agli epigoni manzoniani, per finire con la mai estinta vena della poesia dialettale, il ventaglio delle correnti e delle sperimentazioni è assai largo. Tuttavia si tratta nella maggior parte dei casi di prosatori e di poeti di respiro abbastanza tenue, che oggi nessuno più legge e i cui nomi figurano soltanto nelle storie letterarie e nelle targhe delle vie cittadine. Il solo nome che vale forse la pena di essere ricordato è quello di Edmondo De Amicis, non certo per le sue qualità letterarie, ma per esser stato nei suoi libri e nei suoi *reportages* un testimone onesto e sincero dei sentimenti e del decoro della piccola borghesia italiana, e per averci dato con il suo *Cuore* uno dei pochi libri della letteratura infantile italiana.

Due soli nomi hanno validamente resistito all'usura del tempo: quelli di Giovanni Verga (1840-1922) e di Giosue

Carducci (1835-1907). Il primo, che visse la maggior parte della sua vita a Milano, dopo aver tentato le vie del romanzo borghese con risultati mediocri, trovò la sua autentica vocazione con dei romanzi e delle novelle ambientati nella sua terra di origine, la Sicilia. Il Mezzogiorno del Verga, con i suoi nobili altezzosi e squattrinati, i suoi contadini arricchiti e rapaci, con le sue plebi rassegnate, ha tutti i crismi dell'autenticità o, meglio, di quella verità interna delle cose che solo la rappresentazione letteraria centrata e partecipe ha la facoltà di mettere a nudo. Personaggi come Mastro don Gesualdo, un *self-made man* che sposa una nobile e finisce nell'inerzia e nello scoramento una vita che aveva iniziato all'insegna della disperata volontà di riuscire, oppure come padron 'Ntoni, il vecchio e rassegnato capostipite di una combattiva famiglia di pescatori destinata al fallimento, sono quasi dei simboli della realtà meridionale.

Ma la riscoperta e la valorizzazione del Verga sono di data relativamente recente. In vita l'autore di *Mastro don Gesualdo* e dei *Malavoglia* (egli visse sino al 1922 e trascorse gli ultimi tempi della sua vita nella natia Catania senza produrre più nulla) ebbe molti meno lettori e ammiratori di quanti ne conti oggi. Le sue storie di contadini e di pescatori non interessavano molto un pubblico di lettori borghesi che tra poco si sarebbero entusiasmati per i superuomini e gli esteti dei romanzi dannunziani.

Sorte e fortuna ben diversa ebbe invece Giosue Carducci che, vivente, venne da tutti considerato e salutato come il poeta principe della nuova Italia o, come egli stesso si definì, « vate d'Italia alla stagion più bella » e coronò un'esistenza ricca di onori con il premio Nobel che gli venne attribuito nel 1906. E si comprende: l'evoluzione degli umori e della poesia del Carducci rispecchia con grande fedeltà quella dell'opinione pubblica borghese italiana tra la fine del Risorgimento e gli anni delle prime manifestazioni nazionalistiche. Repubblicano e giacobino in gioventù, esaltatore della Rivoluzione francese nei suoi sonetti del *Ça ira* e autore di un *Inno a Satana* che, pubblicato nel 1863, sette anni prima della breccia di Porta Pia, parve a molti suoi lettori come il grido di battaglia della nuova Italia contro il clericalismo e il potere temporale dei papi, nella maturità e nella vecchiaia egli venne rivestendo di toni sempre più aulici e ufficiali la sua poesia, esaltò nella regina Margherita l'« eterno femminino regale », pianse sui caduti a Dogali, celebrò il mito di Roma e le glorie del Piemonte sabaudo. Di fatto sia il suo giacobinismo, sia il suo patriottismo ufficiale furono quelli di un professore, di un grande professore quale egli era, artificiali e fabbricati a tavolino. Di lui le sole cose che si leggono ancora oggi con diletto sono quelle legate alle vicende dei suoi affetti familiari e personali.

Se, come si è visto, il panorama della vita letteraria italiana degli anni ottanta è abbastanza vario, non altrettanto può dirsi degli orientamenti intellettuali. Il quadro è infatti dominato dalla nuova trionfante filosofia positivista. Mentre i letterati veristi stivano i loro •romanzi di prostitute e di malati ereditari, i sociologhi si danno a studiare la misura dei crani per ricavarvi la prova delle predisposizioni alla delinquenza. Uno di essi, il Niceforo, scoprì che il divario esistente tra l'Italia del Sud e quella del Nord derivava appunto dalle diverse conformazioni cerebrali dei rispettivi abitanti. A loro volta i filosofi discettavano della « selezione naturale » e della lotta per l'esistenza, i politici teorizzavano il ruolo delle *élites* e della classe politica, la critica letteraria alla De Sanctis cedeva il passo alla filologia storica. La « scienza » e il « progresso » erano le parole d'ordine del momento e la simpatia dell'intellettualità si orientava sempre più verso quei paesi che di queste nuove idee sembravano essere il ricettacolo e la dimostrazione. I libri tedeschi divennero sempre più numerosi nelle librerie e nelle biblioteche dei dotti italiani, e l'influenza intellettuale del mondo germanico rivaleggiò ormai vittoriosamente con quella tradizionale della cultura francese. Anche nel campo delle idee, come in quello della politica e dell'economia, era l'ora della Germania.

Unica, patetica isola di resistenza alla dilagante avanzata

positivistica rimaneva il gruppo degli hegeliani di Napoli, estremi esponenti di quell'idealismo storicistico che aveva dato la propria impronta alla cultura dell'età del Risorgimento. Essi erano degli isolati e dei superstiti, eppure proprio nel loro cenacolo si formò l'unico pensatore di nerbo che l'Italia della seconda metà dell'Ottocento possa vantare, Antonio Labriola.

Allievo di Bertrando Spaventa, l'esponente più autorevole del neohegelismo napoletano, il Labriola subì quindi l'influenza della filosofia di Herbart, per approdare infine in età già matura alla scoperta del marxismo, delle cui teorie si fece espositore in una serie di saggi pubblicati tra il 1895 e il 1900. « Scoperta » è forse un termine improprio: negli anni ottanta il nome di Marx non era più sconosciuto in Italia e talune delle sue opere erano già state tradotte. Carlo Cafiero, già compagno di Bakunin al tempo della Prima Internazionale, aveva pubblicato un sunto del *Capitale* e un giornale· socialista che si stampava a Lodi, « La Plebe », aveva fatto molto per diffondere in Italia la conoscenza del pensiero di Marx. La ricezione del marxismo in Italia era avvenuta però anch'essa nell'ambito dell'imperante positivismo, e di conseguenza l'opinione e la nozione più corrente che se ne aveva era quella di una sorta di « darwinismo sociale » e di « determinismo economico », quasi un calendario in cui, con scientifica e positiva esattezza, fossero segnate le tappe della decadenza capitalistica sino al suo inevitabile approdo al socialismo. Del resto questa versione e questa *vulgata* positivistica del marxismo non era soltanto un fenomeno italiano, ma di tutto il socialismo europeo all'epoca della Seconda Internazionale e di teorici quali Kautsky, Lafargue e Plechanov.

Labriola fu l'unico tra questi teorici marxisti (se è lecito applicargli una definizione che egli non gradiva), il quale dette del materialismo storico un'interpretazione radicalmente diversa da quella corrente. A suo giudizio il marxismo non era un sistema filosofico compatto e enciclopedico, ma anch'esso un'ideologia storica, una « filosofia della prassi », il distillato cioè dell'esperienza politica e intellettuale accumulata da un determinato soggetto storico, il proletariato industriale nella sua lotta emancipatrice, e la cui verità si arrestava perciò laddove questa esperienza finiva. La concezione materialistica della storia rimaneva perciò un sistema aperto a nuove integrazioni e sviluppi e ciò spiega come il Labriola, a differenza del suo giovane amico Benedetto Croce, mantenne ferme le sue convinzioni socialiste di fronte all'ondata del revisionismo bernsteiniano e sorelliano di fine secolo. Il fatto che l'evoluzione sociale avesse preso cammini diversi da quelli ipotizzati dai marxisti di marca positivistica, se non da Marx stesso, provava soltanto la fallacia dei loro schemi e non certo l'inutilità della battaglia del proletariato: questo avrebbe continuato a combattere e a pensare, a accumulare esperienze nuove, a costruire — e non a attendere — il socialismo.

Coerentemente a questa sua concezione del marxismo come « filosofia della prassi », il Labriola si sentì moralmente e intellettualmente impegnato alla milizia politica e partecipò attivamente e intelligentemente all'opera di orientamento e di organizzazione del nascente movimento operaio e socialista italiano. Di ciò però parleremo a suo tempo. Per ora limitiamoci a richiamare l'attenzione del lettore sulla novità e originalità dell'interpretazione labriolana del marxismo e a rilevare come proprio questa sua originalità contribuì a farne un isolato e un incompreso.

IX

LA CRISI DI FINE SECOLO

Francesco Crispi.

Nel luglio del 1887, l'anno della entrata in vigore della nuova tariffa doganale, del rinnovo della Triplice e del disastro di Dogali, moriva Agostino Depretis, l'uomo che da dieci anni era considerato l'arbitro della vita politica italiana. Alla sua morte la carica di presidente del Consiglio venne assuna da Francesco Crispi. Repubblicano e mazziniano nel corso del Risorgimento e braccio destro di Garibaldi in Sicilia, sostenitore nei suoi primi discorsi parlamentari del suffragio universale e dell'abolizione del Senato di nomina regia, il Crispi, della democrazia radicale ottocentesca, aveva assimilato più l'estremismo verbale e tribunizio che la sostanza. E un estremista pieno di temperamento e di suscettibilità egli rimane anche quando, dopo il suo *ralliement* con la monarchia, venne sempre più accostandosi ai nuovi orientamenti prevalenti nella classe politica e nell'opinione pubblica italiana, abbracciando le sue nuove convinzioni con la stessa foga e la stessa totalità con cui aveva abbracciato quelle della sua gioventù. Il filogermanesimo trionfante in Italia negli anni ottanta, l'improvvisata e velleitaria vocazione colonialista, la spregiudicatezza e lo spirito di iniziativa dei nuovi capitani d'industria, il tradizionale livore degli agrari siciliani contro i contadini insorti, tutti insomma gli ingredienti costitutivi del nascente blocco agrario-industriale erano presenti in lui in forma accentuata e a volte parossistica. Non a caso e non a torto il fascismo ne ha fatto un suo precursore.

L'avvento di Crispi al potere impresse subito nella politica italiana un corso nuovo e un ritmo di insolita eccitazione. Nel breve giro di due anni si ebbero infatti la denuncia del trattato commerciale con la Francia, la quale aveva chiesto una revisione delle tariffe doganali del 1887, la stipulazione di una convenzione militare con la Germania che il Crispi (egli aveva assunto anche il portafoglio degli Esteri) trattò personalmente con Bismarck, la ripresa dell'avventura coloniale in Africa con l'occupazione di Asmara e la proclamazione dell'Eritrea come colonia italiana e, infine, la minaccia di una guerra con la Francia. Per la verità quest'ultima esistette più nell'accesa fantasia del Crispi che nella realtà: la flotta inglese, accorsa nel golfo di Genova dove quella francese, a detta del Crispi, stava incrociando pronta ad aggredire le coste italiane, ebbe la sorpresa di non trovarci nessuno. Comunque i rapporti italo-francesi raggiunsero un grado di tensione assai alta: l'incontro tra il nazionalismo crispino e l'ondata boulangista in Francia fece passare all'Europa dei momenti di apprensione.

Anche in politica interna Crispi cercò l'affermazione di prestigio incoraggiando, per il tramite dell'abate Tosti, dei *pourparlers* con la Santa Sede (era allora papa Leone XIII) in vista di una possibile conciliazione. Il fallimento di questo tentativo lo fece però tornare all'ovile del suo vecchio anticlericalismo e fu lui, nel giugno 1889, a patrocinare l'erezione di una statua a Giordano Bruno nel luogo stesso dove era stato consumato il suo rogo, a Roma nel Campo dei Fiori. A parte questi e altri scatti di umore, la linea politica che egli seguì negli affari interni fu essenzialmente diretta nel senso di un rafforzamento del potere esecutivo a scapito di quello legislativo e di un autoritarismo mascherato di efficienza e di spregiudicatezza. Le cariche di sindaco e di presidente della amministrazione provinciale vennero rese ovunque elettive, ma per cautelarsi contro i rischi del de-

centramento, venne istituita la giunta provinciale amministrativa, *longa manus* dei prefetti sugli enti locali; la macchina
dello Stato venne razionalizzata con l'istituzione del conten-
zioso amministrativo, ma al tempo stesso si provvide ad emanare una nuova legge di pubblica sicurezza che allargava sensibilmente i già ampi poteri discrezionali della polizia; il Parlamento lavorò di più, ma ciò avvenne anche perché il Crispi
si industriò a ridurne il ruolo, favorendo per contro quelli
del governo e, nel governo, quello della presidenza del Consiglio. Quest'ultima, con un decreto del 1887, aveva viste
accresciute le proprie attribuzioni e, quando alla sua testa
vi fosse un Crispi, che cumulava anche le cariche di ministro
degli Esteri e degli Interni, la figura del presidente del Consiglio si avvicinava assai a quella del cancelliere tedesco, di
quel Bismarck del quale Crispi era un fervido ammiratore.

La « svolta » in senso autoritario e prussiano, le cui
origini e i cui presupposti abbiamo cercato di analizzare nei
precedenti paragrafi, divenne così con Crispi del tutto espli-
cita e operante. Sfortunatamente per lui le circostanze nelle
quali essa era stata realizzata non erano però delle più favorevoli e la sua intemperanza non contribuì certo a faci-
litargliene il superamento. In una congiuntura economica che
già accennava a declinare, la denuncia del trattato commerciale con la Francia e la guerra di tariffe che ne seguì privò
il commercio estero italiano del 40 per cento delle sue esportazioni e gettò nella crisi più paurosa interi settori dell'economia nazionale, quali il setificio settentrionale e la viticoltura meridionale, sicché nel 1890 l'Italia dovette addivenire
a più miti consigli. Quasi contemporaneamente l'artificiale
e speculativo *boom* edilizio, che negli anni precedenti aveva
interessato più o meno tutte le città italiane, si sgonfiava e
cominciava la serie dei clamorosi scandali bancari che per
quattro anni si sarebbero susseguiti, svelando tutto un sot-
tobosco di favoritismi e corruzioni. Per il momento fra il grosso
pubblico non trapelò gran che: la relazione della commissione d'inchiesta nominata dal ministro Miceli alla fine del
1889 e che conteneva gravissime rivelazioni sull'attività di

alcuni tra i maggiori istituti bancari, non venne pubblicata. Nei confronti degli istituti più pericolanti si intervenne poi con dei salvataggi all'ultima ora; fu questo il caso della Banca tiberina, cui fu concesso un congruo prestito per interessamento dello stesso Crispi, il cui operato in questa congiuntura non peccò certo di limpidezza. In tal modo si riuscì soltanto a guadagnare del tempo e pochi anni dopo la crisi latente sarebbe scoppiata clamorosamente. Ma allora il Crispi non sarebbe stato più al potere: nel febbraio del 1891 il bollente statista siciliano aveva presentato infatti le sue dimissioni. Il pretesto per la sua caduta venne offerto da un'altra sua intempestiva sortita in Parlamento, quando aveva accusato in blocco tutti i governi italiani succedutisi al potere prima del 1876, di aver fatto una politica estera servile nei confronti dello straniero. Ciò fu sufficiente perché la maggioranza della Camera, che si rendeva conto di quanto costasse al paese la nuova politica di dignità e di prestigio nazionale inaugurata da Crispi, cogliesse l'occasione di questa *gaffe* per liberarsi di un presidente del Consiglio così scomodo e autoritario. Ma Crispi non sarebbe rimasto a lungo lontano dal potere. Malgrado le sue intemperanze e la sua scarsa abilità manovriera, egli era in definitiva il solo uomo politico italiano che impersonasse le tendenze di fondo del nascente capitalismo. Non era certo un Bismarck, ma neppure il capitalismo italiano era il capitalismo tedesco.

Le origini del movimento socialista.

La svolta impressa dal Crispi agli indirizzi della politica italiana ebbe, tra l'altro, anche l'effetto di accelerare quel processo di formazione di un'opposizione popolare che, come si è avuto modo di accennare, era venuto delineandosi già dai tempi dell'avvento della Sinistra al potere. Attorno al 1885, il quadro di questa opposizione appariva ancora estremamente disperso e frazionato. Tra le varie regioni italiane due erano quelle in cui le correnti e i raggruppamenti politici di opposizione avevano le basi più solide, la Romagna e la Lombardia. Nella prima, come si è visto, la formazione di un bracciantato di massa nelle campagne aveva costituito la premessa della diffusione delle idee socialiste e della formazione, nel 1881, di un Partito socialista rivoluzionario di Romagna che, sotto la guida di Andrea Costa, era venuto negli anni successivi estendendo la sua influenza alla vicina Emilia, sino a raggiungere anche la provincia di Mantova che nel 1884 era stata il teatro delle prime agitazioni contadine. In Romagna poi molto forte era anche l'opposizione repubblicana, che aveva in Aurelio Saffi, il vecchio triumviro della Repubblica romana, il suo uomo più rappresentativo. Quanto alla Lombardia e alla sua dinamica capitale, le tradizioni democratiche delle cinque giornate e dei moti del 6 febbraio 1853 non si erano certo spente. Tra le grandi città italiane Milano era senza dubbio quella che votava più a sinistra: il radicalismo — che aveva nel « Secolo », uno dei giornali più letti, il suo organo e in Felice Cavallotti il suo esuberante e romantico rappresentante — vi aveva un seguito tra la borghesia e gli strati più elevati del ceto operaio. A mano a mano però che lo sviluppo industriale ed economico della città accresceva in essa il peso specifico del nascente proletariato industriale, gli elementi operai politicamente più attivi vennero gradatamente emancipandosi dalla tutela dei democratici e costituendosi in forza autonoma. Nacque così nel 1882 il Partito operaio italiano, che divenne in breve tempo una forza politica di notevole consistenza a Milano e nell'intera Lombardia, al punto che nel 1886 Depretis ne decretò allarmato lo scioglimento. Ben presto però il partito poté riprendere la sua attività e proseguire la sua opera di organizzazione dei lavoratori: nel 1891 nasceva a Milano, per iniziativa di Osvaldo Gnocchi-Viani, la prima Camera del lavoro, un tipo di organizzazione operaia a base territoriale che, pur avendo dei punti di contatto con le *bourses du travail* francesi, presenta però dei tratti caratteristici sui quali avremo modo di tornare. Gli uomini del Partito operaio italiano si proclamavano « operai manuali » e tali, con qualche eccezione, essi erano: muratori come Silvio Cattaneo, guantai come il Croce, tipografi come il Lazzari. La profonda diffidenza che essi nutrivano verso i politicanti borghesi, dai quali con molta fatica si erano svassallati, diventava assai spesso presso di loro diffidenza verso la politica in sé. Organizzare uno sciopero, formare una lega, ottenere dei miglioramenti salariali e delle riduzioni di orario: ecco le cose concrete e serie di cui dovevano occuparsi gli operai, lasciando perdere le altisonanti parole di democrazia, di repubblica, e, magari, anche di socialismo, di cui parlavano, senza curarsi molto di precisare cosa intendessero, sia gli anarchici impenitenti, sia quelli ravveduti sul tipo del Costa, sia i repubblicani e, anche a volte, qualche conservatore particolarmente entusiasta di tutto ciò che era tedesco.

All'opposizione lombarda e all'opposizione romagnola si aggiunse all'inizio dell'ultimo decennio del secolo quella siciliana con il movimento detto dei Fasci. Gli effetti della crisi agraria e della guerra delle tariffe con la Francia erano stati nell'isola particolarmente gravi e ne avevano risentito sia l'industria degli zolfi, sia l'esportazione degli agrumi e dei vini, vale a dire i settori più dinamici dell'economia siciliana. I soli ad averne vantaggio erano stati i grandi proprietari assenteisti delle zone dell'interno, la cui influenza politica aveva pesato molto a favore del protezionismo granario. Ne era derivata una situazione di profondo disagio sociale, esteso alle grandi masse della popolazione, dai borghesi della capitale e delle città della costa orientale, al miserabile proletariato delle zolfare, ai contadini delle zone dell'interno. Ciascuna di queste categorie sociali portò nel movimento dei Fasci le proprie lagnanze e le proprie rivendicazioni e ancora una volta, come già nel 1820, nel 1848 e nel 1860, le varie e a volte contraddittorie istanze dei diversi gruppi sociali erano tenute insieme dal tenacissimo senso autonomistico siciliano. Nel maggio del 1892 in occasione del XVIII congresso delle Società operaie italiane, che si tenne a Palermo, i Fasci dettero una prima manifestazione della loro forza inviando massicce delegazioni da tutta l'isola. Ma presto ne avrebbero date di ben più consistenti.

Sia l'operaismo e la democrazia lombarda, sia il socialismo e il repubblicanesimo romagnoli, sia infine l'autonomismo dei Fasci in Sicilia erano raggruppamenti e movimenti politici a base regionale, con un orizzonte politico limitato, stretti attorno a *leaders* di prestigio locale. Si poneva il problema di amalgamare queste diverse spinte e correnti di opposizione e di individuare il nucleo attorno al quale questo amalgama fosse possibile. Quest'ultimo, come insegnava l'esperienza dei paesi stranieri e soprattutto quella di quella Germania in cui la socialdemocrazia era allora uscita trionfatrice dalla lunga battaglia contro le leggi eccezionali, non poteva essere che il proletariato industriale. Per questo occorreva però che i «lavoratori manuali» e i salariati italiani superassero i limiti corporativi dell'operaismo e acquisissero una coscienza politica, una coscienza socialista. Il merito di aver compreso ciò e di aver assecondato con la loro azione un processo che, lasciato alla forza spontanea delle cose, sarebbe certo riuscito più lento, va in primo luogo a due uomini: Antonio Labriola e Filippo Turati.

Il primo, del quale abbiamo già ricordato l'opera di pensatore e di filosofo, sentiva come nessun altro la necessità in cui si trovava l'opposizione popolare italiana di rompere una buona volta con il vecchio, inconcludente e, a tratti, folkloristico anarchismo e con la generica e declamatoria democrazia radicale. In un paese in cui — era questo il suo punto di vista — l'amore del bel gesto e della bella frase condannava spesso la vita politica al livello dell'operetta e della farsa, l'avvento del mondo operaio e del socialismo, con i loro sindacati, la loro severa e laica logica della lotta di classe, il loro buonsenso proletario, sarebbero stati un'iniezione di serietà e di modernità. Il modello — anche per il Labriola — era la socialdemocrazia tedesca e nello sforzo di adeguare il più possibile ad essa il nascente movimento socialista italiano egli non risparmiò energie. Non solo intrattenne un fitto carteggio con i massimi esponenti del socialismo europeo, da Engels a Kautsky, a Bernstein, a Sorel, ma non esitò — lui professore universitario e uomo di carattere schivo — a prendere parte all'attività di organizzazione e di agitazione, giungendo sino a farsi il regista delle dimostrazioni che ebbero luogo a Roma in occasione del 1° maggio 1891.

Filippo Turati, un avvocato lombardo passato attraverso un lungo processo di maturazione dalla democrazia al socialismo, non possedeva certo il rigore intellettuale del Labriola e il suo marxismo era largamente intinto di elementi positivistici e di residui radicalizzanti. Tuttavia il suo ruolo nell'opera di unificazione dei vari tronconi dell'opposizione italiana non fu minore di quello del Labriola. La rivista da lui fondata — la « Critica sociale » che iniziò le pubblicazioni nel 1891 — ebbe una parte di primo piano nel divulgare e accreditare le dottrine socialiste presso l'*intellighenzia* italiana e si dovette in gran parte alla sua tenace e abile opera di mediazione se nell'agosto del 1892 poté essere riunito a Genova un congresso cui parteciparono i delegati di tutte le principali tendenze e raggruppamenti esistenti nel mondo operaio e popolare. Il congresso di Genova sancì la definitiva rottura con l'anarchismo e dette vita a un nuovo raggruppamento politico che prese il nome di Partito dei lavoratori italiani, che di lì a poco avrebbe modificato in quello di Partito socialista dei lavoratori italiani, per assumere infine nel 1895 quello che ancor oggi gli è rimasto di Partito socialista italiano.

Le concessioni che, in vista del raggiungimento di un accordo, il Turati aveva fatto agli operaisti e l'eclettismo del programma del nuovo partito suscitarono in un primo tempo una reazione negativa da parte di Antonio Labriola, assai più consapevole del Turati della difficoltà che comportava la creazione di un moderno movimento operaio in un paese arretrato e stratificato quale era l'Italia. Tuttavia anch'egli convenne ben presto sulla necessità di mettere alla prova il nuovo partito e lo dimostrò di lì a poco cercando di impegnarlo e di comprometterlo a sostegno del movimento dei Fasci siciliani, che nel frattempo era venuto sempre più irrobustendosi e assumendo un atteggiamento sempre più decisamente aggressivo. Anche il Turati lo assecondò in questo sforzo, e così per la prima volta nella storia dell'Italia si delineò la contrapposizione al blocco industriale e agrario delle classi dominanti di un blocco operaio-contadino di opposizione. Ma si trattava soltanto di un primo, immaturo embrione: la strada che il movimento socialista italiano nato a Genova avrebbe dovuto percorrere per divenire un partito di opposizione su basi nazionali, era assai lunga e accidentata. Ma il ritmo incalzante e drammatico che gli eventi presero in quest'ultimo scorcio di secolo avrebbe contribuito notevolmente ad abbreviarla.

Ancora Crispi.

Dopo la caduta del Crispi l'incarico di formare il nuovo governo venne affidato al marchese siciliano Di Rudinì, il quale, consapevole del senso di stanchezza che la politica di prestigio perseguita dal suo predecessore aveva generato in larghissimi settori dell'opinione pubblica, badò soprattutto a cercare un riavvicinamento con la Francia e a impostare una politica finanziaria di raccoglimento e di risparmio. Ma la instabilità della maggioranza che lo sosteneva abbreviò i giorni del suo ministero e nel maggio del '92, il Di Rudinì dovette cedere il posto a Giovanni Giolitti. Faceva così la sua entrata sulla scena politica italiana l'uomo che per quasi un quindicennio ne sarebbe stato l'arbitro, e l'unico uomo politico dell'Italia contemporanea la cui figura possa essere avvicinata a quella del grande Cavour. In effetti tale accostamento non manca di qualche fondamento: piemontese anch'egli, Giolitti auspicava un'Italia fatta a immagine e somiglianza del suo Piemonte, con i suoi piccoli proprietari, le sue casse di risparmio, i suoi amministratori onesti e efficienti, il suo patriottismo senza ostentazioni. Intellettualmente era ancora fermo a quella concezione di una rigenerazione dal basso della società italiana, da realizzarsi attraverso la diffusione della piccola proprietà e dei lumi dell'istruzione, che, come si è visto, era stata cara anche a Cavour. Comunque — e lo aveva apertamente dichiarato in un discorso elettorale del 1886 — egli era nettamente ostile a una politica « imperiale », che comportasse forti spese militari. La sua prima esperienza di governo fu troppo breve (durò in tutto diciotto mesi) e troppo agitata perché egli potesse realizzare in qualche modo i suoi orientamenti politici. Il fatto saliente del momento fu infatti costituito dallo scoppiare della crisi bancaria che, come si è visto, Crispi era riuscito provvisoriamente a tamponare. L'opinione pubblica italiana assistette sbalordita ai clamorosi *crack* dei principali organismi di credito, ognuno dei quali svelava un retroscena scarsamente edificante di intrighi e di corruzione politica. L'impressione fu enorme e si dovette procedere alla nomina di una nuova commissione d'inchiesta che, dopo otto mesi di lavoro, presentò una relazione dalla quale, malgrado le ambiguità, risultavano chiaramente i legami non sempre cristallini esistenti tra il mondo della finanza e quello della politica. Giolitti, che aveva intrattenuto rapporti con il direttore della Banca romana e lo aveva anzi nominato senatore, non ne uscì indenne. La sua posizione politica si faceva quindi sempre più precaria, anzi insostenibile: fu il primo a comprenderlo e piuttosto che di resistere ad oltranza, egli si preoccupò di precostituirsi una base per una sua possibile rivincita. Prendendo la parola nell'ottobre 1893 di fronte ai suoi elettori di Dronero, egli denunciò le « pazze speculazioni edilizie » degli anni di euforia economica e propose come rimedio alle dissestate finanze dello Stato l'istituzione di un'imposta progressiva. Un mese dopo rassegnava le dimissioni.

Nel frattempo in Sicilia il movimento dei Fasci ingrossava a vista d'occhio e la tensione sociale diveniva acutissima. Per ristabilire l'ordine, Giolitti, che, come Cavour, non amava governare con lo stato d'assedio, non era l'uomo più adatto, e il suo rifiuto di imboccare la strada della repressione aveva costituito un motivo di più per allontanarlo dal potere. Francesco Crispi, per quanto non fosse meno compromesso di Giolitti nello scandalo della Banca romana, dava maggiori garanzie e a lui infatti ci si rivolse.

La precedente esperienza di governo e il precedente fallimento non aveva però insegnato gran che al vecchio statista siciliano, convinto più che mai di essere l'unico uomo in grado di restituire all'Italia la sua grandezza. Nei confronti del movimento dei Fasci egli, che pure, come siciliano e come ex-garibaldino avrebbe dovuto essere in grado meglio di altri di valutarne la matrice sociale, adottò la maniera forte, proclamando lo stato d'assedio e inviando un generale alla testa di un corpo di spedizione di 50.000 uomini a ristabilire l'ordine nell'isola. Pochi giorni dopo lo stato d'assedio era dichiarato anche in Lunigiana, ove si erano avuti moti tra i cavatori del marmo delle cave di Carrara. Seguirono arresti in massa e processi celebrati da tribunali militari che irrogarono pene severissime. I capi dei Fasci — il Barbato, Rosario Garibaldi Bosco e Bernardino Verro, nobilissima figura di combattente contro la mafia e per il riscatto contadino — ebbero 12 anni. Il catanese De Felice, che era deputato e nemico personale del Crispi, ne ebbe 18. Né fu risparmiato il Partito socialista come tale, che nell'ottobre 1894 venne sciolto assieme a tutti i circoli, le associazioni e le Camere del lavoro che ad esso in qualche modo facevano capo. Per cautelarsi infine contro eventuali e prevedibili reazioni sul piano elettorale a questo suo autoritarismo, Crispi operò una drastica epurazione delle liste elettorali. Nei confronti del Parlamento la politica di Crispi fu a stento più liberale di quella nei confronti del paese: dal gennaio 1894 al maggio 1895 la Camera si riunì soltanto per brevissime sessioni, fino a che nel maggio di questo stesso anno delle elezioni convenientemente manipolate non dettero al governo una maggioranza confortevole.

Nel settore della politica economica e finanziaria, il fatto più saliente e di maggiori conseguenze di questo secondo governo Crispi furono senza dubbio i negoziati con il mondo finanziario e con il governo tedesco che portarono alla costituzione della Banca commerciale, un organismo a prevalente partecipazione tedesca e modellato secondo il tipo, pur tedesco, delle banche miste. Il recente fallimento del Credito mobiliare e della Banca generale e la legge fatta approvare da Giolitti che limitava il numero dei precedenti istituti di emissione a tre (Banca d'Italia, Banco di Napoli e Banco di Sicilia), e restringeva le loro funzioni nel campo creditizio, favorirono il rapido sviluppo della nuova organizzazione bancaria, che acquistò ben presto un ruolo di primaria importanza nel complesso della vita economica del paese. In tal modo la già pronunciata dipendenza del mondo dell'industria da quello della finanza, veniva ancora di più accentuata e si facevano più serrati i legami col capitale tedesco.

Dopo le elezioni del 1895 Crispi si sentì abbastanza sicuro per riprendere quella politica di espansione coloniale che era stato costretto a lasciare a mezzo quando nel 1891 aveva dovuto dimettersi. Egli sapeva che l'impresa africana era impopolare non soltanto presso quelle folle che manifestavano nelle piazze al grido di « Viva Menelik », ma anche presso larghi settori della borghesia produttiva, specie milanese, che vedeva in essa un inutile spreco di denaro. Egli era però d'altra parte convinto che un successo in Africa avrebbe enormemente rafforzato il suo prestigio e la sua *leadership*. L'*optimum* era perciò per lui una vittoria militare ottenuta senza grandi spese, a buon prezzo. Naturalmente però i militari non condividevano questo punto di vista: di qui gli attriti tra esercito e governo che furono causa non ultima della disastrosa conclusione della campagna africana. Il 1° marzo 1896 un contingente italiano di 15.000 uomini venne quasi interamente distrutto ad Adua da soverchianti forze abissine. Quando apprese la notizia, Crispi rimase annichilito: cinque giorni dopo egli rassegnava le dimissioni, questa volta senza più possibilità di rivincita.

La caduta di Crispi fu salutata da molti come una vittoria della democrazia e la sconfitta di Adua venne da molti giudicata come una sorta di nemesi storica contro l'uomo delle leggi eccezionali. Ma ben presto ci si dovette accorgere che non si trattava che di una vittoria parziale: se Crispi era definitivamente scomparso dalla scena politica, rimanevano le forze sociali che per ben due volte gli avevano concesso la propria fiducia. Rimaneva la monarchia e la corte con gli intrighi della sua ambiziosa regina, rimaneva l'esercito con i suoi generali che avevano caldeggiato l'impresa africana e alcuni dei quali non si rassegnavano alla sconfitta, rimaneva l'industria legata a doppio filo alle commesse dello Stato e del ministero della Guerra, rimanevano gli agrari meridionali, che nel 1892 avevano in un loro congresso in Sicilia chiesto l'abolizione dell'istruzione obbligatoria e che difendevano accanitamente il dazio sul grano; rimaneva insomma quel blocco di potere di tipo prussiano che si era venuto gradatamente costituendo negli ultimi decenni.

Contro di esso si delineava però sempre più chiaramente la formazione di un altro blocco di forze sociali e politiche, che si estendeva dalla borghesia imprenditrice meno legata a interessi protezionistici, alla piccola borghesia meridionale, al proletariato, ai radicali, ai repubblicani, ai socialisti. Questi ultimi, che avevano colto un significativo successo nelle elezioni del 1895 riuscendo ad aumentare la loro sparuta pattuglia parlamentare, sembravano aver deposto le pregiudiziali corporative e operaistiche e la diffidenza verso la politica che erano state proprie di molti di loro sino a pochi anni addietro. Non c'era stato bisogno di nessun Jaurès per convincerli che un governo di democrazia borghese era preferibile a un governo autoritario, e di nessun chiosatore di Marx per spiegare loro che non era vero che le classi borghesi costituivano un'«unica massa reazionaria». Se n'era incaricato Crispi, sciogliendo i loro circoli e facendo condannare i loro deputati.

Il problema più urgente appariva dunque quello di sbarrare la strada a un ritorno della reazione crispina. Di fronte a questo obiettivo primario le divergenze tra socialisti e radicali, tra fautori della « lotta di classe » e fedeli del principio mazziniano dell'associazione tra capitale e lavoro, passavano in secondo ordine. Prima di affrontarsi nelle battaglie decisive della lotta di classe, borghesi illuminati e proletari avevano da percorrere un lungo tratto di strada insieme. Per il momento le rivendicazioni dei socialisti si limitavano a un programma minimo, che venne approvato dal congresso di Reggio Emilia nel 1893 e che, accanto a rivendicazioni tipicamente proletarie (legislazione sociale, giornata di otto ore) ne allineava altre che qualsiasi radicale o democratico avrebbe sottoscritte (suffragio universale, nazione armata, difesa soprattutto delle libertà costituzionali). Questa evoluzione del socialismo italiano verso soluzioni più possibiliste s'inquadrava del resto in quella di tutto il socialismo internazionale all'ora del revisionismo dei Bernstein e dei Millerand, con la differenza però che, mentre in Francia e, soprattutto, in Germania il nuovo orientamento riformista era in sostanza un ripiegamento e un'accettazione di un ordine costituito, in Italia esso nasceva e appariva già come il più idoneo strumento di lotta e di eversione contro un regime screditato, sotto il segno cioè dell'aggressività e dell'entusiasmo.

Dopo tanti anni di trasformismo e di sapienti manovre e rimpasti parlamentari, lo schieramento dei partiti politici italiani si presentava finalmente diviso secondo uno spartiacque assai netto: di qua i « fautori del governo forte », di là i « difensori della libertà ». L'ora della resa dei conti non poteva essere lontana.

Fine di secolo, inizio di secolo.

I quattro anni che vanno dal marzo 1896 al dicembre 1900 sono tra i più tumultuosi e spettacolari di tutta la storia dell'Italia unitaria. Moti di piazza repressi nel sangue, parlamentari che rompono le ùrne, attentati anarchici, duelli di *leaders* politici e, per finire, un regicidio: nulla manca al quadro di una fine di secolo densa di paure apocalittiche e di grandi speranze. Ripercorrendo sia pure sommariamente la trama di questi avvenimenti, riesce difficile sfuggire all'impressione di una matassa di nodi che stenta a dipanarsi, di una società che fatica a districarsi dalle contraddizioni di cui è intessuta, in una parola di quella « incongruenza » di cui aveva parlato il Labriola. Ma veniamo ai fatti.

Dopo la caduta di Crispi per qualsiasi presidente del Consiglio italiano, fosse anche un uomo di ferme convinzioni conservatrici quale era il marchese Di Rudinì che fu chiamato a succedergli, sarebbe stato impossibile resistere, senza dar prova di totale miopia politica, alla pressione di un'opinione pubblica che acclamava la fine di una politica estera di avventura e di una politica interna di costrizione. Uno dei primissimi atti del nuovo governo fu infatti l'emanazione di un'amnistia che aprì le porte del carcere a molti dei condannati del 1894 e che permise ai capi del movimento dei Fasci di fare un ritorno trionfale nella loro isola, in tempo per presentare al commissario straordinario nominato dal governo un *memorandum* contenente i loro punti di vista sulle riforme e le innovazioni da introdurre per risolvere i gravi problemi sociali siciliani. Il governo ammetteva così esplicitamente che la rivolta del 1893 aveva ben altre cause che quella sobillazione straniera di cui aveva vaneggiato Crispi. Non si andò però molto al di là di questo riconoscimento: si parlò di colonizzazione interna, si costituì un consorzio tra i produttori di zolfo, si alleggerì qualche imposta. Il cardine però della questione siciliana, e cioè quel dazio sul grano che costituiva un premio al latifondo estensivo e, come tale, un ostacolo insormontabile sulla via del rinnovamento dell'agricoltura e della società siciliana, non venne toccato.

In politica estera il governo Di Rudinì si affrettò a liquidare l'avventura africana firmando nell'ottobre 1896 un trattato di pace col Negus in base al quale l'Italia rinunciava definitivamente a ogni pretesa di sovranità sull'Etiopia e conservava il solo possesso dell'Eritrea. Inoltre accentuò il riavvicinamento alla Francia, già avviato nel suo primo ministero, richiamando al dicastero degli Esteri il Visconti-Venosta, l'uomo cioè che aveva retto le sorti della politica estera italiana per tutto il primo quindicennio dello Stato unitario. Questi negoziò con la Francia un accomodamento della questione tunisina sulle basi del riconoscimento del protettorato francese e degli speciali interessi della comunità italiana.

Frattanto però la temperatura politica del paese accennava a salire. Un rialzo del prezzo del pane, dovuto alla cattiva annata agraria e alla riduzione delle importazioni americane in seguito alla guerra di Cuba, suscitò nel paese una serie di agitazioni e di scioperi e rinfocolò negli elementi conservatori la tentazione di una soluzione autoritaria, di un crispismo senza Crispi e senza avventure coloniali. *Torniamo allo Statuto* fu il titolo di un articolo, che ebbe larghissima risonanza, pubblicato il 1° gennaio 1897 da Sidney Sonnino sulla « Nuova Antologia », nel quale si proponeva una riforma del sistema parlamentare nel senso appunto di un ritorno alle origini, al tempo in cui i ministri erano responsabili verso il re e non verso la Camera. Le elezioni del marzo 1897, che mandarono alla Camera una ventina di deputati socialisti e una congrua rappresentanza degli altri partiti della cosiddetta « Estrema », mostrarono però chiaramente che la parte più attiva e più vigile dell'opinione pubblica non era disposta a accettare questa prospettiva di una soluzione in senso illiberale. La tensione, anziché decrescere, continuava a salire e raggiunse il culmine quando, nel marzo 1898, Felice Cavallotti, il « bardo » della democrazia e il tribuno idolatrato del radicalismo italiano, cadde in duello sotto i colpi di un deputato di destra. Al contrasto tra opposizione e governo faceva da minaccioso sottofondo il brontolio delle plebi che, come nelle Puglie agli inizi del '98, esplodeva a tratti in episodi di aperta sommossa. Nel maggio, quando il prezzo del pane era ancora salito, l'eruzione della collera popolare avvenne in forma spontanea e convulsa, simile a quella delle

« giornate » rivoluzionarie dell'*ancien régime*. A Milano, che due mesi prima aveva tributato a Cavallotti delle esequie inobliabili, a Firenze, un po' dovunque, la folla scese nelle strade, tumultuò, protestò. Non vi era alcun pericolo rivoluzionario e gli stessi socialisti furono presi alla sprovvista dal movimento. Il governo però si comportò come se tale pericolo esistesse e represse i moti di Milano a cannonate. Vi furono 50 morti tra la popolazione e il generale Bava Beccaris, responsabile di questo eccidio, fu decorato dal re. Gli arresti si contarono a centinaia e tra gli arrestati figuravano tutti i principali esponenti socialisti, da Costa, a Bissolati, a Turati, alla sua amica Anna Kuliscioff, al *leader* repubblicano milanese De Andreis, al direttore del « Secolo » Romussi. Non mancava un prete, don Albertario, che, nel suo integralismo, era disposto a usare tutte le armi, anche quella della demagogia, contro l'aborrito Stato italiano.

Colpendo oltre ai « rossi » anche i « neri », sopprimendo oltre ai giornali socialisti e radicali anche quelli cattolici, il governo intendeva apparire agli occhi dell'opinione pubblica come il custode della tradizione liberale contro tutti gli estremismi e tacitare con un'apparenza di anticlericalismo quei suoi membri che, come lo Zanardelli, riluttavano ad assumersi le responsabilità degli arresti e degli attentati alla libertà di stampa. Era un gioco troppo scoperto perché potesse riuscire e infatti i dissidi tra i ministri e il rifiuto del re a consentire nuove elezioni segnarono la fine del secondo ministero Di Rudinì. La sensazione che con la brutale repressione milanese si era passato il segno ebbe probabilmente la sua parte nel far sì che gli uomini del nuovo gabinetto fossero scelti in maggioranza tra i parlamentari della vecchia Sinistra di Depretis. Per tutta garanzia però a capo della nuova compagine si pose un generale, il Pelloux, peraltro in fama di liberale per non aver proclamato lo stato d'assedio quando nel febbraio era stato inviato a sedare i moti delle Puglie. In effetti i primi mesi del nuovo ministero segnarono una pausa della acerrima battaglia politica in corso: lo stato d'assedio venne tolto e i condannati politici poterono fruire di un indulto e ritornare alle loro case. Ma non si trattava che di una bonaccia che precedeva la tempesta più minacciosa.

Il 4 febbraio 1899 il Pelloux presentò alla Camera un complesso di provvedimenti intesi a proibire lo sciopero nei servizi pubblici, a limitare la libertà di stampa e il diritto di riunione e di associazione, che, se approvati, avrebbero praticamente segnato la fine dello Stato liberale. La battaglia condotta dall'Estrema Sinistra, alla quale si aggiunse in un secondo tempo anche la sinistra costituzionale di Giolitti e di Zanardelli, fu memorabile e culminò nella seduta del 29 giugno in cui alcuni deputati socialisti ruppero le urne per protestare contro la pretesa del presidente della Camera di chiudere la discussione che essi avevano trascinato in lungo attuando l'ostruzionismo. Ma non minore fu la tenacia con cui Pelloux, che aveva nel frattempo rimpastato il suo governo escludendone gli elementi più liberali, difese i suoi progetti di legge e si mostrò deciso a renderli esecutivi, anche senza l'approvazione del Parlamento, trasformandoli in decreto legge, prassi che però venne dichiarata incostituzionale dalla Corte di cassazione. Questo pronunciamento della suprema autorità giudiziaria del paese e il passaggio a un'aperta opposizione dei deputati della sinistra costituzionale costrinsero Pelloux a dichiararsi per vinto e a ricorrere alle elezioni. Queste — le quarte nel breve giro di dieci anni — furono combattutissime e segnarono un netto progresso dei partiti dell'Estrema e della sinistra di Zanardelli e di Giolitti. Pelloux fu costretto perciò a dimettersi e venne costituito un nuovo gabinetto presieduto da un vecchio parlamentare, il Saracco, e con tutte le caratteristiche di un governo di transizione.

Ma la normalità si ostinava a non venire. A un mese di distanza dalla costituzione del governo Saracco, il 29 luglio 1900, re Umberto cadde vittima di un attentato anarchico. L'impressione fu naturalmente enorme e annullò in parte nell'opinione pubblica lo *choc* psicologico dell'affermazione delle sinistre nelle recenti elezioni. Si determinò così nuovamente un'atmosfera di incertezza e di malessere. Decisamente il paese sembrava non riuscire a trovare la propria strada e il proprio equilibrio. Ora, dopo che i partiti di opposizione avevano condotto una battaglia vittoriosa all'insegna del rispetto della legalità costituzionale, questa legalità stessa veniva scossa da un rigurgito del vecchio anarchismo fermentante nel fondo della società italiana. Perché domani non avrebbe potuto esserlo da un nuovo ritorno della reazione novantottesca?

Eppure la schiarita era più vicina di quanto non pensassero coloro che, avendo vissuto la convulsa cronaca dell'Italia di fine secolo, non avevano avuto il tempo di realizzare quanto quegli eventi e quelle esperienze avessero inciso nel profondo dell'opinione pubblica e del popolo. Attraverso le lotte contro Crispi e contro Pelloux si era diffusa in larghissimi strati popolari, che forse per la prima volta avevano seguito con partecipazione e con piena cognizione di causa le vicende della lotta politica e parlamentare, la sensazione che indietro non si poteva tornare e che il secolo XX sarebbe stato quello di un'Italia nuova. Se ne ebbe la prova quando nel dicembre 1900, avendo il prefetto di Genova decretato lo scioglimento della locale Camera del lavoro, gli operai del grande porto ligure, della città di Mazzini, non scesero in piazza a tumultare, come due anni prima era accaduto nella civilissima Milano, ma si limitarono ad incrociare le braccia. Era il primo « sciopero generale », sia pure su scala cittadina, dei molti che conterà la storia d'Italia dei futuri decenni ed esso si svolse senza il minimo incidente, in una calma impressionante e quasi ostentata. Gli scioperanti sapevano di essere dalla parte del diritto, ed erano decisi ad ottenere riparazione. Di fronte a questo fatto insolito e nuovo di una intera città che diceva con risolutezza e con calma il suo no all'arbitrio, il governo Saracco, che aveva in un primo tempo avallato le decisioni del prefetto, si trovò disorientato e fu costretto a revocare lo scioglimento della Camera del lavoro.

Criticato da destra per la sua arrendevolezza tardiva e

da sinistra per il suo primitivo sopruso, Saracco dette le dimissioni. A succedergli, il nuovo re Vittorio Emanuele III designò Zanardelli, l'esponente più in vista di quella sinistra costituzionale che aveva condotto anch'essa la battaglia contro Pelloux. Ministro degli Interni fu Giovanni Giolitti il quale, nel dibattito conclusosi con le dimissioni del Saracco, aveva pronunciato a proposito dello sciopero di Genova le seguenti dichiarazioni:

Per molto tempo si è cercato di impedire l'organizzazione dei lavoratori. Ormai chi conosce le condizioni del nostro paese, come di tutti gli altri paesi civili, deve essere convinto che ciò è assolutamente impossibile... Noi siamo all'inizio di un nuovo periodo storico, ognuno che non sia cieco lo vede. Nuove correnti popolari entrano nella vita quotidiana, nuovi problemi ogni giorno si affacciano, nuove forze sorgono con le quali qualsiasi governo deve fare i conti... Il moto ascendente delle classi popolari si accelera ogni giorno di più, ed è un moto invincibile perché comune a tutti i paesi civili, e perché poggiato sul principio dell'uguaglianza fra gli uomini. Nessuno si può illudere di poter impedire che le classi popolari conquistino la loro parte di influenza economica e di influenza politica. Gli amici delle istituzioni hanno un dovere soprattutto, quello di persuadere queste classi, e di persuaderle con i fatti, che dalle istituzioni attuali esse possono sperare assai di più che dai sogni dell'avvenire.

Erano concetti e accenti nuovi, detti con una ponderazione e con un tanto di ovvietà che rivelava la loro profonda maturazione. La lunga battaglia contro la reazione era davvero vinta e il secolo nuovo si apriva con un auspicio di progresso.

X

LA «BELLE EPOQUE» DURA QUINDICI ANNI

L'ora del socialismo.

La vittoriosa conclusione dello sciopero di Genova e l'avvento al potere del governo Zanardelli-Giolitti fu per le classi lavoratrici italiane come il segnale che esse da tempo attendevano. I sindacati e le Camere del lavoro si moltiplicarono con una rapidità inaspettata e la curva degli scioperi, che sino allora si era mantenuta a livelli modesti, subì una brusca impennata. Nel 1901 gli scioperi furono 1.034 con 189.271 partecipanti e nel 1902 essi furono 801 con 196.699 partecipanti, cifre che non erano neppure paragonabili con quelle degli anni precedenti che di rado superavano l'ordine di qualche migliaio. Dai cantieri del traforo del Sempione in costruzione all'estremo Nord, sino alle zolfare della Sicilia nell'estremo Sud, dalle sartine di Milano ai portuali di Genova e di Napoli, ai metallurgici di Terni, migliaia e migliaia di operai appresero in questo infuocato inizio di secolo gli elementi fondamentali del sindacalismo moderno. Talvolta la lotta, iniziata in un luogo di lavoro, coinvolgeva tutta una città: scioperi generali sul tipo di quello di Genova del 1900 si ebbero a Torino nel febbraio 1902, a Firenze nell'agosto dello stesso anno e a Roma nell'aprile del 1903.

Né il mondo delle campagne fu da meno. Tutt'altro: l'intera Valle padana, dalle risaie della Lomellina e del Ver-

cellese fino alle terre di bonifica del Ferrarese e del Polesine, si coprì di una fitta rete di leghe e di cooperative e
ogni centro, piccolo o grande, ebbe il suo sciopero agricolo,
di braccianti, di compartecipanti, di mezzadri. Nelle province
della Valle padana in cui, come si è visto, l'organizzazione
contadina si era sviluppata già in precedenza, il movimento
contadino assunse negli anni 1901 e 1902 l'aspetto di un
vero e proprio fiume in piena, inarrestabile e possente. Ma il
fermento in atto non si limitò alle campagne dell'Italia settentrionale: in Sicilia le leghe organizzate al tempo dei Fasci
riprendevano vigore e coraggio e cospicui scioperi agricoli
si ebbero nel Corleonese, nel Trapanese e, in un secondo
tempo, nelle campagne del Siracusano. In Puglia, una delle
regioni italiane in cui il movimento contadino assumerà caratteri più spiccatamente rivoluzionari, sorgevano le prime
leghe e avevano luogo i primi scioperi. Più lenti e contra-
stati furono i progressi del movimento contadino nelle campagne a mezzadria dell'Italia centrale: qui si ebbero solo
agitazioni sporadiche e circoscritte. Nell'insieme del paese i
lavoratori impegnati in scioperi agricoli furono 222.283 nel
1901 e 189.271 nel 1902, superando, come si vede, le già
alte cifre dell'industria. L'Italia degli umili, l'Italia dell'emigrazione e della fame faceva finalmente sentire la sua voce,
gettava il suo peso nella lotta politica in corso.

Il maggiore beneficiario di questo improvviso e larghissimo risveglio della coscienza democratica delle masse fu
naturalmente il Partito socialista, il partito cioè che scriveva
sulla sua bandiera il principio della lotta di classe. Le oscure
fatiche degli organizzatori e dei propagandisti socialisti negli
anni della reazione crispina erano largamente compensate:
gli operai e i contadini che ora accorrevano a migliaia a iscri-
versi alle leghe e alle Camere del lavoro non facevano distinzioni troppo sottili tra coscienza sindacale e coscienza politica, tra sindacato e partito. Per essi le leghe e le cooperative
e il socialismo facevano tutt'uno. Ma non erano solo gli
operai e i contadini ad accorrere nelle file del partito: quest'ultimo e i suoi capi esercitavano un forte potere di attra-

zione anche su larghi strati della piccola e media borghesia, da quella produttrice e laboriosa dell'Italia settentrionale a quella professionista e impiegatizia dell'Italia meridionale, impegnata in quegli anni come non mai nella lotta contro le cricche e le camorre che dominavano la vita dei maggiori comuni. L'*intellighenzia* era poi, specialmente la più giovane, largamente guadagnata agli ideali del socialismo: socialisti si proclamavano Edmondo De Amicis, lo scrittore più letto allora in Italia, il poeta Giovanni Pascoli, il « criminologo » Giuseppe Lombroso e Enrico Ferri, il quale, con la sua rutilante eloquenza, divenne ben presto l'oratore più acclamato dei comizi socialisti. I « compagni » tedeschi si chiedevano meravigliati come in Italia si potesse essere socialisti e professori universitari insieme.

Questa larghezza e varietà del movimento socialista italiano, che ne fa qualcosa di profondamente diverso dalla socialdemocrazia tedesca col suo arcigno e rigoroso volto proletario, e dagli altri movimenti socialisti europei, costituiva certo, nei momenti di slancio e di espansione, la sua forza, ma nei momenti di ripiegamento e di attesa, costituiva anche la sua debolezza. Allora le varie forze sociali e le varie componenti ideali che avevano nel Partito socialista italiano la loro federazione, tendevano a scindersi e, mentre il nucleo proletario degli operai e dei braccianti della Valle padana accennava a chiudersi nel suo vecchio corporativismo, ora nella forma moderata del riformismo, ora in quella radicale dell'anarco-sindacalismo, l'alone di forze contadine, plebee e borghesi che gli gravitava attorno tornava all'ovile delle proprie precedenti convinzioni democratiche o anarchiche o, il che accadeva assai più spesso, ripiombava nella passività politica e nell'inerzia. Si tenga presente che il proletariato industriale costituiva ancora una parte abbastanza circoscritta del totale della popolazione lavoratrice: secondo le cifre del censimento del 1901 gli occupati nell'industria erano 3.989.816 su una popolazione in età superiore a nove anni di più di 25 milioni e di questi solo una parte (e non la più cospicua) erano autentici operai salariati, men-

tre il rimanente era costituito da artigiani e lavoratori indipendenti. Inoltre tra i salariati una percentuale notevolis-
sima — pari circa al 60 per cento — era costituita da edili
e da tessili, due categorie in cui buona parte della manodopera era di provenienza contadina e il rapporto di lavoro
spesso a carattere stagionale. I reparti più agguerriti del movimento operaio italiano, i tipografi, i ferrovieri e i metallurgici, erano invece piuttosto ridotti e taluni di essi — come
i tipografi — gelosamente corporativi. Ciò spiega come mai
la forma classica dell'organizzazione sindacale moderna — la
federazione di mestiere — abbia attecchito in Italia relativamente tardi e relativamente poco in profondità. Nel 1902
gli iscritti alle varie federazioni erano solo 238.980. Leggermente più elevata — 270.376 — era invece alla stessa
data la cifra degli iscritti alla Camera del lavoro, un'organizzazione a base territoriale che combinava la funzione eminentemente sindacale con quella di rappresentanza generale
sul piano cittadino degli interessi dei lavoratori nel senso
più lato; una sorta, come fu detto allora, di « comune di
lavoratori », con tutto il municipalismo e l'orgoglio cittadino dei comuni borghesi del Medioevo. Ma proprio per
questo la Camera del lavoro era sentita dai lavoratori italiani
come un'organizzazione più corrispondente alle loro necessità e ai loro ideali. La solidarietà tra i diversi operai di una
medesima città e tra di essi e il popolo di artigiani e di piccolo-borghesi, era un sentimento e un concetto più accessi-
bile di quello della solidarietà di categoria sul piano nazionale. Un metallurgico di Milano si sentiva, in parole povere,
più vicino a un falegname o, anche, a un impiegato della
propria città che non a un metallurgico di Napoli o di Livorno. Questo spiccato localismo costituiva anch'esso un elemento al tempo stesso di forza e di debolezza: senza di esso
non sarebbe stato possibile lo sciopero di Genova del 1900,
ma in altre occasioni esso si rivelò come un ostacolo serio
sulla via di una maturazione della coscienza operaia e socialista. Per ora, nel momento della vittoria e della travolgente avanzata, questi limiti interni del movimento socialista

italiano non apparivano ancora in piena luce, ma non avrebbero tardato a manifestarsi.

L'ondata democratica che nei primissimi anni del secolo sconvolse tutta la società italiana investì anche il mondo cattolico organizzato. Questo faceva capo all'Opera dei congressi, un organismo fondato nel 1874 e articolato in varie sezioni, una delle quali — la seconda — si occupava specialmente di *oeuvres sociales* e aveva la sua sede a Bergamo. Fino ad allora la sua attività più cospicua si era svolta nel campo della costituzione, sul modello delle casse Raffeisen in Germania, di casse rurali, e con successo: alla data del 1897 le casse rurali cattoliche esistenti erano 705, la maggior parte delle quali in zone di prevalente piccola proprietà, quali l'alta e media Lombardia e il Veneto a nord del Polesine. L'opera svolta dai cattolici a difesa della piccola proprietà negli anni della crisi agraria in queste regioni contribuì molto ad accentuare il carattere di zone « bianche » che ancora oggi esse hanno e a coltivare nel clero veneto e lombardo un'attitudine al realismo e al contatto con la gente. Fu in questo ambiente che nacque e si formò un umile prete che tale sarebbe rimasto anche quando divenne papa, Angelo Roncalli. Oltre alla costituzione di casse rurali e società di mutuo soccorso l'attività della seconda sezione dell'Opera dei congressi non andava: gli « intransigenti » (così erano chiamati quei cattolici che, a differenza dei clerico-moderati, non erano disposti ad alcuna transazione con lo Stato italiano) che ne erano alla testa non erano certo disposti a incoraggiare associazioni che avessero per dichiarato scopo quello, come si diceva allora, della « resistenza » o, come si direbbe oggi, del sindacalismo. Operai e padroni dovevano collaborare e non combattersi: era questo del resto anche l'insegnamento di papa Leone XIII nella sua celeberrima enciclica *Rerum novarum* del 1891. Altri però erano inclini a interpretare in diversi e più avanzati termini il contenuto del messaggio pontificio, nel senso cioè di una più coraggiosa milizia sociale dei cattolici e di una lotta al socialismo non sul piano della mera opposizione, ma della concorrenza. In questa direzione, nell'arroventata atmosfera di fine secolo, venne sempre più orientandosi un gruppo di cattolici che faceva capo a un giovane sacerdote marchigiano stabilitosi a Roma, Romolo Murri, il quale nel 1898 fondò una battagliera rivista, la « Cultura sociale », esemplata sul modello della socialista « Critica sociale ». I seguaci del Murri, che ben presto si caratterizzarono come « democratici cristiani », svolsero negli anni tra il 1898 e il 1902 un'intensa opera di propaganda e di organizzazione e riuscirono anche a costituire numerose leghe cattoliche. La roccaforte del nascente sindacalismo cattolico furono le regioni settentrionali e specialmente la Lombardia, con le sue fabbriche tessili popolate da manodopera femminile e i suoi contadini tradizionalmente legati al clero. Ma anche la Sicilia, dove in quegli anni compiva le sue prime esperienze un altro giovane prete che avrebbe fatto parlare molto di sé, Luigi Sturzo, vide un notevole rigoglio della Democrazia cristiana e delle sue organizzazioni. Ma l'atteggiamento ufficiale della Chiesa non fu certo incoraggiante per il movimento che faceva capo al Murri: le istruzioni pontificie del febbraio 1902 prima e lo scioglimento dell'Opera dei congressi nel luglio 1904 poi, misero per il momento fine alle sue attività organizzative. L'ingresso dei cattolici organizzati nella vita politica italiana non sarebbe avvenuto da sinistra, ma da destra, non secondo le aspettative dei democratici cristiani, ma secondo quelle dei clerico-moderati. L'avanzata del movimento socialista convincerà infatti tra non molto il nuovo papa Pio X prima ad attenuare e poi a togliere definitivamente la prescrizione, vigente dal tempo della breccia di Porta Pia, che proibiva ai cattolici di partecipare alle elezioni. Essi vennero invece sollecitati a unire i loro sforzi a quelli di coloro che difendevano l'ordine costituito contro l'assalto delle forze sovversive. Comunque il seme sparso dai democratici cristiani del primo Novecento non era stato gettato invano. Gli inizi del secolo vedevano così l'ingresso sulla scena politica non soltanto dei socialisti, ma anche dei cattolici.

Sviluppo economico e industriale.

L'ultimo quarto del secolo XIX era stato per l'economia dell'Europa capitalistica un periodo di vacche magre. A partire dagli ultimi anni del secolo però, come è noto, essa entrava in una nuova fase di sviluppo accelerato e di grande espansione. L'Italia, che aveva risentito forse più di ogni altro paese europeo gli effetti della precedente crisi, trasse da questa generale ripresa economica lo slancio per una nuova crescita e per il suo autentico « decollo ».

A partire circa dall'anno 1896 tutti gli indici economici mostrano infatti una netta tendenza all'ascesa. Tra il 1896 e il 1908 il saggio di sviluppo annuale dell'industria italiana nel suo complesso fu notevolmente elevato, il 6,7 per cento, e per certe industrie pilota, quali la metallurgia, la chimica e la meccanica, esso fu superiore al 12 per cento. Spettacoloso fu poi il decollo dell'industria automobilistica, quasi un presagio del colossale sviluppo che essa avrebbe avuto in tempi più recenti. Le società produttrici di automobili vennero rapidamente moltiplicandosi e dalle 7 del 1904 si passò nel 1907 alla rispettabile cifra di 70. La principale tra di esse era già allora la Fiat, fondata nel 1899, le cui azioni da una quota di 25 lire salirono vertiginosamente in pochi anni a lire 1.885. Un'altra industria quasi interamente nuova fu quella elettrica, nello sviluppo della quale molti allora videro con un ottimismo eccessivo la possibilità di emancipare l'Italia dalle pesanti importazioni di carbone: dai 100 milioni di kilowattore del 1898 essa passò ai 950 del 1907, per svilupparsi negli anni successivi con un ritmo molto sostenuto sino a raggiungere i 2.575 milioni di kilowattore nel 1914.

Da paese prevalentemente agricolo quale esso era ancora alla fine del secolo XIX, l'Italia si avviava così rapidamente a divenire un paese agricolo-industriale. Se nel 1900 l'agricoltura rappresentava il 51,2 per cento del prodotto lordo privato e l'industria il 20,2 per cento, nel 1908

il divario era già sensibilmente ridotto, rispettivamente il
43,2 per cento, e il 26,1 per cento, segno di una tendenza
che ormai non si sarebbe più invertita. Bisognerà però aspettare il 1930 perché, per la prima volta nella storia dello
Stato italiano, si registri un'eccedenza del valore della produzione industriale su quella agricola. In conseguenza di questo sviluppo industriale alcune delle principali città italiane
vennero assumendo sempre più l'aspetto di grossi centri industriali. Ciò accadde naturalmente soprattutto nell'Italia settentrionale, dove Milano rafforzò la sua candidatura a capitale morale e economica del regno e dove Torino ritrovò, con
le sue fabbriche e le sue officine automobilistiche, il prestigio che aveva perduto dopo il trasferimento della capitale
e da grossa città di provincia, dominata da un'aristocrazia
municipale e clericale, venne trasformandosi in un grande
centro industriale, campo di azione di una borghesia intra-
prendente e spregiudicata. Nel Mezzogiorno solo Napoli ebbe
una sua appendice industriale a Bagnoli, dove nel 1905 entrò
in funzione un grande impianto siderurgico della società Ilva.

Lo sviluppo industriale italiano del primo decennio del
nostro secolo non modificò in nulla le caratteristiche del-
l'apparato produttivo quale si era venuto formando negli ultimi decenni del secolo XIX, ma anzi le accentuò. L'avvento
della banca mista di tipo tedesco, operante nel settore del
credito mobiliare per il finanziamento industriale, ribadì ancor
più la subordinazione dell'industria nei confronti della finanza, con il risultato che il più consistente sostegno finanziario del capitale bancario, fortemente immobilizzato, andava a quelle imprese che promettevano profitti più immediati e più spettacolari. Tali erano le industrie « protette »,
che furono infatti le maggiori protagoniste del primo *boom*
industriale italiano. Prima fra tutti l'industria siderurgica
che venne rapidamente assumendo, attraverso una serie di
successivi incorporamenti e accordi, le dimensioni di un autentico *trust*, al quale facevano capo sia i vecchi impianti di
seconda lavorazione di Terni e di Savona, sia quelli di recente costruzione e a ciclo integrale di Piombino e di Ba-

gnoli, che utilizzavano il minerale dell'isola d'Elba. Il *trust* siderurgico, nel quale fortissima era la partecipazione della Banca commerciale, produceva a prezzi notevolmente superiori a quelli del mercato internazionale e aveva perciò la sua principale risorsa nelle commesse dello Stato. Altre industrie fortemente protette erano quella cotoniera, che tra il 1900 e il 1908 vide crescere la propria produzione da 118.602 tonnellate di filati a 179.776 e triplicare i capitali in essa investiti, e quella degli zuccheri che conobbe anch'essa incrementi rapidissimi nel periodo in questione fino a raggiungere una crisi di sovrapproduzione. La ragione di quest'ultima non era però la saturazione del mercato (il consumo di zucchero degli italiani era nel 1913 di 3 chilogrammi *pro capite* annui: uno dei più bassi d'Europa), ma l'alto prezzo del prodotto. Piuttosto che diminuirlo gli industriali zuccherieri preferirono dopo il 1913 dimezzare la loro produzione. Di una forte protezione beneficiava pure l'industria cantieristica strettamente collegata alla siderurgia attraverso la Terni, mentre quella meccanica, che aveva basi più sane e camminava meglio con le proprie gambe, non avrebbe peraltro conosciuto i forti incrementi che essa conobbe, senza le massicce commesse dello Stato in seguito all'avvenuta nazionalizzazione delle ferrovie.

Ma la protezione di cui godevano i più cospicui settori dell'industria italiana non è sufficiente a spiegare il loro rapido sviluppo, se non si tiene conto anche di un altro elemento, e cioè del basso costo della manodopera.

L'operaio italiano all'inizio del secolo non era solo uno tra i peggio pagati d'Europa, ma era anche quello che aveva i più lunghi orari di lavoro. Nessuna legge infatti ne regolava la durata, sicché questa in definitiva era determinata dai rapporti di forza esistenti tra operai e padroni. Se talune categorie operaie particolarmente agguerrite e compatte erano riuscite, a forza di scioperi, a strappare una giornata di lavoro che si aggirava in media sulle otto ore, altre categorie più deboli e in cui era prevalente la manodopera femminile e di provenienza contadina, quali i tessili, lavoravano spesso dodici ore al giorno o anche più. In certi casi la giornata di lavoro si misurava secondo il sistema tradizionale, dal sorgere al tramontare del sole. Per quanto concerne poi i salari, a tenerne basso il livello, nonostante gli aumenti che si erano avuti in seguito alle agitazioni e agli scioperi dei primi anni del secolo, contribuiva molto il largo impiego della manodopera femminile e minorile. La paga di un'operaia e di un ragazzo si aggirava infatti rispettivamente attorno alla metà e al terzo della paga di un operaio adulto. Anche per ciò che concerneva il lavoro delle donne e dei fanciulli non vi era all'inizio del secolo alcuna regolamentazione legislativa, salvo una legge del 1886 che proibiva l'avviamento al lavoro dei fanciulli in età inferiore ai 9 anni. Fu solo nel 1902 che tale termine fu portato a 12 anni e che si prescrissero limitazioni anche per ciò che concerneva il lavoro delle donne. La legge del 1902, che era il risultato di un compromesso tra un progetto di parte governativa e un progetto socialista, fu per altro ben lungi dall'essere applicata integralmente negli anni seguenti.

Bassi salari, lunghi orari di lavoro, protezione doganale, commesse e premi di Stato: era quanto bastava per indurre molti a pensare che l'industria — o almeno certi tipi di industria — fosse in Italia, in un paese, come diceva Luigi Einaudi, di « artigiani e contadini », qualcosa di artificiale, un frutto di serra. Uomini come Luigi Einaudi, Antonio De Viti De Marco e Gaetano Salvemini spesero buona parte della loro attività di studiosi e di pubblicisti per denunciare all'opinione pubblica l'incongruenza e i privilegi dei siderurgici, dei cotonieri e degli zuccherieri, vere e proprie baronie moderne la cui potenza era stata costruita alle spalle del consumatore e, soprattutto, del contadino meridionale.

Ma il dato dello sviluppo economico italiano era stato gettato ormai da troppo tempo e gli interessi che si erano nel frattempo formati avevano stretto attorno allo Stato italiano delle maglie dalle quali nessun governo era ormai più in grado di liberarsi completamente. Avveniva così che le denunzie dei liberisti e dei meridionalisti democratici, per quanto documentate e convincenti, suonassero un poco come *laudationes temporis acti*, come nostalgie di una scelta che avrebbe potuto a suo tempo essere fatta, ma che ormai era inattuabile. Lo sviluppo industriale italiano — comunque esso venisse realizzandosi — era un fatto, e un fatto era la formazione di un proletariato industriale e di una coscienza proletaria, che ne era stata la conseguenza. Su questa occorreva far leva per il progresso e per il rinnovamento del paese: così ragionavano i socialisti e il loro ragionamento trovava benevola comprensione nell'uomo che per più di un decennio sarebbe stato l'ago della bilancia della vita politica italiana: Giovanni Giolitti.

Il sistema giolittiano.

Tra il 1901 e il 1909 Giovanni Giolitti fu il grande arbitro della vita politica italiana, come prima di lui lo erano stati Agostino Depretis e Camillo Cavour. Eminenza grigia e uomo di punta del ministero Zanardelli, egli assunse la carica di presidente del Consiglio nel novembre 1903 e la conservò sino al dicembre 1909 con una interruzione, tra il marzo 1905 e il maggio 1906, nel corso della quale si succedettero un breve ministero presieduto dal Fortis, che era peraltro un luogotenente di Giolitti, e un brevissimo ministero Sonnino, il *leader* dell'opposizione parlamentare.

Da uomo politico navigato e sperimentato quale egli era, Giolitti non difettava certo di empirismo e, anche, di opportunismo. La sua disinvoltura nel manipolare la maggioranza parlamentare, nell'accaparrarsi, con mezzi leciti e meno leciti, i voti di quei deputati che erano disposti a barattarli in cambio di favori al loro collegio (i cosiddetti « ascari ») e l'appoggio delle clientele politiche meridionali, la sua spregiudicatezza infine nel predeterminare il risultato delle elezioni, specie nelle circoscrizioni del Mezzogiorno, gli valsero l'accusa di « trasformismo » e Gaetano Salvemini, uno dei più battaglieri rappresentanti del radicalismo meridionalista, coniò per lui l'epiteto di « ministro della malavita ». In realtà Giolitti non faceva nulla di più (e forse qualcosa di meno) di quello che avevano fatto tutti i suoi predecessori. A differenza di molti di essi, egli possedeva però delle convinzioni politiche generali molto salde e non smarriva mai, nelle tortuosità della cronaca politica quotidiana, il senso dell'orientamento generale, né confondeva mai la tattica con la strategia.

Uno dei punti fermi delle sue convinzioni politiche era, come si è visto, l'avversione a ogni politica estera « imperiale », alla Crispi, e la sua ferma persuasione che per risolvere i suoi gravissimi problemi interni l'Italia avesse soprattutto bisogno di tranquillità e di pace. Sotto la sua guida e con la collaborazione dei ministri degli Esteri Prinetti e Tittoni, la politica estera italiana venne perciò svincolandosi sempre più dal triplicismo a oltranza del Crispi e operando un riavvicinamento alle maggiori potenze europee. Con la Francia innanzitutto, con cui nel 1901 e nel 1902 furono stipulate due convenzioni che riconoscevano rispettivamente gli interessi francesi in Marocco e quelli italiani in Libia; con l'Inghilterra, con la quale peraltro i rapporti diplomatici erano sempre stati buoni e che riconobbe anch'essa l'ipoteca italiana sulla Libia e, infine, con la Russia. Nel 1904 il presidente francese Loubet veniva accolto con grande cordialità in visita di Stato a Roma; nel 1903 era stata la volta del re d'Inghilterra Edoardo VII a essere ospite del re d'Italia; sempre nel 1903 avrebbe dovuto venire in Italia anche lo Czar, ma la violenta campagna promossa dai socialisti e dagli anarchici fece sì che la visita venisse aggiornata al 1909. Dopo l'eccitazione del periodo crispino la politica estera italiana passava dunque in una fase di raccoglimento e di *appeasement*, che la costellazione politico-diplomatica del momento, sgombra da grandi nubi e da forti attriti, certo favoriva. Anche il cancelliere prussiano von Bülow trovava che non era poi un gran male se l'Italia compiva dei « giri di valzer » fuori della Triplice. Quanto alla politica coloniale, abbandonato il progetto di una penetrazione in Abissinia e messa per ora in dilazione l'ipoteca sulla Libia, tutto si limitò all'assunzione dell'amministrazione diretta della Somalia (1905), sulla quale da tempo era stato riconosciuto il protettorato italiano.

Al riparo di questa politica estera di distensione, Giolitti poté nel primo decennio del secolo attendere con relativa tranquillità all'esperimento di politica liberale e di rinnovamento che, dopo le oscure giornate del '98, il paese da lui si attendeva. Anch'egli, come si è visto, era idealmente ancora attaccato alla prospettiva risorgimentale di un rinnovamento dal basso della società italiana, che investisse in primo luogo il mondo delle campagne, ma era troppo poco dottrinario e troppo politico per non avvedersi che lo sviluppo industriale italiano, a prescindere dalle forme in cui esso si era realizzato, e la nascita del movimento operaio erano fenomeni irreversibili e che l'industria e i sindacati erano ormai i gruppi di pressione più organizzati e le forze più dinamiche dell'intera società italiana. Di qui il suo disegno inteso a favorire e sollecitare una collaborazione politica tra le forze della borghesia liberale e quelle gravitanti attorno al Partito socialista italiano. Se gli industriali italiani si fossero convinti che i miglioramenti salariali concessi ai loro operai avrebbero alla lunga favorito i loro stessi interessi, e se i socialisti fossero riusciti a tener a freno le impazienze e i sovversivismi delle masse che li seguivano, allora si sarebbe potuto sperare che il cerchio di miseria e di arretratezza che stringeva d'assedio le zone e i settori meno progrediti del paese si sarebbe a poco a poco allargato e che il blocco costituito tra operai e imprenditori, tra socialisti e liberali avanzati, avrebbe esercitato la sua forza d'attrazione e contribuito a isolare gli egoismi dei retrivi al vertice della piramide sociale e i rancori degli umiliati offesi alla sua base.

In un primo tempo sembrò che questo coraggioso disegno politico avesse buone possibilità di affermarsi. Il fatto che di fronte all'ondata di scioperi del biennio 1901-1902 il nuovo ministro dell'Interno non avesse perso la testa e

non avesse dato ascolto alle sollecitazioni di quei padroni
che, come il conte Arrivabene di Mantova, in occasione degli scioperi conducevano essi i buoi al lavoro pungolandoli
coi nomi degli odiati capilega contadini, e si fosse invece
limitato a controllare che non vi fosse né da una parte né
dall'altra violazione della legge, parve un fatto nuovo in un
paese in cui la figura dello scioperante veniva spesso assi-
milata a quella del malfattore e vi furono — sembra — scioperi agrari che si svolsero al grido di « Viva Giolitti ». Non
soltanto le masse contadine e operaie protagoniste del movimento rivendicativo in corso — e che stavano ottenendo coi
loro scioperi dei vantaggi salariali e dei miglioramenti nelle
condizioni di lavoro che sino a pochi anni prima sembravano impossibili — ebbero la sensazione che qualcosa in Italia era finalmente cambiato, ma tutta l'opinione pubblica.
Mentre il Parlamento si occupava di legislazione sociale vo-
tando la legge sul lavoro delle donne e dei fanciulli e sulla
costituzione di un Ufficio nazionale del lavoro, nel paese
e nella stampa si agitavano con fervore di partecipazione i
grandi temi della questione italiana, il problema meridionale, il suffragio universale, la riduzione delle spese militari.
    Ma le resistenze a questo nuovo corso politico non
mancarono. La più intransigente e la più ottusa era quella
dei grandi proprietari fondiari del Mezzogiorno e, anche, della
Valle padana, presi alla sprovvista dall'ondata degli scioperi
e recalcitranti a ogni concessione. Ma anche gli industriali
non erano certo tutti persuasi della opportunità di elevare i
salari dei loro dipendenti e taluni di essi giunsero a protestare contro la legge sul lavoro delle donne e dei fanciulli.
Infine vi era la corte. Se il nuovo re non aveva la spiccata
vocazione reazionaria del suo predecessore e della sua esuberante consorte, egli, timido e chiuso di carattere com'era,
non sapeva sottrarsi all'influenza dei militari. Le spese militari rimasero un capitolo intangibile del bilancio, del quale
assorbivano una porzione cospicua, e nei conflitti del lavoro
troppo spesso la forza pubblica, inviata a mantenere l'ordine,
faceva fuoco sugli scioperanti. Non passava anno senza che

l'Italia avesse — come allora si diceva — il suo « eccidio proletario ».

Bastò, nella seconda metà del 1902, un appannamento della congiuntura economica, perché industriali e agrari passassero alla controffensiva. L'organizzazione del crumiraggio da provincia a provincia, l'impiego sempre più generalizzato delle macchine agricole permisero loro di riguadagnare parte delle posizione perdute. Il movimento operaio conobbe le prime dure sconfitte: gli scioperi della Valle padana della primavera-estate 1902 si conclusero con altrettante disfatte, e così pure il grande sciopero dei tessili di Como del settembre dello stesso anno. Nel Mezzogiorno poi, dove le forze dell'ordine aprirono due volte il fuoco, a Candela in Puglia e a Giarratana in Sicilia, le vecchie clientele camorriste e mafiose ripresero quasi dovunque il sopravvento. Di fronte a questi primi insuccessi, tanto più amari in quanto interrompevano una lunga serie di vittorie, il blocco di forze che si era formato attorno al Partito socialista cominciò a sgretolarsi e a segmentarsi nelle sue varie componenti. Se i nuclei più evoluti del proletariato cittadino, organizzati nelle federazioni di mestiere, e le più forti fra le federazioni provinciali contadine della Valle padana, sotto l'influenza dei loro dirigenti riformisti, seguitarono a nutrire fiducia in Giolitti e ad assecondare la sua politica, le masse popolari più indifferenziate esprimevano la loro delusione risfoderando la loro antica diffidenza per lo Stato e sollecitando le Camere del lavoro a ricorrere a quell'espediente decisivo e minaccioso di cui si faceva allora, in Francia e in Italia, un gran parlare: lo « sciopero generale ». Quanto alla borghesia radicale del Mezzogiorno anch'essa si venne staccando sempre più dal Partito socialista cui rimproverava, e non senza fondamento, di disinteressarsi della questione meridionale e di preoccuparsi esclusivamente degli interessi corporativi degli operai e dei contadini del Settentrione.

Ben presto il Partito socialista si trovò ad essere diviso al proprio interno tra varie correnti. Le principali erano quella dei riformisti, della quale Turati era l'esponente più autorevole e più intelligente, disposta a continuare la collaborazione indiretta con Giolitti e magari anche a trasformarla in diretta con la partecipazione dei socialisti al governo, e quella degli « intransigenti » o rivoluzionari, che richiedevano a gran voce un'opposizione integrale. Gli uomini più in vista di quest'ultima erano Enrico Ferri e Arturo Labriola, un giovane pubblicista napoletano che, dopo aver tentato con poco successo di condurre una lotta contro le clientele che dominavano la vita amministrativa della sua città, si era trasferito a Milano, vi aveva fondato un giornale — « L'Avanguardia socialista » — e aveva sviluppato in una veste operaistica il suo estremismo piccolo-borghese. Nel corso della seconda parte del 1902 e del 1903 questa seconda corrente, che pure era stata battuta nel congresso del Partito socialista tenutosi a Imola nell'agosto del 1902, continuò a guadagnare terreno e quando, nel novembre 1903, Turati venne officiato da Giolitti per entrare a far parte di un nuovo gabinetto, egli dovette rinunciare, consapevole com'era che una sua accettazione gli avrebbe alienato ogni popolarità. Pochi mesi dopo anche il suo amico Bissolati fu costretto a lasciare la direzione dell'« Avanti! », che venne assunta dal Ferri, e nell'aprile 1904, al congresso di Bologna, le correnti rivoluzionarie facenti capo al Labriola e al Ferri stesso conquistarono la maggioranza del partito. Passarono ancora pochi mesi e la profonda delusione delle masse esplose nel primo sciopero generale della storia d'Italia, proclamato, in seguito ad un ennesimo « eccidio proletario » consumato in Sardegna, dalla Camera del lavoro di Milano, la quale era dominata dagli uomini vicini al Labriola. Per una singolare coincidenza la prima giornata dello sciopero generale coincise con la nascita dell'erede al trono. Le dimostrazioni di giubilo organizzate dall'alto furono però ben presto ridotte al silenzio da quelle degli scioperanti che opponevano il loro « lutto proletario » al « fausto evento » dell'Italia ufficiale.

Anche in questa occasione Giolitti, convinto che il movimento in corso — come di fatto avvenne — si sarebbe esaurito rapidamente, non derogò dalla norma che si era prefisso di non cedere alle lusinghe degli stati d'assedio. Passata la tempesta, si limitò a sciogliere la Camera e a convocare nuove elezioni. Queste si svolsero all'insegna dell'indignazione dei benpensanti contro gli eccessi della piazza e dei sovversivi, e si risolsero in un successo per i candidati governativi e in un sensibile arretramento per quelli socialisti. Fu in questa occasione che il nuovo papa Pio X acconsentì ad attenuare i rigori del *non expedit* e che entrò alla Camera una prima pattuglia di deputati cattolici o meglio, come si disse da parte vaticana, per attenuare la portata politica dell'evento, di « cattolici deputati ».

Giolitti però aveva rinunciato al suo disegno politico e non si lasciò per nulla trascinare dall'ondata di riflusso che aveva contribuito a suscitare. Ritiratosi dal potere nel marzo 1905, egli lasciò che per circa un anno i suoi oppositori di destra e i dirigenti rivoluzionari del Psi si logorassero nel vano tentativo di costruire una maggioranza e un programma comune. Cade in questo periodo il breve ministero del Sonnino, cui parteciparono anche uomini della sinistra radicale e in favore del quale votarono in talune occasioni anche i socialisti. Nel maggio 1906, in una situazione politica più decantata e più favorevole, Giolitti riprese le redini del governo. Cominciò allora il lungo ministero Giolitti (esso durò infatti fino al dicembre 1909), nel corso del quale il « sistema giolittiano » raggiunse l'*optimum* del suo funzionamento. Anche se i socialisti non partecipavano al governo, né avrebbero potuto farlo dopo essersi così maldestramente compromessi con Sonnino, essi non gli erano più programmaticamente ostili e in talune occasioni lo sostennero. Le tendenze riformiste di Turati e di Bissolati riconquistarono infatti la maggioranza nel partito al congresso di Firenze del 1908, d'altra parte la costituzione della Confederazione generale del lavoro (1906), i cui promotori e dirigenti erano anch'essi tutti riformisti, permise un migliore controllo del movimento sindacale e un certo imbrigliamento delle iniziative delle singole Camere del lavoro. La felice congiuntura economica, superati gli accenni di ristagno degli anni

1903-1905, permise a sua volta una ripresa della normale dialettica dei conflitti di lavoro, mentre nel Parlamento si tornavano ad affrontare i problemi della legislazione sociale, con l'approvazione di provvedimenti relativi al lavoro festivo, al lavoro nelle risaie e nelle industrie insalubri, al lavoro notturno e ai contratti di lavoro. Per quanto concerne il Mezzogiorno, leggi speciali per la Sicilia, per la Calabria e per la Basilicata vennero approvate, mentre già in precedenza, nel 1905, era stato approvato il progetto del costruendo acquedotto pugliese. Dopo la nazionalizzazione delle ferrovie, realizzata nel 1905 dal ministero Fortis, fu ora la volta del riscatto delle linee telefoniche private da parte dello Stato. Furono anni insomma di buon lavoro e di proficua amministrazione.

La fine del lungo ministero Giolitti, per le circostanze in cui avvenne, fu, come vedremo, un campanello d'allarme. Le acque della vita politica italiana, sotto la spinta di forze diverse e contrastanti, tornavano ad essere agitate e il paese entrava in una nuova e difficile fase della sua storia. Prima però di darne conto, sarà opportuno indugiare un poco a guardare indietro e a considerare il cammino che, sotto la guida di Giolitti, esso aveva compiuto.

L'Italietta.

Quando il 29 giugno 1906 il ministro delle Finanze Luzzatti, al termine di una lunga relazione in cui aveva illustrato il miglioramento della situazione finanziaria e aveva preso atto della maggior fiducia di cui godevano i titoli di Stato, concluse proponendo la conversione della rendita da un interesse del 5 a uno del 3,75 per cento, dalle tribune del pubblico — come ricorda Benedetto Croce nella sua *Storia d'Italia* — si levò un'ovazione, mentre i deputati di tutte le parti si abbracciavano nell'emiciclo. L'incubo del dissesto finanziario, che aveva gravato sui primi anni di vita dello Stato unitario e che era ritornato a profilarsi nei giorni

oscuri degli scandali bancari a catena, era definitivamente fu-
gato e l'Italia prendeva coscienza della sua incipiente prosperità.

Effettivamente nel primo decennio del secolo una parte
notevole della popolazione aveva visto migliorare le proprie
condizioni di vita. La borghesia imprenditrice aveva profit-
tato della favorevole congiuntura economica, gli operai dei
mestieri più qualificati avevano ottenuto dei miglioramenti
salariali e una giornata di lavoro più breve, gli impiegati
dello Stato — i *travets* — si erano visti aumentare i loro
stipendi, i braccianti delle zone più evolute della Valle padana avevano visto svilupparsi e, talvolta, prosperare le loro
cooperative, che Giolitti aveva ammesso a partecipare agli
appalti delle opere pubbliche. Per molti italiani insomma era,
se non il benessere, un borghese e parsimonioso decoro, e,
con esso, la possibilità di una vita in cui vi era posto anche
per gli svaghi dei quali la *belle époque* italiana non era avara,
per le vacanze al mare o ai monti, per il teatro, per la conversazione. Nella musica trionfava allora l'opera di Puccini
con i suoi personaggi borghesi dai sentimenti tenui e minuti
(la *Bohème*), con il suo esotismo di un Oriente alla moda
(*Madame Butterfly*, 1904), con la sua vena facile e orecchia-
bile, mentre nella poesia era il momento dei crepuscolari che
cantavano le dolcezze e le melanconie della vita borghese.
Per chi andasse in cerca di emozioni più forti vi erano poi
i futuristi, gli *enfants terribles* del momento, che dichiara-
vano guerra agli spaghetti ed esaltavano la bellezza delle
macchine nei confronti di quella della Nike di Samotracia.
Le scene erano dominate dall'inimitabile Gabriele D'Annunzio e dalla sua ormai matura amica, la « divina » Eleonora
Duse, mentre un'arte nuova, moderna e conturbante — il
cinematografo — faceva le sue prime prove. L'Italia fu anzi
il paese in cui le enormi possibilità di questo nuovo mezzo
di espressione furono intuite prima che altrove e in cui un'industria cinematografica si costituì con notevole anticipo rispetto ad altri paesi europei. Dagli *studios* di Roma, di Milano e di Torino uscirono i primi grandi film storici (*Cabiria*,

Gli ultimi giorni di Pompei, Quo Vadis?) e le prime *vamps*
della storia del cinema, Francesca Bertini e Lyda Borelli.
Un'altra moda del momento era quella dello sport e in particolare dell'automobilismo, in cui le macchine italiane — le
Fiat, le Maserati, le Alfa Romeo — mietevano vittorie su
vittorie, e nel quale si cimentavano i rampolli delle più illustri casate. Per il grosso pubblico vi era invece il calcio,
che divenne rapidamente popolarissimo, e il ciclismo con il
suo massacrante Giro d'Italia.

Verso questa Italia borghese, verso questa « Italietta »
molti — e lo vedremo meglio nel prossimo paragrafo —
provavano un senso di fastidio e di insoddisfazione e la
trovavano meschina e priva di slanci. Saranno necessari gli
sconvolgimenti della guerra mondiale, del dopoguerra e gli
inizi della dittatura fascista perché molti italiani, rievocando
il loro recente passato, guardassero all'Italietta e all'età giolittiana con rimpianto e nostalgia, quasi come a una modesta e casalinga età felice, al tempo in cui la lira faceva
aggio sull'oro, i sentimenti erano più temperati e gentili
e i funzionari più onesti.

Nessuno meglio di Benedetto Croce è riuscito a rievocare nelle pagine della sua *Storia d'Italia* (la cui prima edizione è del 1927) la modestia e la gloria di quest'Italia prima
della bufera. Nessuno del resto avrebbe potuto farlo meglio
di lui, che in essa era cresciuto e si era formato e che di
essa aveva assorbito e padroneggiato tutti i fermenti più vi-
tali. Ciò che caratterizza infatti la sua *forma mentis* e la sua
stessa filosofia è un sostanziale, anche se altissimo, eclettismo. Nell'ambito della sua concezione storicistica e della
riforma della filosofia hegeliana da lui operata con l'introduzione del criterio dei distinti, trovavano posto, in una felice
contaminazione, sia l'austero idealismo della generazione di
intellettuali che aveva vissuto il Risorgimento, sia le nuove
istanze materialistiche di quel marxismo del quale egli era
stato studioso in gioventù. Le sue letture e i suoi gusti letterari, quali sono riflessi dalla sua abbondante attività di critico, erano di tipo tradizionale, ma la sua estetica, con la

teorizzazione dell'arte come intuizione, fornì, suo malgrado, una giustificazione alle correnti frammentiste e alle tendenze più inquiete della nuova letteratura italiana. La sua stessa battaglia contro la cultura positivistica italiana fu al tempo stesso un combattimento di avanguardia e di retroguardia, in quanto, mettendone in luce il dilettantismo e la superficialità, si risolse in definitiva in una negazione delle istanze di rinnovamento da cui essa aveva pur preso le mosse. Nessuno infatti meglio di Benedetto Croce conobbe l'arte di conservare innovando e nessuno più di lui contribuì a dare alla cultura italiana la consapevolezza delle proprie radici e della propria continuità, e a conferirle anche un tanto di autosufficienza che sfiora, negli epigoni, il provincialismo. Non meraviglia perciò dunque che, quando egli imprenderà a scrivere una storia d'Italia, ce ne offrirà un quadro la cui nota dominante è costituita dalla sottolineatura della continuità e dall'elogio della moderazione, nell'ambito di una visione irenistica del processo storico.

In realtà l'Italia nuova che si veniva formando in quegli anni era anche il paravento dell'Italia di sempre, dell'Italia dei contadini e degli umili. Il grande cerchio d'ombra e di miseria che stringeva d'assedio le zone e le isole più progredite del paese non si era infatti allargato che di poco. Tra il censimento del 1901 e quello del 1911 le variazioni nella composizione sociale della popolazione non erano state di grande rilievo: il 34 per cento della popolazione attiva era ancora occupato nell'agricoltura contro il 16,94 per cento di occupati nell'industria, nell'accezione più larga e più generica del termine comprensiva anche dell'artigianato. Nel 1901 gli occupati nell'industria erano risultati il 15,57 per cento, segno che lo sviluppo della produzione aveva proceduto con un passo più rapido di quello della formazione di un proletariato industriale. L'Italia rimaneva ancora fondamentalmente un paese di contadini, un paese di analfabeti (la percentuale ne era ancora notevolmente alta: 38 per cento), un paese di emigranti. Nel primo decennio del secolo il ritmo delle partenze annue non cessò mai di intensificarsi sino a raggiungere la cifra record di 873.000 unità nel 1913. Ormai il numero degli italiani che dagli anni della grande crisi agraria aveva abbandonato la patria ammontava a 5-6 milioni e la grande maggioranza di essi proveniva dalle province del Mezzogiorno. La questione meridionale, come fu dimostrato dalla grande inchiesta sulle condizioni dei contadini nel Mezzogiorno promossa da Giolitti, rimaneva infatti più che mai aperta, ché anzi lo sviluppo economico-industriale delle regioni settentrionali verificatosi negli ultimi anni aveva contribuito ad inasprirla e a fare del Mezzogiorno un'autentica semicolonia del capitale settentrionale. E con essa, che ne era la ricapitolazione, rimanevano aperti tutti gli altri grandi problemi del paese.

Forse se il nuovo corso politico inaugurato da Giolitti avesse potuto continuare, altri progressi e altri mutamenti avrebbero potuto essere realizzati, sino a rompere la crosta di arretratezza che ancora gravava su gran parte del paese, ma ormai l'orizzonte della politica interna accennava ad oscurarsi e la stagione delle vacche grasse per l'economia italiana accennava a passare. Per le forze che non avevano cessato di osteggiare sordamente l'esperimento cominciava a profilarsi la possibilità di una rivincita.

Antigiolittismo di sinistra e antigiolittismo di destra.

Il 1908, l'anno del terribile terremoto che distrusse le città di Reggio e di Messina, è per più aspetti un anno cruciale nella storia dell'Italia contemporanea. L'annessione austriaca della Bosnia-Erzegovina con gli strascichi diplomatici e il seguito di risentimento che essa suscitò negli ambienti irredentisti, aveva fatto sentire con chiarezza all'opinione pubblica che i rapporti internazionali stavano entrando nuovamente in una fase critica e che tra non molto alla politica estera italiana si sarebbe posto il problema di un adeguamento alla nuova costellazione internazionale dell'Europa nell'età dell'imperialismo.

Al deterioramento dei rapporti tra gli Stati faceva riscontro all'interno del paese un deterioramento della congiuntura economica. La crisi che nel 1907 aveva investito l'industria siderurgica e quella automobilistica, provocando spettacolari ribassi sul mercato azionario e frettolosi interventi delle banche, toccò nel 1908 anche l'industria tessile, cotoniera e saccarifera. I salvataggi operati dalle banche e le intese tra i vari gruppi industriali e bancari con la costituzione di *trusts* e di consorzi (*trust* siderurgico, Istituto cotoniero italiano, consorzio degli zolfi) permisero di superare la fase acuta della crisi. Tuttavia negli anni successivi il saggio di sviluppo della produzione delle industrie manifatturiere risultò nettamente inferiore a quello del decennio precedente: si è calcolato infatti, per il quinquennio 1908-13, che esso sia pari a una media annua del 2,4 per cento. Inoltre — fatto di importanza difficilmente sottovalutabile — la strozzatura degli anni 1907-1908 contribuì notevolmente ad accelerare il già avanzatissimo processo di concentrazione monopolistica dell'apparato produttivo e industriale e, di conseguenza, a rendere lo Stato sempre più esposto alla pressione dei grandi *trusts* e delle industrie protette.

In una siffatta situazione, dominata dall'incertezza e dall'irrequietudine, l'opposizione a Giolitti trovava naturalmente un terreno propizio.

L'opposizione di sinistra innanzitutto. Il 1908 fu l'anno di una delle più aspre battaglie della storia del movimento sindacale italiano: lo sciopero agricolo, che per lunghi mesi sconvolse le campagne del Parmense e che costituì una sorta di prova generale di una nuova corrente, che era venuta prendendo gradualmente piede nel campo del socialismo italiano, il sindacalismo rivoluzionario. Gli uomini che ne furono gli alfieri, tra i quali fanno spicco i nomi di Arturo Labriola, l'animatore dello sciopero generale del 1904, e di Alceste De Amicis che, nella sua qualità di segretario della Camera del lavoro di Parma, fu il grande protagonista dello sciopero del 1908, si richiamavano alle teorie del Pelloutier e del Sorel, le cui *Considerazioni sulla violenza* erano state

fatte conoscere in Italia da Benedetto Croce. Dall'affermazione che una maggior immedesimazione tra le masse dei
« produttori » e il movimento socialista, tra sindacato e partito era necessaria, essi traevano lo spunto per una critica
a fondo della « burocrazia » riformista che dominava il Partito socialista italiano e la Confederazione generale del lavoro. Tra il 1906 e il 1908 il movimento sindacalista era
riuscito a far breccia tra le masse, tra gli operai di Torino,
tra i contadini del Mantovano e del Parmense, tra i braccianti della Puglia. La sconfitta totale dello sciopero di Parma
fu certo un gravissimo colpo per i sindacalisti, in quanto
contribuì a consolidare il predominio dei riformisti all'interno del partito e dell'organizzazione sindacale. Tuttavia le
incitazioni sindacaliste all'« azione diretta » non erano pas-
sate certo senza lasciar traccia in quell'Italia popolana e plebea, più che proletaria, in cui il vecchio richiamo dell'anarchismo era sempre vivo, e in un'intellettualità irrequieta
e disponibile alle più diverse esperienze. Tra i collaboratori
dei giornali sindacalisti figurava anche il nome di un giovane maestro elementare forlivese, autore di un poema incen-
diario su Giovanni Huss e che dell'emigrazione aveva conosciuto più il lato *bohémien* che quello reale: Benito Mussolini. Di lì a quattro anni questo irruento personaggio sarà
il direttore dell'« Avanti! », organo ufficiale del Partito socialista italiano. Ciò che egli divenne in seguito tutti lo sanno,
ma forse non è noto a tutti che nella sua vertiginosa corsa
dall'estrema sinistra all'estrema destra egli si trascinò dietro
non pochi dei più accesi anarcosindacalisti.

Quello infatti della intercambiabilità delle opposizioni,
dell'antigiolittismo della sinistra massimalista con l'antigiolittismo della destra nazionalista, fu uno dei fenomeni tipici della vita pubblica italiana negli anni che precedettero l'intervento in guerra. Tra i nazionalisti che si riunirono per la prima volta a congresso a Firenze nel 1910
non pochi erano coloro che avevano simpatizzato, se non
con il socialismo, con quelle ideologie di rinnovamento
nazionale che avevano trovato la loro espressione più vi-

vace nel periodico « La Voce », diretto da Giuseppe Prez-
zolini. Anche il nazionalismo era infatti sorto sul terreno
del fastidio e dell'insofferenza verso l'Italietta giolittiana e
fu solo in un secondo tempo che esso si sviluppò verso posizioni dichiaratamente autoritarie e imperialistiche. Per ora
i nazionalisti si compiacevano anch'essi di opporre all'Italietta ufficiale dei politicanti e della massoneria le energie
vive del lavoro e dei produttori. Questi ultimi nella pratica
si identificavano con gli industriali della siderurgia che furono larghi di finanziamenti al loro movimento. Tuttavia si
poteva benissimo sostenere — e l'argomentazione suonava
convincente — che tra i produttori-operai e i produttori-in-
dustriali vi era affinità di interessi e che essi dovevano condurre affiancati la lotta contro la grettezza e la pusillanimità
dei governanti e della piccola borghesia trionfante. Le prime
enunciazioni di quel corporativismo che diverrà la dottrina
ufficiale del fascismo fornivano così un terreno d'incontro
tra l'opposizione di destra e quella di sinistra. Naturalmente
vi erano anche delle divergenze, e nessun socialista rivoluzionario era disposto, almeno per il momento, ad accettare
il programma di espansione coloniale e di politica di grande
potenza che i nazionalisti reclamavano; ma le differenze e i
contrasti politici e programmatici contavano meno che il comune senso di irrequietezza e il comune furore contro la
prosaica Italietta giolittiana e riformista, l'« Italia vile » contro la quale lanciava i suoi forbitissimi strali il poeta per eccellenza della « nuova Italia », Gabriele D'Annunzio.

D'Annunzio appare oggi, con i suoi atteggiamenti di ari-
stocratico-*parvenu*, con la preziosità della sua lingua, con il
suo culto del ·superuomo e dell'esteta, come la personificazione stessa di un atteggiamento intellettuale decadente e reazionario. Ma agli occhi di molti tra i suoi contemporanei, il
suo esibizionismo parve spregiudicatezza, il suo culto della
moda modernità, la sua vecchiaia gioventù, anzi, con una va-
riante che avrà fortuna, « giovinezza ». Dannunziani non furono solo i nazionalisti che invocavano una più grande Italia
e che si esaltavano al ritmo delle *Canzoni d'oltremare*, ma

anche uomini di diversi e talvolta opposti orientamenti politici, repubblicani, radicali, persino socialisti. Dannunziana fu — si può dire — buona parte di quella generazione di borghesi e intellettuali italiani che nel 1915 scenderà sulle piazze per invocare l'intervento dell'Italia in guerra, quella guerra che, come avevano detto i futuristi nel loro manifesto, era l'« igiene del mondo ». Da essa taluni di loro si attendevano la piena restaurazione dei valori tradizionali e delle tradizionali gerarchie, altri una sovversione e rivoluzione totale, e tutti la fine dell'ingloriosa Italietta giolittiana.

Guerra libica e suffragio universale.

Ma Giovanni Giolitti aveva fiutato per tempo il vento contrario, da quando le resistenze degli ambienti economici e finanziari lo avevano costretto a recedere dal suo tentativo di rompere il monopolio che la Società di navigazione generale deteneva nel campo dei servizi marittimi, creando un'altra società concorrente sovvenzionata dallo Stato. Egli comprese anche che si trattava per lui ormai di cadere in bellezza: a questo fine ripeté la manovra, che già aveva compiuto al momento del suo primo ministero, presentando ancora una volta quel progetto di un'imposta progressiva che egli aveva conservato sempre nel cassetto del proprio scrittoio di ministro e, anche, nel suo cuore. Naturalmente la Camera e il mondo dell'industria e della finanza fecero il viso dell'armi alla proposta e Giolitti non tardò a presentare le proprie dimissioni. Questa volta la sua assenza dal potere fu leggermente più lunga di quella degli anni 1905-1906, ma la sua _rentrée_ fu tanto più clamorosa. Essa avvenne nel marzo 1911, dopo che nel frattempo si erano succeduti un secondo — e anch'esso brevissimo — gabinetto Sonnino e un ministero presieduto da Luzzatti, un valente e intelligente esperto di problemi economici e finanziari. Tornato al potere, il vecchio statista piemontese non tardò certo a comprendere che l'atmosfera si era nel frattempo mutata e le acque rimescolate e che, a voler continuare a rimanere in sella e a dirigere il paese, era necessario giocare grosso.

E Giolitti giocò grosso. Come aveva fatto nel novembre 1903, quando per la prima volta aveva assunto la carica di presidente del Consiglio, egli si rivolse ai socialisti, nella persona del Bissolati (che era tornato nel frattempo alla direzione dell'« Avanti! » e le cui simpatie riformiste erano note a tutti) invitandolo a entrare nel governo. Ne ebbe anche questa volta un rifiuto, ma ciò non gli impedì di orientare il programma del governo in una direzione decisamente riformatrice. Dal precedente ministero Luzzatti riprese, riuscendo a farlo approvare, un progetto di legge, del quale era autore il ministro della Pubblica Istruzione Credaro, che aumentava gli stanziamenti statali a favore della scuola elementare e che elevava gli stipendi dei maestri. Di suo aggiunse un progetto di legge che istituiva il monopolio di Stato delle assicurazioni sulla vita, progetto che, nonostante la fiera opposizione dei liberisti e dei conservatori, egli riuscì a far approvare dalla Camera nell'aprile del 1912. Ma la riforma di gran lunga più importante introdotta da Giolitti in questa sua nuova esperienza di governo fu senza dubbio quella elettorale. In proposito esisteva già un progetto di legge elaborato dal ministero Luzzatti, in base al quale il diritto di voto era concesso a tutti coloro che sapessero leggere e scrivere. Giolitti andò ancora più in là e propose di estendere il diritto di voto anche agli analfabeti, purché avessero compiuto i trent'anni e avessero prestato servizio nell'esercito. Vi era certamente in questa mossa di Giolitti il proposito di controbilanciare il prevedibile incremento dei voti socialisti nell'Italia settentrionale e nelle città con quelli dei contadini meridionali che si recavano alle urne sotto l'occhio vigile degli uomini di fiducia del padrone (i « mazzieri ») o anche, nella campagne del Veneto e della Lombardia, sotto quello del prete. Tuttavia la riforma elettorale, che venne approvata dal Parlamento il 25 maggio 1912, equivaleva di fatto all'introduzione del suffragio universale maschile e soddisfaceva così una vecchia rivendicazione della democrazia e del socialismo italiano.

Occorreva però in qualche modo controbilanciare questa sterzata a sinistra con qualcosa che venisse incontro alle aspirazioni nazionalistiche degli antigiolittiani di destra. Al congresso nazionalista di Firenze Luigi Federzoni aveva sollecitato il governo italiano a realizzare l'ipoteca diplomatica sulla Libia che esso da tempo deteneva, e in questo senso premevano anche consistenti interessi finanziari, quali quelli del Banco di Roma, un istituto di credito assai legato agli ambienti vaticani che aveva forti interessi in Libia e del quale era presidente Ernesto Pacelli, della stessa famiglia che darà alla Chiesa papa Pio XII.

Giolitti, mosso anche dalla preoccupazione che, dopo la occupazione francese del Marocco, qualche altra grande potenza europea potesse avanzare delle pretese sulla Libia, decise, in stretto accordo col suo ministro degli Esteri di San Giuliano, un conservatore all'antica, di dare il via all'impresa e nel settembre 1911 la guerra alla Turchia era dichiarata. Essa si concluse un anno dopo con il riconoscimento della sovranità italiana sulla Libia e sul Dodecaneso (trattato di Ouchy).

A differenza delle precedenti imprese coloniali, la guerra di Libia fu popolare in larghi settori dell'opinione pubblica. I nazionalisti salutarono in essa il ritorno dell'Italia alla politica mediterranea dell'antica Roma, i cattolici vi scorgevano una nuova crociata contro la Mezzaluna, una parte notevole dell'opinione pubblica, specie nel Mezzogiorno, guardava alla nuova colonia come alla terra che avrebbe assorbito migliaia e migliaia di braccia contadine e posto così fine all'emigrazione. Tra i non socialisti solo alcuni isolati, come Gaetano Salvemini, ammonivano che la Libia non era quella terra promessa che molti si erano immaginati e che una propaganda interessata aveva lasciato credere, ma un enorme « scatolone di sabbia » che sarebbe costato all'Italia molto di più di quanto le avrebbe reso. Il Partito socialista era invece all'opposizione e il giovane Benito Mussolini giunse a organizzare delle dimostrazioni contro la partenza dei soldati nel corso delle quali i dimostranti si sdraiavano sui binari. Non mancarono però anche tra i socialisti, specie nel Mezzogiorno, coloro che sostennero l'impresa. Nel complesso la guerra fu popolare e fu necessario attendere il ritorno dei reduci perché molta gente si convincesse che la Libia era effettivamente una terra povera, senza acqua e con molta sabbia.

Allora l'euforia cominciò a dissiparsi e ci si cominciò a rendere conto che la guerra, che si era trascinata assai più a lungo di quanto si fosse pensato, era costata allo Stato italiano (si parlò ufficialmente di 512 milioni) una somma che difficilmente esso avrebbe potuto ricavare dai suoi nuovi acquisti. Inoltre le tribù arabe dell'interno continuavano la guerriglia, il che richiedeva il mantenimento di un adeguato corpo di spedizione e nuove spese. Nel frattempo i contadini cui si era fatto balenare il miraggio di una terra a buon mercato potevano attendere.

I socialisti rivoluzionari non tardavano a rendersi conto di questo stato d'animo di disillusione. Nel congresso di Reggio Emilia del luglio 1912 la corrente riformista, che dal 1908 deteneva la maggioranza nel partito, uscì battuta. Quelli dei suoi esponenti che — come Bissolati e Bonomi — si erano pronunciati a favore della guerra furono espulsi e la direzione dell'« Avanti! » venne affidata al giovane Mussolini. Questi riversò nella sua nuova attività tutte le sue notevoli qualità di tribuno riuscendo a triplicare la tiratura del giornale.

L'ondata di radicalismo e di insofferenza che montava dal fondo del paese preoccupò Giolitti e l'incognita delle prossime elezioni, le prime a suffragio universale nella storia d'Italia, lo indusse a non ostacolare i numerosi accordi che i candidati liberali stipularono con i cattolici. In base a questi accordi, nei collegi in cui si profilava possibile una vittoria di un socialista, di un repubblicano o di un radicale, i cattolici si impegnavano a votare in favore dei can-

didati liberali, non senza peraltro averne ottenuto la garanzia
che essi non avrebbero votato alla Camera in favore di provvedimenti quali il divorzio e l'abolizione dell'insegnamento
religioso nelle scuole. Fu questo il cosiddetto « Patto Gentiloni », dal nome del presidente dell'Unione elettorale cattolica. A elezioni avvenute, da parte cattolica ci si poté vantare che bèn 228 candidati ministeriali eletti lo avevano sot-
toscritto. In effetti nelle province del Settentrione, laddove
i socialisti avevano le loro posizioni più forti e il clero aveva
conservato un notevole ascendente sulle masse, l'apporto dei
voti cattolici era stato cospicuo. Nel Mezzogiorno invece si
ricorse a mezzi più sbrigativi e più tradizionali e si ebbe
la prova che il sistema delle clientele e delle intimidazioni funzionava anche in regime di suffragio universale.

Comunque Giolitti era uscito dalla difficile prova con
una maggioranza abbastanza rassicurante, più di 300 deputati contro i 160 circa dei partiti di sinistra, dei quali ben
78 socialisti. I nazionalisti erano riusciti ad ottenere solo
tre mandati e i cattolici professi una trentina. Si trattava
però di una maggioranza più apparente che reale, più rab-
berciata che omogenea, composta com'era di deputati che
avevano contrattato la loro elezione con gli elettori cattolici
e di vecchi e intransigenti anticlericali, di liberali di stampo
giolittiano, favorevoli al compromesso con i socialisti, e di
« giovani liberali », una corrente politica di recente formazione che manifestava spiccate simpatie per il nazionalismo
e per le sue tendenze autoritarie. Vi era infine la consueta
palude di governativi di ogni governo, oggi fedeli a Giolitti,
domani a ogni suo successore. Giolitti se ne dovette rendere
conto subito quando, essendo stati divulgati i termini del
Patto Gentiloni che sino allora erano stati mantenuti segreti,
si trovò ad affrontare un pronunciamento dei radicali e un
ritorno di fiamma dell'anticlericalismo. Anche questa volta,
piuttosto che affrontare di petto la battaglia, preferì dimettersi convinto che, come era ormai accaduto più volte, alla
fine si sarebbe dovuto ricorrere nuovamente a lui.

Ma questa volta non sarebbe stato così, e il vecchio

statista piemontese tornerà al potere per un'ultima breve e drammatica esperienza di governo soltanto sette anni dopo, in un'Italia sconvolta dalla guerra e dalle fazioni e in una situazione profondamente mutata, che egli avrà difficoltà a comprendere. Già da ora, tuttavia, Giolitti cominciava a perdere il contatto con la realtà e a presumere troppo dalla propria abilità manovriera. Egli aveva sperato di accattivarsi con la concessione del suffragio universale le simpatie dei socialisti, ma in realtà era riuscito soltanto a alienarsi definitivamente l'appoggio dei nazionalisti e dei conservatori, mentre d'altra parte la guerra di Libia, lungi dal conciliargli le simpatie di questi ultimi, aveva provocato una rottura insanabile con i socialisti. Alla sua destra e alla sua sinistra montavano dunque l'avversione e il rancore verso l'Italietta che egli rappresentava e il vecchio stregone non riusciva più a dominare le forze profonde che aveva evocato. Il « sistema giolittiano » era definitivamente rotto. Il fatto che il suo supremo regolatore non se ne rendesse conto è una conferma di più della irreversibilità della rottura.

XI

DALLA GUERRA AL FASCISMO

L'intervento.

La prima difficile prova che il nuovo governo, a capo
del quale era Antonio Salandra, dovette affrontare fu la
« settimana rossa » del giugno 1914. Sotto questo nome un
po' troppo impegnativo si è soliti designare un moto di
piazza che, con tutti i caratteri della improvvisazione e
della spontaneità, sconvolse per una settimana il paese ed
ebbe per epicentro le Romagne e le Marche, una zona in
cui l'opposizione repubblicana, socialista e anarchica aveva
profonde radici. Fu una rivoluzione provinciale, guidata da
duci provinciali — i romagnoli Benito Mussolini, Pietro Nenni
e l'anarchico Errico Malatesta — animata da passioni provinciali e municipali, quasi una versione proletaria e popola-
resca dei moti che nel 1830-31 si erano avuti nelle stesse
regioni contro il governo pontificio. I grossi centri industriali
e operai del paese, chiamati a scendere in sciopero generale
per solidarietà con gli insorti di Ancona e delle Romagne,
risposero solo in parte all'appello del Partito socialista e della
Confederazione generale del lavoro.

Se la « settimana rossa » non era una rivoluzione, e per
certi episodi essa era stata addirittura una caricatura della
medesima, ciò non impedì che essa apparisse un minaccioso
sintomo rivoluzionario a quei conservatori che della rivoluzione avevano una visione altrettanto approssimativa quanto

quella di molti rivoluzionari del momento. Tale era Salandra, che fece inviare nelle Romagne 100.000 uomini e tale era anche il re, che rimase fortemente impressionato dai pronunciamenti repubblicani cui la « settimana rossa » aveva dato luogo. Entrambi, il presidente del Consiglio e il monarca, erano del parere che l'ora che l'Italia stava attraversando richiedesse mezzi ben più energici di quelli impiegati a suo tempo da Giolitti, e che fosse estremamente pericoloso lasciare, come questi aveva fatto in varie occasioni, che l'ondata rivoluzionaria si ritirasse da sola. Annibale era alle porte e occorreva respingere con energia il suo assalto. Le tentazioni, mai dimenticate, di una soluzione di tipo novantottesco si facevano sempre più allettanti.

Era questa la situazione interna italiana quando nel luglio 1914 piombò la notizia dell'attentato di Serajevo e dell'*ultimatum* austriaco alla Serbia. L'Italia era ancora membro della Triplice (l'alleanza era stata rinnovata di recente, nel dicembre 1912) e vi era chi — come i nazionalisti — sosteneva che essa avrebbe dovuto scendere in campo accanto ai suoi alleati per ottenere quei compensi nei Balcani che il trattato le riconosceva nel caso in questione. Ma Giolitti si affrettò a telegrafare da Parigi che l'*ultimatum* austriaco alla Serbia non costituiva, ai termini del trattato, un *casus foederis* e il governo accolse il suggerimento proclamando la neutralità italiana nel conflitto mondiale che nel frattempo era scoppiato.

Ciò accadeva nel luglio 1914. Nove mesi dopo, nell'aprile 1915, il governo italiano, rappresentato dal suo ministro degli Esteri Sidney Sonnino, stipulava a Londra, all'insaputa del Parlamento, un patto con le potenze dell'Intesa, mediante il quale esso si impegnava a entrare in guerra entro un mese, dietro la promessa ricevuta che, a vittoria conseguita, l'Italia avrebbe ottenuto il Trentino, con il Tirolo meridionale, Trieste e la Dalmazia, con l'esclusione della città di Fiume. Un mese dopo, il 24 maggio 1915, l'Italia entrava in guerra contro l'Austria.

Da parte austriaca si parlò addirittura di « tradimento ».

Se è vero che questa accusa non regge e che l'interpretazione di Giolitti del trattato della Triplice era corretta, tuttavia difficilmente chi rievochi la storia d'Italia nei mesi tra il luglio 1914 e il maggio 1915 può sottrarsi all'impressione di un brusco *revirement*. E sorge spontanea la domanda come mai un paese che da quindici anni svolgeva una politica estera di *appeasement* e che si trovava totalmente impreparato alla guerra, abbia potuto prendere ad un tratto la decisione di entrarvi. Domanda tanto più legittima in quanto è assodato che il paese nel suo complesso non voleva la guerra: non la volevano le masse influenzate dai socialisti e dai cattolici, non la voleva la maggioranza del Parlamento, non la voleva Giolitti, che rimaneva pur sempre l'uomo politico di maggior prestigio. Né è da sopravvalutare il peso che nella decisione di intervenire poterono avere gli interessi di taluni gruppi industriali — quali i siderurgici — i cui legami con il movimento nazionalista italiano erano ben conosciuti. A parte il semplicismo di spiegare la guerra con gli interessi dei mercanti di cannoni, è assodato che interessi non meno consistenti premevano in senso opposto: tra le accuse di cui Giolitti fu fatto impietosamente segno da parte degli interventisti vi era quella di essere al soldo della Banca commerciale e dei suoi capitali tedeschi.

Certo il campo degli interventisti era assai munito di nomi illustri: da quello di Luigi Albertini, direttore dell'autorevolissimo « Corriere della sera », a quello di Cesare Battisti, un socialista trentino che si era rifugiato in Italia, a quelli di Bissolati, di Salvemini, di Gabriele D'Annunzio, che era rientrato dalla Francia, insolitamente libero dalle insistenze dei creditori, per pronunciare sullo scoglio di Quarto e in Campidoglio degli infiammanti discorsi guerrafondai, a quello, infine, di Benito Mussolini. Questi, la più giovane e più rumorosa recluta dell'interventismo italiano, aveva abbandonato nel novembre 1914 il Partito socialista e aveva fondato — pare con fondi francesi — un suo giornale, il « Popolo d'Italia », sulle cui colonne, con lo zelo di un convertito, predicava le virtù rigeneratrici e rivoluzionarie della guerra. Ma le folle di studenti e di piccoli borghesi che nelle « radiose » giornate del maggio 1915 scesero sulle piazze a inveire contro Giolitti e a inneggiare alla guerra avrebbero potuto essere facilmente disperse dalla polizia, così come lo furono gli operai e i contadini che in numerose località avevano inscenato manifestazioni contro l'intervento. Se ciò non avvenne e se esse anzi furono incoraggiate nella loro azione, fu perché il governo e la corte avevano già deciso di servirsi di esse per conferire un qualche crisma di volontà popolare alla decisione che avevano preso, stipulando il Patto di Londra all'insaputa del Parlamento e del paese.

Ma perché, allora, questa decisione? La resistenza francese sulla Marna ebbe certo un peso considerevole nell'affrettare la decisione italiana e uno anche maggiore ne ebbe la persuasione, malgrado l'esperienza del primo anno di guerra, che il conflitto sarebbe stato di breve durata. Giolitti stesso, che era il più pessimista, affermava che esso non sarebbe durato tre mesi, ma neppure tre anni. Tuttavia questi argomenti non costituiscono da soli una spiegazione e l'elemento decisivo fu probabilmente la convinzione che una guerra breve e vittoriosa avrebbe facilitato, mediante l'instaurazione di una maggior disciplina nel paese, un'involuzione in senso autoritario e novantottesco dello Stato, avrebbe dato respiro alle forze della conservazione e dell'ordine costituito e allontanato le minacce sovversive. L'intervento fu perciò anche — e si sarebbe tentati di dire soprattutto — un atto di politica interna, una sorta di piccolo colpo di Stato appena rivestito di forme di legalità. I pieni poteri al governo furono votati infatti dal Parlamento con una larghissima maggioranza, ma si trattava di un Parlamento che, stretto tra le pressioni dell'Esecutivo e quelle della piazza, aveva ormai perduto la sua libertà. Fu probabilmente in vista dei riflessi interni dell'intervento che Giolitti, che pure lo avrebbe potuto, rinunciò nel maggio 1915 a condurre a fondo la sua battaglia per la neutralità. È probabile infatti, per quanto nelle sue memorie lo neghi, che egli venisse a conoscenza dei termini del Patto di Londra e che si rendesse conto che la sconfes-

sione del medesimo avrebbe significato l'esautorazione del re
che lo aveva firmato. Fino a quel punto egli, da vecchio piemontese e da servitore fedele del suo re, non era disposto
a spingersi.

L'Italia così entrava in guerra psicologicamente e militarmente impreparata. I clamori delle manifestazioni interven-
tiste e della retorica dannunziana si sarebbero presto dile-
guati a mano a mano che i primi treni-ospedale ritornavano
dal fronte.

L'Italia in guerra.

Dal punto di vista militare la guerra che si trascinò
per tre anni contro l'Austria e per due contro la Germania
(la dichiarazione di guerra a quest'ultima avvenne in un secondo tempo, nell'agosto 1916) fu soprattutto una guerra
di posizione e di logoramento. Fino all'ottobre 1917 infatti,
nonostante gli sforzi offensivi di entrambi i contendenti, degli italiani sull'Isonzo e degli austriaci lungo la valle del-
l'Adige e l'altopiano di Asiago, la linea del fronte aveva subito scarsi mutamenti. L'unico di qualche rilievo era stato la
presa da parte italiana della città di Gorizia nell'agosto 1916.
Nell'ottobre 1917 le truppe austriache e tedesche, in seguito
al collasso del fronte russo, riuscirono però a spezzare il
fronte italiano a Caporetto e a dilagare nella pianura veneta.
La loro avanzata poté essere arrestata solo sul Piave, dove
gli eserciti italiani si attestarono e resistettero valorosamente,
sino a che nel novembre del 1918 lo sfacelo dell'impero
austro-ungarico e il disfacimento del suo esercito non gli permisero di riprendere l'offensiva e di entrare vittoriosamente
a Trento e a Trieste. Nel complesso l'esercito italiano, che
lasciò sul campo di battaglia 600.000 morti, si era battuto
bene e i contadini scaraventati nelle trincee avevano fatto il
loro dovere con la stessa rassegnata determinazione con cui
da civili attendevano alla loro quotidiana fatica. Anzi, se si
considera che, almeno nei primi due anni di guerra, l'eser-

cito italiano era tra i meno preparati ed armati e i peggio comandati tra quelli che combattevano sui vari fronti d'Europa, non si può non rendere omaggio alla tenacia e all'abnegazione del soldato italiano. All'inizio delle ostilità infatti le forze armate italiane difettavano di cannoni, di mitragliatrici, di camion, di ufficiali. Questi ultimi dovettero essere in buona parte improvvisati in tutta fretta con i risultati che ben si possono immaginare. Quanto allo stato maggiore e al generale Cadorna che ne fu a capo fino alla disfatta di Caporetto, essi furono spesso impari ai compiti loro affidati e le incompatibilità di carattere esistenti tra alcuni dei suoi maggiori esponenti non contribuirono certo a migliorarne l'efficienza. La disfatta di Caporetto, per la quale Cadorna chiamò in causa il « disfattismo » che, alimentato dai « rossi » e dai « neri », serpeggiava nelle file dell'esercito, fu piuttosto e prevalentemente l'effetto della mancanza di coordinamento tra i comandi delle varie armate.

I riflessi della guerra, di una guerra che era durata al di là di ogni più pessimistica previsione, sul piano interno furono enormi e di portata difficilmente calcolabile. Non dimentichiamo che lo Stato italiano era nel 1914 ancora uno Stato giovane e gracile, che solo tre anni prima aveva celebrato il cinquantennio della sua esistenza, e che perciò una prova come quella che esso era chiamato a affrontare non poteva non provocare in esso profondi sconvolgimenti. Lo sforzo bellico richiese innanzitutto un corrispondente sforzo dell'apparato produttivo industriale. Bisognava rifornire l'esercito di quei cannoni, di quelle armi, di quei mezzi di trasporto di cui difettava, bisognava vestire e calzare i milioni di uomini che svernavano nelle trincee. Tutti i settori principali dell'industria italiana lavorarono a pieno ritmo: la produzione di automobili, che era di 9.200 unità l'anno nel 1914, raggiunse nel 1920 le 20.000 unità, mentre la produzione dell'energia elettrica fu quasi raddoppiata. Considerevolissimi aumenti registrò pure quella dell'industria siderurgica. In un'economia di guerra, in cui le nozioni di mercato e di prezzo di mercato erano praticamente abolite, i profitti naturalmente non mancarono e si ebbero spettacolosi aumenti di capitale: per citarne uno solo, la Fiat aumentò il suo dai 17 milioni del 1914 ai 200 del 1919, un aumento considerevolissimo, anche tenuto conto del forte processo inflazionistico in atto. Ne risultò che i tratti tipici del capitalismo italiano — il suo alto grado di concentrazione, la compenetrazione tra banca e industria, la dipendenza dalle ordinazioni di Stato, le intese settoriali per la regolazione del mercato — si trovarono ad esserne ingigantiti. I grandi *trusts* dell'Ilva, dell'Ansaldo e le grandi banche cui essi facevano capo — Banca commerciale, Credito italiano, Banco di Roma, Banca di sconto — si erano ritagliati intere province dell'economia nazionale, al punto che un economista liberale, Riccardo Bachi, poteva scrivere nel 1919 che l'economia italiana era dominata da una « ristretta brigata di pochi grandi finanzieri e di pochi grandi industriali ». Essi erano ormai delle autentiche baronie con le quali lo Stato ogni giorno era costretto a patteggiare.

Quest'ultimo subì anch'esso un processo di profonda trasformazione. Esso divenne innanzitutto uno Stato più autoritario, in cui le ragioni dell'esecutivo prevalevano sistematicamente su quelle del potere legislativo. Certo il Parlamento si radunava ancora, per quanto più raramente, e si ebbero anche discussioni sulla fiducia e crisi di governo: nel giugno 1916, dopo l'offensiva austriaca sull'altopiano d'Asiago, il gabinetto Salandra dovette cedere il posto a un gabinetto di coalizione e di unione nazionale presieduto dal Boselli, e nell'ottobre 1917, dopo Caporetto, fu la volta di un nuovo ministero presieduto da Vittorio Emanuele Orlando. Tuttavia, tranne queste occasioni solenni in cui era chiamato a dar prova della propria solidarietà e del proprio patriottismo, il Parlamento durante la guerra lavorò poco e ad esso era praticamente sottratto ogni potere di controllo. Ce n'è testimone Giolitti che nelle sue memorie non esitò a scrivere che « i poteri governativi avevano di fatto soppressa l'azione del Parlamento italiano in un modo che non aveva riscontro negli altri Stati alleati » e che « ogni discussione di bilancio,

ogni controllo sulle spese dello Stato era stato soppresso »
e « il Parlamento era tenuto all'oscuro circa gli impegni finanziari ». La stampa, specie quella di opposizione e socialista, non versava in acque migliori e spesso i giornali vedevano la luce con intere colonne in bianco a causa dei rigori
della censura. Per gli elementi giudicati sovversivi e disfat-
tisti vi potevano essere poi il confino di polizia e il domicilio
coatto.

Ma, se lo Stato italiano del tempo di guerra era uno
Stato più autoritario, esso non era però uno Stato forte
nel senso che comunemente si attribuisce a questo termine,
rigoroso cioè, ma efficiente. Le molteplici esigenze della guerra
avevano fatto sì che la sua precedente struttura, articolata
in pochi ministeri secondo lo schema classico dello Stato
liberale, avesse dovuto essere integrata e profondamente modificata. Si crearono nuovi ministeri, una quantità di enti e
di commissariati, si montò la complessa macchina del Comitato per la mobilitazione industriale, il quale, retto da un
generale, aveva il compito di soprintendere alla produzione
di tutti gli stabilimenti (erano complessivamente 1.996) impegnati nelle forniture militari. La fretta con la quale questo
processo di trasformazione della macchina dello Stato fu realizzato dette luogo a un accavallarsi di competenze e di uffici
e favorì il frazionamento dell'apparato statale in una serie
di feudi e di compartimenti stagni in cui, come scriverà Antonio Gramsci, « gli autocrati si moltiplicano per generazione
spontanea » e ognuno di essi « fa, disfa, accavalla, distrugge ».
Anche il personale dirigente portato alla ribalta dalla guerra
era estremamente eterogeneo, formato com'era da uomini della
vecchia burocrazia ministeriale, da militari e da capitali d'industria promossi da un giorno all'altro ad altissime responsabilità pubbliche. Da tutti questi contratti e relazioni emer-
geva anche una nuova mentalità dei ceti dirigenti: gli industriali imparavano dai militari a usare il pugno di ferro
nelle fabbriche, i militari imparavano dagli industriali il gusto dell'iniziativa, i politici imparavano dagli uni e dagli altri.
Se non si tiene presente questa complessa trasformazione

dello Stato, che lo rese al tempo stesso più autoritario e più inefficiente, più « collettivista » e più esposto alle pressioni dei grandi interessi privati, riesce difficile comprendere come si siano potute verificare le protezioni, le complicità, le vacanze di pubblici poteri che renderanno possibili episodi come l'impresa di D'Annunzio a Fiume o l'impunità delle violenze fasciste. La guerra, in altri termini, aveva letteralmente scardinato le strutture dello Stato liberale e ne aveva minato il superstite prestigio; e ciò proprio nel momento in cui vastissimi strati sociali, il cui mondo era stato sino allora circoscritto entro un orizzonte provinciale, venivano costretti dalla forza delle cose a prendere coscienza del loro destino comune e dell'esistenza di una collettività nazionale.

L'Italia umile e provinciale, l'Italia di coloro per cui il problema primo era quello di tirare avanti e che si muovevano dal loro paese e dal loro campanile solo per andare in America, si trovò coinvolta nella guerra e i suoi figli poveri seppero di essere cittadini solo quando si trovarono vestiti da soldati e furono mandati a combattere nelle trincee. Si può dire anzi che un'opinione pubblica nazionale, nel senso più largo del termine, nacque in Italia solo con la prima guerra mondiale, la prima grande esperienza collettiva del popolo italiano. Ciò equivale a dire che questa opinione pubblica nacque sotto il segno di una profonda lacerazione e esasperazione: d'ora in poi quando un contadino dovrà pensare alla « patria », il suo pensiero correrà spontaneamente alla sola che egli avesse conosciuto, quella delle stellette e delle trincee, dei sacrifici e delle umiliazioni. Per contro nella mente del piccolo borghese, dell'ufficiale di complemento, il concetto di patria, sia pure con segno inverso, rimarrà associato con quello di guerra: l'Italia sarà per lui l'Italia di Vittorio Veneto, celebrata con tutti gli orpelli della retorica dannunziana. Si formavano così due tipi di blocchi psicologici: per gli uni essere italiani, essere patrioti significava anche essere dannunziani e interventisti; per gli altri essere democratici, rivoluzionari, essere repubblicani significava anche, in maggiore o minor misura, essere rinunciatari o « caporettisti ». Gli amari frutti di questa lacerazione dell'opinione pubblica sarebbero presto apparsi in piena luce nel dopoguerra.

La guerra vittoriosa non aveva risolto nessuno degli annosi problemi della società italiana, anzi li aveva tutti aggravati e ingiganititi. Un apparato produttivo estremamente concentrato e squilibrato, una macchina statale cresciuta troppo in fretta, improvvisata, fatta a compartimenti stagni e quindi largamente infeudata agli interessi dei più forti gruppi economici; un personale dirigente largamente rinnovato e eterogeneo, tenuto insieme da una comune inclinazione verso soluzioni autoritarie; un'opinione pubblica formatasi sotto il segno della guerra e dell'esasperazione: la vecchia incongruenza italiana si riproduceva ancora, a un livello più alto, a un livello di tragedia.

Una rivoluzione mancata?

L'euforia della vittoria passò ben presto. Quando nell'aprile del 1919 il presidente del Consiglio Orlando e il ministro degli Esteri Sonnino abbandonarono la conferenza di Parigi in atteggiamento di protesta per la scarsa considerazione degli interessi italiani da parte delle altre potenze vincitrici, il senso di delusione che da tempo serpeggiava nel paese dilagò rapidamente e il governo fu costretto a rassegnare le dimissioni.

Nasceva così il mito della vittoria mutilata. In realtà i trattati di pace, che furono successivamente firmati dal nuovo governo, attribuirono all'Italia non soltanto il Trentino e la città di Trieste, le rivendicazioni cioè tradizionali dell'interventismo, ma anche l'Alto Adige con la sua forte minoranza tedesca e l'Istria con la sua fortissima minoranza slava. Rimaneva aperta con il nuovo Stato iugoslavo la questione della Dalmazia, che il Patto di Londra aveva assegnato all'Italia, e della città di Fiume, che invece secondo i termini dello stesso patto e il punto di vista degli alleati e di Wilson, avrebbe dovuto essere costituita in città libera. L'insistenza da parte italiana per ottenere entrambi questi obiettivi non predispose certo gli alleati a suo favore e ciò spiega l'insuccesso finale su questo punto della diplomazia italiana. Del resto molti uomini politici italiani, tra i quali il Bissolati, erano anch'essi del parere che, in omaggio al principio di nazionalità, fosse conveniente rinunziare alla Dalmazia. Nel complesso dunque non si trattava certo di una Caporetto diplomatica, per quanto, se il governo italiano avesse seguito una linea più rettilinea e tenuto un atteggiamento meno ambizioso, è probabile che il trattato di pace avrebbe potuto essere più favorevole per l'Italia. Comunque il senso di delusione che tra l'aprile e il giugno 1919 si diffuse nel paese (si rinunciò persino a commemorare la data dell'entrata in guerra) e il mito stesso della vittoria mutilata avevano origini più lontane e più profonde che i recenti insuccessi diplomatici. Questi non furono che la classica goccia che fa traboccare il vaso.

Passata la tempesta l'Italia si rendeva conto di essere rimasta un paese povero e, per di più, fortemente indebitato con i suoi alleati. I contadini, tornati dalla guerra, trovavano la stessa miseria che vi avevano lasciato, campi peggio lavorati e stalle più vuote, e per i brillanti ufficiali di complemento la prospettiva — davvero poco esaltante per chi aveva combattuto tre anni in trincea — di un risicato stipendio di moneta inflazionata non era certo delle più allettanti. Per questo si era dunque combattuto? Per questo 600.000 italiani avevano immolato la loro vita?

Dal porsi queste domande al rispondere che la guerra, con le sue perdite, i suoi sperperi e le sue speculazioni, era stata una follia, il passo era breve e molti italiani lo compirono. Non aveva del resto il papa regnante nel terribile anno del 1917 rivolto un pressante appello ai governanti perché mettessero fine alla « inutile strage »? E tale ora, a conti fatti, la guerra appunto si rivelava. Una possente ondata di fondo investiva lo Stato italiano e la sua classe dirigente, e coloro che avevano sperato che l'intervento in guerra avrebbe scongiurato una rivoluzione, assistevano atterriti al montare di un fermento rivoluzionario che prendeva ogni giorno di più un aspetto travolgente e minaccioso.

Pochi anni — e forse nessun altro tranne il 1943 — della storia dell'Italia moderna sono, come il 1919, anni di profonda e generale crisi della società e dello Stato e di fermento rivoluzionario. Tutto il mondo del lavoro era in agitazione: le cifre degli iscritti ai sindacati, che prima della guerra si contavano per centinaia di migliaia, si contavano ora per milioni e quelle degli scioperi e degli scioperanti sorpassavano di gran lunga la punta massima raggiunta negli anni 1901-1902. Scioperavano gli operai delle fabbriche, riuscendo ad ottenere sensibili miglioramenti salariali e la giornata di lavoro di otto ore, scioperavano gli addetti ai servizi pubblici — i ferrovieri, i postelegrafonici —, scioperavano i braccianti della Valle padana e i mezzadri delle regioni dell'Italia centrale, scioperavano persino i fedelissimi impiegati dei ministeri. Nelle campagne del Lazio e dell'Italia meridionale i contadini, reduci dalla guerra, organizzati e incoraggiati dalle associazioni che si erano costituite fra gli ex-combattenti, occupavano le terre dei proprietari fondiari e costringevano il governo a legalizzare in qualche modo il fatto compiuto. Nel giugno varie città furono teatro di violente agitazioni contro il carovita, che assunsero in taluni casi aperto carattere insurrezionale, e nel luglio uno sciopero generale, sia pure con successo limitato, venne attuato in segno di solidarietà con la Russia rivoluzionaria. Nel settembre fu poi la volta del colpo di mano di D'Annunzio su Fiume, attuato con la connivenza delle· autorità militari. Si trattava, come vedremo, del primo passo di quella sovversione da destra dello Stato che sarebbe culminata con la marcia su Roma di Mussolini, ma ciò non impedì che nel momento della sua attuazione esso venisse salutato anche da sinistra come un nuovo sintomo della situazione rivoluzionaria esistente e come una prova che il germe dell'insubordinazione era penetrato anche nei ranghi dell'esercito. Vi fu anzi addirittura chi giunse a vagheggiare il progetto di un congiungimento tra la sovversione nazionalista di D'Annunzio e il fermento rivoluzionario delle masse e si ebbero a questo fine contatti tra il poeta-soldato e alcuni esponenti del socialismo e dell'anarchismo italiano. La sensazione che lo Stato liberale avesse ormai i giorni contati e si trovasse in stato di decomposizione era ormai generale e quando, nel novembre 1919, vennero indette le elezioni politiche — le prime nella storia d'Italia a essere tenute col sistema della proporzionale — una parte di quegli elettori che tradizionalmente votavano per i candidati dell'ordine e del governo preferirono rimanere a casa, convinti che ormai ogni sforzo era inutile e paralizzati dalla paura dell'imminente inevitabile tracollo. Di fatto le elezioni confermarono, almeno in parte, questi timori: dalle urne uscì infatti vittorioso il Partito socialista con 1.756.344 voti e 156 deputati, seguito a distanza dal Partito popolare italiano, che si era costituito di recente e che ottenne 1.121.658 voti e più di cento deputati, cogliendo in tal modo il premio per l'atteggiamento che il mondo cattolico nel suo complesso aveva tenuto nei confronti della guerra. Se ancora una volta il Mezzogiorno, con le sue clientele e i suoi notabili, non avesse riversato un cospicuo numero di voti sulle liste dei candidati governativi, la sconfitta della vecchia classe dirigente avrebbe assunto proporzioni catastrofiche. Nei grandi centri industriali del Nord e nelle fertili campagne della Bassa padana, nelle zone nevralgiche cioè del paese, l'affermazione del Partito socialista era stata infatti clamorosa.

A quest'ultimo però faceva difetto ogni chiara visione della situazione e delle sue possibilità di sviluppo. Si è spesso affermato che il principale *handicap* del Partito socialista italiano nel periodo del primo dopoguerra fu la sua divisione interna tra la corrente massimalista, che deteneva la maggioranza e proclamava apertamente i suoi propositi rivoluzionari, e la corrente riformista propensa invece, come sempre, a una politica di riforme e di collaborazione con i settori più avanzati dei partiti borghesi. Partendo da questa affermazione si è potuto sostenere che, se non vi fosse stato

il « tradimento » dei riformisti, la rivoluzione in Italia si
sarebbe fatta, oppure inversamente che, se non ci fossero
state la impazienza e la demagogia massimalista, si sarebbe
potuta avviare una seria politica di riforme e prevenire la
vittoria del fascismo.

In realtà non fu il contrasto tra due possibili politiche
a paralizzare l'azione del Partito socialista italiano, quanto
piuttosto l'assenza di una qualsiasi linea politica. Né i mas-
simalisti operarono seriamente in senso rivoluzionario, né i
riformisti in senso riformista. Al velleitarismo dei Bombacci,
dei Lazzari e, anche, dei Serrati, che ogni giorno rimanda-
vano a domani quella rivoluzione che seguitavano a proclamare inevitabile, faceva riscontro, sull'altro versante, la riluttanza dei riformisti e di Turati in particolare ad assumersi
responsabilità precise e il loro timore che, andando al governo, i socialisti si trovassero coinvolti nella bancarotta dello
Stato borghese. Comune poi a tutto il Partito socialista era
l'insensibilità nei confronti della nuova situazione che, in seguito alla guerra, si era determinata nelle campagne, dove
era in atto una vera e propria corsa alla terra da parte di
quei contadini che con il blocco dei canoni agrari e con
il rincaro dei prodotti agricoli erano finalmente in grado di
saziare la loro antica fame di terra. Si pensi che tra il censimento del 1911 e quello del 1921 la percentuale dei piccoli
proprietari sul totale della popolazione salì dal 21 al 35,6
per cento. Sventolando la bandiera della socializzazione della
terra e dell'esproprio generale, i socialisti finirono per alienarsi larghi settori del mondo contadino: nessuno di essi
probabilmente sapeva che Lenin, per il quale pure professa-
vano grandissima ammirazione, non aveva esitato, per la causa
della rivoluzione, a far proprio il programma agrario dei
socialrivoluzionari basato sulla moltiplicazione della piccola
proprietà. L'incomprensione del problema contadino si accompagnava presso i dirigenti socialisti con un'ostilità precon-
cetta verso il Partito popolare e le sue organizzazioni sindacali, che proprio nelle campagne avevano la loro base e la
loro forza. In luogo di cercare di attrarre nel campo rivo-

luzionario le organizzazioni e gli uomini più avanzati del mondo cattolico, e di rompere così il vincolo confessionale che teneva unite nel Partito popolare forze socialmente e politicamente eterogenee, il Partito socialista con il suo tradizionale anticlericalismo contribuì a rinsaldare questo vincolo e a rendere difficile una collaborazione tra sindacati e lavoratori socialisti e sindacati e lavoratori cattolici.

Il solo gruppo che si ponesse con serietà i problemi di quella rivoluzione italiana che altri si limitavano a vaticinare imminente e inevitabile, fu quello che si raccolse intorno al settimanale torinese « L'Ordine nuovo » e del quale faceva parte Antonio Gramsci, Angelo Tasca e Palmiro Togliatti. Torino era senza alcun dubbio la più proletaria delle città italiane e i suoi operai certamente il reparto più avanzato del proletariato italiano. Nell'aprile 1917 essi avevano accolto al grido di « Viva Lenin » i delegati menscevichi venuti in Italia per predicare la necessità della continuazione della guerra, e nell'agosto dello stesso anno erano stati i protagonisti di una sommossa contro il carovita e contro la guerra che dovette essere repressa con l'invio delle truppe e alla maniera forte. In alcune delle principali fabbriche torinesi — e in particolare alla Fiat — essi avevano poi costituito, sul modello dei *soviet*, dei Consigli di fabbrica, nei quali gli uomini dell'« Ordine nuovo » non tardarono a scorgere gli strumenti più idonei di lotta rivoluzionaria e, a vittoria ottenuta, di autogoverno operaio, additandoli ad esempio a tutto il proletariato italiano. Il movimento torinese dei Consigli di fabbrica costituiva certo l'avanguardia del movimento rivoluzionario italiano, il suo reparto più avanzato e più cosciente, ma come tutte le avanguardie poteva essere facilmente isolato e battuto. Gli industriali che, tra la fine del 1919 e gli inizi del 1920 erano venuti riavendosi delle sconfitte subite e avevano trasformato la loro associazione di categoria — la Confindustria — in un vero e proprio stato maggiore controrivoluzionario, lo compresero e scelsero perciò Torino come campo di battaglia per gli inizi della loro controffensiva. Dal grande sciopero dell'aprile 1920, cui essi furono costretti e provocati dall'iniziativa padronale, i metallurgici torinesi uscirono sconfitti e a Gramsci toccava di constatare che la speranza di fare di Torino la Pietrogrado italiana si era rivelata infondata e che il ritmo della vita italiana nel suo complesso era ben lungi dal battere all'unisono con quello della sua avanguardia. Era il primo passo di quella lunga e difficile meditazione politica che lo avrebbe portato, nelle carceri fasciste, a delineare nei suoi *Quaderni* il progetto di una rivoluzione italiana più aderente alla varia e contraddittoria realtà di un paese ricco di squilibri e di contrasti.

La sconfitta dello sciopero dei metallurgici torinesi segnò l'inizio del ripiegamento dell'ondata rivoluzionaria che aveva sconvolto la società italiana. La carica rivoluzionaria era ancora forte, ma le forze della conservazione si venivano ormai riorganizzando e già accennavano a passare decisamente alla controffensiva. Si entrava ora in un periodo di incertezza e di equilibri precari, un periodo che — Gramsci fu uno dei pochi a rendersene conto — si sarebbe potuto concludere soltanto con una soluzione definitiva: o con una rivoluzione o con una reazione altrettanto radicale e violenta.

Crisi economica e origini del fascismo.

Nel corso del tormentato anno 1919 e dei primi mesi del 1920 a capo del governo era Francesco Saverio Nitti, un uomo politico meridionale di notevole spregiudicatezza mentale e di profondi studi, fornito di una competenza nelle questioni economiche inconsueta per un presidente del Consiglio italiano, ma privo di quel polso e di quell'energia che i tempi richiedevano.

Uomo di profonde convinzioni democratiche, Nitti tentò di ottenere l'appoggio e la collaborazione delle sinistre, ma riuscì solo a inimicarsi le destre e gli ambienti militari che esecravano in lui l'uomo che aveva concesso l'amnistia ai disertori. La sua debolezza apparve chiara poi al momento del colpo di mano di D'Annunzio su Fiume, verso il quale egli mantenne un atteggiamento indeciso e equivoco. Quando, nel giugno 1920, il ministero Nitti fu costretto alle dimissioni, l'unico uomo politico che disponesse di un prestigio sufficiente per governare il paese in un'ora così difficile era il vecchio Giolitti, colui che non aveva nascosto la sua avversione all'intervento dell'Italia in guerra e che per cinque anni aveva saputo tenersi in disparte in attesa della sua rivincita. Ritornare a Giolitti significava, dopo tante traversie e tante avventure, tornare alla saggezza e alla normalità della vecchia Italia prebellica e, per un momento, parve veramente che il vecchio statista piemontese potesse compiere il miracolo di risuscitare il passato.

Fedele alla sua antica avversione a ogni politica estera imperialista e avventurosa, Giolitti si adoperò innanzitutto a liquidare la ancora aperta questione adriatica, stipulando con la Jugoslavia, nel novembre 1920, un trattato in base al quale l'Italia rinunciava alle sue rivendicazioni sulla Dalmazia in cambio del riconoscimento della sua sovranità su tutta l'Istria e sulla città di Zara, mentre Fiume veniva eretta in Stato indipendente. D'Annunzio dovette *bon gré mal gré*, accettare il fatto compiuto e nel dicembre egli e i suoi « legionari » abbandonarono la città istriana. Un pericoloso focolaio nazionalistico, che aveva notevolmente contribuito a surriscaldare e ad avvelenare l'opinione pubblica, era così eliminato. Questo successo in politica estera era stato preceduto da un altro e ben più vistoso nel campo della politica interna. Nel settembre del 1920 i metallurgici, impegnati da tempo in una controversia sindacale coi rispettivi datori di lavoro, avevano occupato le fabbriche innalzando su di esse la bandiera rossa e presidiandole in armi, e per alcuni giorni era parso che l'ora della rivoluzione fosse finalmente scoccata. Giolitti, come già in occasione dello sciopero generale del 1904, si rese invece immediatamente conto che — come di fatto avvenne — i dirigenti socialisti e della Confederazione generale del lavoro non avrebbero osato spingere fino alle ultime conseguenze un movimento che non aveva del resto reali possibilità di sbocco rivoluzionario, e seppe temporeggiare sino a quando le due parti in lotta si decisero ad accettare la sua mediazione e ad addivenire a un accordo che salvava la faccia ad entrambe.

Sembrava veramente che le convulsioni del dopoguerra fossero finite e che l'Italia, sotto la guida del più saggio dei suoi statisti, tornasse a incamminarsi per quella strada che aveva battuto con successo nel primo decennio del secolo.

Ma non fu così. Dopo il tumultuoso e euforico sviluppo degli anni di guerra, in coincidenza con la fase discendente del ciclo che caratterizza l'immediato dopoguerra, l'economia italiana stava entrando infatti in un periodo di crisi acuta e generale. La produzione ristagnava e le difficoltà di alcune delle maggiori industrie coinvolsero ben presto le banche finanziatrici. Nel dicembre 1921 la Banca di sconto chiudeva gli sportelli, coinvolgendo nel suo dissesto migliaia di piccoli risparmiatori e creando la sensazione che si fosse tornati ai tempi degli scandali bancari di fine secolo. Nel frattempo gli indici della disoccupazione non cessavano di salire, mentre parallelamente scemavano quelli degli scioperi. La principale vittima della crisi fu il movimento sindacale che vide enormemente ridotti i propri effettivi e i propri margini di manovra e di successo. La stagnazione in cui si trovò costretto acuì naturalmente nel campo socialista le divergenze e gli attriti che già in precedenza si erano manifestati in occasione dell'occupazione delle fabbriche e dello sciopero di Torino dell'aprile. In questo clima maturarono le scissioni a catena nel partito. La prima e la più ricca di conseguenze fu quella della sua ala sinistra, che nel gennaio 1921 si staccò e costituì il Partito comunista d'Italia, una piccola pattuglia il cui radicalismo estremista non lasciava certo presagire le fortune che le sarebbero arrise in seguito. Alla scissione comunista seguì nell'ottobre 1922 quella dei riformisti, di modo che al momento dell'avvento del fascismo al potere il vecchio e glorioso Partito socialista italiano si presentava diviso in tre tronconi.

Debilitante per il movimento operaio socialista, la crisi economica ebbe invece un effetto galvanizzante e corroborante per la « reazione italiana », intendendo con questo termine tutti quei ceti e tutti quei gruppi — militari, industriali, agrari — che avevano assistito impotenti all'ondata sovversiva del 1919 e sognavano il ritorno alla disciplina e all'ordine dello Stato del periodo di guerra. La crisi dei sindacati e del movimento socialista, la delusione e lo smarrimento che ormai serpeggiavano nelle masse, fecero loro intravvedere la possibilità di una soluzione autoritaria e definitiva. Giolitti, con la sua tradizionale politica di equilibrio, appariva ormai un sorpassato. Occorreva un uomo dal polso più energico e dalle vedute più coraggiose che, in luogo di un equilibrio precario e instabile, fosse in grado di assicurarne al paese uno duraturo e definitivo.

Quest'uomo, come è noto, fu trovato nella persona di Benito Mussolini. Dopo la sua clamorosa uscita dal Partito socialista e il suo passaggio al campo interventista, l'esuberante romagnolo si era arruolato nell'esercito e vi era rimasto quel tanto che bastava per fregiarsi poi del titolo di ex-combattente e di ferito di guerra, sebbene sembri assodato che egli non sia mai stato in prima linea e che la sua ferita fosse da imputarsi a un accidente nel corso di un'esercitazione. Quindi era tornato alla direzione del « Popolo d'Italia » e nel 1919 aveva fondato il movimento fascista. Per la verità questo nuovo raggruppamento politico, composto com'era di elementi sbandati e di avventurieri e fondato su di un programma estremamente eterogeneo e demagogico, era un tipico sottoprodotto del disorientamento del dopoguerra e quel po' di prestigio che godeva gli proveniva, per luce riflessa, dall'impresa dannunziana di Fiume, della quale Mussolini si era fatto uno dei procuratori e banditori più rumorosi. Nelle elezioni del novembre 1919 i fascisti riuscirono a mettere insieme una lista nella sola circoscrizione di Milano e vi ottennero un quoziente irrisorio, poco più di 4.000 voti. Fu in questa occasione che Mussolini pensò di abbandonare la milizia politica e di dedicarsi a una qualsiasi altra delle molteplici attività, dall'aviazione al teatro, per le quali si credeva dotato.

Anche nel primo semestre del 1920 il movimento fascista rimase un fenomeno nel complesso circoscritto e di scarso rilievo. La sola città italiana dove riuscì a sfondare fu Trieste, in un ambiente cioè ·che costituiva per molti aspetti un'eccezione: la vicinanza di Fiume, il regime di amministrazione militare cui la città era sottoposta e, soprattutto, l'esistenza di uno stato di tensione cronica tra popolazione slava e popolazione italiana, che la fine della mediazione austriaca aveva reso parossistico, facevano infatti di Trieste un terreno estremamente propizio per un movimento accentuatamente nazionalista, quale era quello fascista. Con la compiacente complicità delle autorità locali, le prime squadre fasciste potettero devastare i ritrovi della popolazione slava, assalire le Camere del lavoro e stringere d'assedio i quartieri popolari, nell'attesa di poter applicare questi metodi al resto del paese.

Questa attesa però sarebbe stata certamente frustrata se il sopraggiungere della crisi economica non avesse creato nel paese una situazione estremamente propizia per gli sviluppi del movimento fascista. La affievolita capacità di resistenza del movimento operaio, le accresciute e confortate propensioni autoritarie dei ceti dirigenti e delle classi privilegiate, lo sbandamento e la disponibilità di larghe masse di disoccupati, il *refoulement* della piccola borghesia nei confronti del movimento operaio e socialista: tutto concorse a facilitare i primi passi e le prime affermazioni del fascismo. L'indubbia abilità e fiuto politico di Mussolini e la profonda crisi dello Stato e della classe dirigente liberale fecero il resto. La crisi economica, lungi, come taluni avevano sperato o .temuto, dal generare la rivoluzione, generava invece la reazione: la situazione dell'Italia tra il 1921 e il 1922 costituisce così per molti aspetti un'anticipazione di quella che si determinerà in Germania negli anni immediatamente precedenti l'avvento del nazismo.

L'avvento del fascismo al potere.

Il debutto in grande stile delle squadre fasciste avvenne a Bologna, roccaforte socialista, il 21 novembre 1920. In occasione dell'insediamento della nuova amministrazione comunale socialista, i fascisti bolognesi riuscirono a provocare gravissimi incidenti e a suscitare nella città un clima di guerra civile. Cominciò da allora nelle campagne dell'Emilia e della Toscana una spietata guerriglia delle squadre fasciste contro le organizzazioni socialiste e dei lavoratori, che si venne poi estendendo anche alle altre regioni del paese. Nei primi mesi del 1921 non passò praticamente giorno senza che i giornali riportassero notizia di una Camera del lavoro incendiata, di una cooperativa saccheggiata, di dirigenti socialisti, o anche repubblicani e popolari, costretti a bere l'olio di ricino e « banditi » dalla loro città. Era una guerra provinciale, con tutta la faziosità e l'accanimento delle lotte di provincia, ma soprattutto era una guerra di classe condotta senza risparmio di colpi. L'odio che gli agrari emiliani, finanziatori delle squadre d'azione, nutrivano contro i loro contadini non era minore di quello che i nazionalisti triestini nutrivano verso la popolazione slava, un odio istintivo, quasi razziale.

Il successo delle spedizioni punitive e dei *raids* fascisti non sarebbe però stato possibile senza l'omertà e, a volte, la complicità dell'esercito e dell'esecutivo. Molti prefetti e generali fecero a gara nel chiudere gli occhi di fronte alle violenze e alle aggressioni fasciste, salvo poi a infierire con particolare severità nei confronti dell'eventuale reazione da parte avversa. Responsabilità particolarmente gravi nella protezione dello squadrismo gravano poi sulle spalle del ministro della Guerra nel gabinetto Giolitti, l'ex-socialista Ivanoe Bonomi, il quale nel luglio 1921 divenne presidente del Consiglio. Tuttavia il fatto che militari, prefetti, ministri e lo stesso Giolitti favorissero o almeno non ostacolassero l'azione dei fascisti non deve essere assunto come un indice

e una prova che la classe politica italiana era ormai disposta
ad accettare la fascistizzazione dello Stato e fosse rassegnata
alla piega degli eventi. Comune a molti uomini politici di
allora era infatti la convinzione che il fascismo, per l'eterogeneità del suo programma e della sua composizione sociale,
per il suo carattere stesso di fenomeno più emotivo che politico, avrebbe avuto breve vita e si sarebbe dissolto dall'interno. Nell'attesa lo si poteva ben utilizzare, salvo poi a sba-
razzarsene al momento giusto.

Anche Mussolini era pienamente consapevole della in-
tima debolezza e contraddittorietà del movimento fascista.
A differenza di D'Annunzio, non credeva alla retorica delle
proprie parole ed era ben lungi dallo scambiare i propri
desideri e le proprie velleità per realtà. Ben presto comprese che, senza una prospettiva concreta e ravvicinata, il
fascismo avrebbe finito per entrare in crisi e per dissolversi
appena passata l'effimera congiuntura politica che lo aveva
tenuto a battesimo. Questa prospettiva non poteva essere
che quella del potere e della immedesimazione tra il movimento fascista e lo Stato. Per raggiungere questo fine era
però necessario rendere il fascismo più « rispettabile », de-
purarlo degli elementi più estremisti. Ed ecco Mussolini tra
l'estate e il novembre 1921 condurre all'interno del suo partito una vittoriosa battaglia contro le correnti di « sinistra »
del fascismo, facenti capo a Dino Grandi, un ex-repubbli-
cano romagnolo; eccolo rassicurare la monarchia, mettendo
la sordina prima e rinnegando poi esplicitamente i precedenti pronunciamenti repubblicani; eccolo accattivarsi la fiducia degli industriali con dichiarazioni di liberismo economico integrale; eccolo infine abbandonare il proprio vecchio anticlericalismo e ragionare della missione cattolica e
universale di Roma. Da parte del Vaticano non si era del
resto completamente insensibili a questi allettamenti: il nuovo
papa Pio XI, eletto nel febbraio 1922, contribuì, ritirando
l'appoggio della Chiesa al Partito popolare italiano e al suo
battagliero capo, don Sturzo, alla vittoria finale del fascismo.

A mano a mano che il fascismo si rendeva più rispet-

tabile agli occhi dei benpensanti, cadevano le preclusioni e
gli argini elevati contro di esso. Uno dopo l'altro, gli uomini
della vecchia classe dirigente liberale — primo fra tutti Salandra, il presidente dell'intervento — cedevano le armi o
passavano addirittura dalla parte dei fascisti. Taluni, come
Giolitti, conservarono sino all'ultimo l'illusione di poter dominare la situazione e s'impegnarono in un difficile gioco
di schermaglie, di trattative e di mercanteggiamenti del quale
Mussolini tirava abilmente le fila: a ogni « vittoria » squa-
drista, a ogni colpo riuscito egli alzava il prezzo delle sue
richieste. Trascorsero così vari mesi di vita politica agitata
e convulsa, di quella convulsione tipica dei periodi che pre-
cedono un assestamento definitivo. Agli osservatori superficiali la situazione poteva sembrare ancor fluida e aperta
a più soluzioni, ma in realtà la partita era ormai giocata e si
trattava soltanto di mettere a punto la sua conclusione. Nel-
l'ottobre 1922 questa commedia degli equivoci ebbe infine
la sua soluzione: mentre il Vaticano prendeva sempre più
le distanze dal Partito popolare e il Partito socialista spez-
zava il patto d'unità d'azione che lo univa alla Confederazione generale del lavoro, mentre gli ultimi oppositori erano
insomma divisi e battuti, Mussolini ricattava apertamente
la monarchia e lo Stato con la minaccia dell'insurrezione. Il
24 ottobre, dopo un'adunata di fascisti a Napoli, i « qua-
drumviri » del fascismo decidevano con l'assenso di Mussolini di marciare su Roma. Il presidente del Consiglio in carica Luigi Facta, un fidato giolittiano, propose al re di firmare il decreto di stato d'assedio, ma il re, dopo qualche
esitazione, si rifiutò di firmare. Mussolini, che da Milano attendeva gli eventi e che era pronto, ove la crisi si mettesse
al peggio, a riparare in Isvizzera, poté allora salire su di un
vagone-letto e venirsene a Roma per ricevere dal re l'incarico di formare il nuovo governo e per presentarsi davanti
al Parlamento a dichiarare che era dipeso esclusivamente dal
suo beneplacito se egli non lo aveva trasformato in un « bi-
vacco dei suoi manipoli ». Malgrado la iattanza di queste dichiarazioni, la Camera votò la fiducia al nuovo governo Mus-

solini, del quale facevano parte anche dei ministri popolari e liberali, con 306 sì e 116 no. Tra i primi vi erano i nomi di Bonomi, di Giolitti, di Orlando, di Salandra e di Alcide De Gasperi.

La « rivoluzione fascista » si compiva così con l'assenso e il suggello dei poteri costituiti e l'Italia, dopo quattro anni di convulsioni e di esitazioni, trovava finalmente un suo assestamento. Perché — malgrado tutto — l'avvento del fascismo al potere fu — come tutte le restaurazioni — in qualche modo una soluzione, nel senso che rese possibile il ritrovamento di un equilibrio e la ricostituzione di un « ordine ». Ma si trattò della soluzione più facile e quindi della peggiore tra quelle storicamente possibili. Le forze della rivoluzione italiana avevano scontato la loro immaturità e i loro errori con una sconfitta di conseguenze gravissime. Con i loro ultimi disperati combattimenti di retroguardia — a Parma, nei quartieri popolari di Roma, a Bari vecchia, a Torino e con i grandi scioperi dell'agosto 1922, votati in partenza alla disfatta — veniva salvato però l'onore proletario e si ponevano le premesse per la lunga lotta antifascista.

XII

DAL FASCISMO ALLA GUERRA

Il fascismo da governo a regime.

Così come l'avvento al potere del fascismo era stato propiziato dalla crisi economica, la favorevole congiuntura che dal 1922 al 1929 caratterizzò l'economia europea e americana nel suo complesso, ne agevolò notevolmente il processo di consolidamento. Al nuovo governo fascista non rimase perciò che assecondare la tendenza in atto, lasciando via libera a quelle forze e a quegli uomini che detenevano il controllo della vita economica del paese. Già nel suo discorso di Udine, pronunziato alla vigilia della marcia su Roma, Mussolini aveva inveito contro lo « stato ferroviere, lo stato postino e lo stato assicuratore » e, una volta giunto al potere, egli non tardò a concretare in azione di governo questi suoi propositi antistatalisti, affidando a un liberista, Alberto De Stefani, il ministero delle Finanze. La nominatività dei titoli azionari, introdotta da Giolitti, venne abolita, l'imposta di successione diminuita, l'esercizio dei telefoni riprivatizzato e i salari decurtati. Questo liberismo ad oltranza ad uso interno non impedì peraltro al fascismo di continuare la tradizionale politica italiana di protezionismo doganale, cui già Giolitti, nel 1921, aveva fatto importanti concessioni consentendo l'entrata in vigore di una nuova e più rigida tariffa protettiva. In questo quadro va vista anche la politica di rivalutazione e stabilizzazione della lira lanciata nel 1925 e condotta a termine dal conte Giuseppe Volpi (un uomo di fiducia degli industriali che era succeduto a De Stefani nel ministero delle Finanze) e la cosiddetta « battaglia del grano », che fu accompagnata dal ristabilimento del dazio di protezione su di esso: si trattava infatti, in entrambi i casi, di provvedimenti diretti ad attenuare il saldo negativo nella bilancia dei pagamenti e a consentire la formazione di cospicue scorte di valute pregiate.

Questa politica economica, sommata alla congiuntura favorevole in atto, non mancò di dare i suoi frutti. Nel 1929 la produzione industriale risultò aumentata del cinquanta per cento rispetto al 1922. Particolarmente spettacolari furono i progressi dell'industria chimica, in cui dominava la Montecatini, che divenne di gran lunga la principale fornitrice di concimi alle campagne. Collegata all'industria chimica era la nuova e promettente industria della seta artificiale e del rayon, della quale la principale produttrice era la Snia Viscosa. In quanto all'industria automobilistica, il ritmo del suo sviluppo continuò ad essere sostenuto e nel 1926 erano 60.500 le automobili prodotte in Italia, la maggior parte delle quali dalla Fiat. In conseguenza di questa aumentata produzione industriale diminuì anche la disoccupazione, che al momento della crisi aveva raggiunto livelli assai elevati, contribuendo certamente a impedire che il malcontento e lo stato d'animo di netta opposizione al governo fascista esistente nei ceti operai si traducesse in una lotta estesa e organizzata. Anche l'agricoltura registrò nel suo complesso un aumento degli indici produttivi, per quanto ciò avvenisse soprattutto grazie al nuovo impulso dato dal fascismo alla cerealicoltura con la già ricordata battaglia del grano. Il progetto ereditato dai governi precedenti per il frazionamento del latifondo siciliano venne deliberatamente lasciato cadere.

La risollevata situazione economica e l'appoggio al governo da parte dei ceti sociali che ne erano i maggiori beneficiari resero senza dubbio più facile al fascismo l'opera di liquidazione delle superstiti strutture dello Stato liberale e di costruzione di uno Stato autoritario. Il via venne dato nel gennaio del 1923 con l'istituzione della Milizia volontaria per la sicurezza nazionale, nella quale confluirono e trovarono un impiego remunerato tutti gli ex-componenti delle squadre d'azione, e con la trasformazione in organo dello Stato del Gran Consiglio del fascismo. Accanto all'esercito regolare vi era dunque un esercito fascista e accanto al Parlamento elettivo un organo consultivo fascista nominato da Mussolini. Si proseguì nell'aprile 1923 con l'espulsione dal governo dei ministri popolari e, nel luglio, con la elaborazione di una nuova legge elettorale, di tipo maggioritario, studiata apposta per assicurare una larga maggioranza alla lista di concentrazione governativa e fascista, il cosiddetto « listone ». Le elezioni si tennero nell'aprile 1924 e si svolsero all'insegna dell'intimidazione e della violenza nei confronti degli avversari politici e di un ritorno di fiamma dello squadrismo. Ciò malgrado, i risultati non corrisposero alle speranze di Mussolini: se il « listone » fascista ebbe la maggioranza dei voti e dei seggi, grazie al meccanismo della legge, nelle regioni dell'Italia settentrionale e nelle grandi città operaie ottenne un numero di suffragi minore di quello delle liste di opposizione.

La denuncia del clima di illegalità e di sopraffazione, in cui le elezioni si erano svolte, venne fatta con grande passione e coraggio alla Camera dal deputato socialista Giacomo Matteotti il 30 maggio 1924. Pochi giorni dopo, il 10 giugno, il coraggioso parlamentare era rapito e il 16 agosto la sua salma era ritrovata in una macchia della campagna romana. Parve per un momento che il vuoto dovesse farsi attorno al governo, la cui complicità nell'assassinio ben pochi mettevano in dubbio. Molti distintivi fascisti scomparvero dagli occhielli delle giacche e Mussolini stesso ebbe la sensazione del proprio isolamento. Ben presto però egli ritrovò la sua baldanza, perché da una parte l'opposizione parlamentare, guidata da Giovanni Amendola, dopo aver abbandonato l'aula di Montecitorio (la cosiddetta secessione dell'Aventino), non seppe fare appello al paese e proporre una reale alternativa, paralizzata ancora una volta dalla paura della rivoluzione, e d'altra parte perché poté contare sull'appoggio del re e sulla neutralità del Vaticano. Il 3 gennaio 1925 Mussolini si presentò alla Camera per assumersi tutta la responsabilità del delitto Matteotti e per sfidarla provocatoriamente ad avvalersi della facoltà di metterlo sotto stato d'accusa. La Camera, non accettando il guanto di sfida che le veniva lanciato, segnò praticamente la propria condanna a morte e lo Stato liberale cessò definitivamente di esistere.

Come Mussolini aveva minacciato nel suo tracotante discorso del 3 gennaio, i fatti non tardarono a seguire alle parole. I mesi successivi furono quelli della fascistizzazione dello Stato, operata a colpi di decreti e di leggi, come si disse, « fascistissime ». Soffocata l'attività dei partiti attraverso una legge sulle associazioni, soppressa la libertà di stampa, espulsi dalla Camera i dissidenti dell'Aventino, epurata l'amministrazione dai funzionari sospetti di antifascismo, limitata l'autonomia delle amministrazioni locali con la sostituzione al sindaco elettivo del podestà designato dall'alto, riformati i codici, lo Stato italiano assumeva sempre più i caratteri di uno Stato totalitario, al capo del quale era il « duce », cui una speciale legge riconosceva una preminenza rispetto agli altri ministri. Contro gli oppositori vi erano le insidie dell'Ovra, la polizia politica del regime, e i rigori del Tribunale speciale, istituito nel 1925 dopo l'attentato a Mussolini di Zaniboni, che ben presto iniziò a sgranare il suo rosario di anni di galera, di invii al confino e, talvolta, di pene di morte. Per la prima volta dopo la costituzione dello Stato unitario, l'Italia tornava a conoscere il fenomeno dell'emigrazione politica o, come dicevano i fascisti riesumando un antico termine dell'Italia comunale, dei « fuorusciti ». In quanto all'opposizione operaia, il monopolio delle associazioni sindacali fasciste sancito nel luglio 1925 e il successivo patto di Palazzo Vidoni tra queste ultime e i rappresentanti degli industriali (mediante il quale, in cambio di una garanzia al rispetto dei contratti collettivi, i lavoratori si impegnavano a rinunciare allo sciopero e alle commissioni interne di fabbrica) finirono praticamente col tacitarla. Nel frattempo anche la Confederazione generale del lavoro, ultima roccaforte del sindacalismo libero, si era sciolta e taluni dei suoi maggiori esponenti si erano lasciati prendere all'amo del corporativismo fascista, quale era teorizzato dalla *Carta del lavoro* solennemente emanata il 21 aprile 1927, nel giorno del natale di Roma. Quest'ultima festività fabbricata dal fascismo aveva da tempo sostituito la giornata del 1º maggio.

Da governo il fascismo si veniva così trasformando in regime, un regime del quale il duce, colui che « aveva sempre ragione » era il dio, e la radio il suo profeta. Questo nuovo potente mezzo di comunicazione contribuiva, infatti, in un paese in cui la tiratura dei giornali era ancora assai limitata, in modo determinante a formare e a forgiare l'opinione pubblica. Non per nulla, creando nel 1927 un ente di Stato per le trasmissioni radiofoniche, il governo fascista si era affrettato a porlo sotto il suo speciale controllo. Attraverso la radio gli italiani erano quotidianamente informati dei successi dell'Italia fascista, per quanto Mussolini amasse poco parlare direttamente ai microfoni. Egli preferiva, come diceva, il colloquio diretto con la folla, le grandi adunate in piazza Venezia, nel corso delle quali arringava le masse dallo « storico balcone ».

Ma Mussolini, come già abbiamo avuto occasione di rilevare, era troppo politico per credere alla retorica del suo regime. Si rendeva perfettamente conto che, anche a prescindere dai ceti più spiccatamente proletari, larghi settori dell'opinione pubblica erano, se non dichiaratamente ostili, perplessi e diffidenti nei confronti del fascismo e che perciò era necessario cercare di allargare la base del consenso. A questo fine sin dal 1925 iniziò i primi approcci verso il Vaticano, ben comprendendo che un riconoscimento da quella parte avrebbe considerevolmente rafforzato, in un paese cattolico, il prestigio del regime. Le trattative furono lunghe e difficili: a ostacolarle contribuì molto la decisione fascista di assicurarsi, con la creazione dell'Opera nazionale balilla, il monopolio delle organizzazioni giovanili, sciogliendo tutte le altre similari, ivi comprese quelle dei *boy-scouts* cattolici. Ma se il regime non era disposto a fare concessioni per ciò che concerneva la formazione fascista della gioventù, era disposto a farne, e di molto sostanziose, in altri campi. Si arrivò agli Accordi lateranensi dell'11 febbraio 1929, in base ai quali lo Stato italiano riconosceva la sovranità pontificia sui territori di quella che fu detta la Città del Vaticano, s'impegnava al pagamento di una forte indennità e riesumava, dandogli nuovo vigore, quell'articolo dello Statuto albertino che dichiarava la religione cattolica religione dello Stato. Da parte sua la Santa Sede dichiarava chiusa la questione romana e consentiva a regolare i suoi rapporti con lo Stato italiano con un concordato che, tra l'altro, riconosceva al matrimonio religioso anche effetti civili e introduceva l'insegnamento della religione nelle scuole pubbliche. Fu questa la « conciliazione », senza dubbio uno degli atti del governo fascista che più contribuì al suo consolidamento e che ebbe maggiori conseguenze sulla storia dell'Italia contemporanea. La validità degli Accordi lateranensi è infatti ancora oggi esplicitamente riconosciuta dalla costituzione della repubblica italiana.

Forte del successo ottenuto, Mussolini poté indire nuovamente, nel marzo 1929, le elezioni. Queste si svolsero però secondo il sistema della lista unica e furono, da un punto di vista della correttezza democratica, una farsa. Peraltro è più che probabile che degli 8.506.576 di sì ottenuti dalla lista unica (i no furono soltanto 136.198) molti fossero l'espressione di un'adesione effettiva.

Il prestigio del governo fascista toccava infatti il suo zenit: all'interno l'ordine ristabilito, la migliorata situazione economica, la conciliazione col Vaticano apparivano all'opinione pubblica benpensante altrettanti titoli di merito, sul piano internazionale, malgrado il suo nazionalismo e la sua irrequietezza, il fascismo appariva come un solido bastione contro il comunismo. Il debutto di Mussolini in politica estera — egli ricopriva anche il portafoglio degli Esteri — non era stato per la verità dei più rassicuranti. Nell'agosto 1923, in seguito all'eccidio di una missione militare italiana a Janina, Mussolini inviò un ultimatum alla Grecia e fece occupare Corfù. Ben presto però fu costretto dall'atteggiamento deciso dell'Inghilterra a recedere dall'occupazione dell'isola e da allora, nel complesso, la politica estera del fascismo, anche per l'influenza moderatrice esercitata dai diplomatici di professione, si mantenne fedele alla tradizionale direttiva dell'amicizia inglese. Proprio dall'Inghilterra verrà anzi a Mussolini il riconoscimento più prestigioso: il 20 giugno 1927 il cancelliere dello Scacchiere nel governo conservatore, Winston Churchill, dichiarava che, se egli fosse stato italiano, non avrebbe esitato a essere fascista sin dal principio. Interpellato dall'opposizione laburista, il primo ministro Baldwin a sua volta trovò che non vi era nulla di riprovevole nelle dichiarazioni di Churchill. La convinzione che per l'Italia il fascismo fosse quel che ci voleva e che Mussolini, come aveva detto Pio XI all'indomani della Conciliazione, fosse l'uomo della Provvidenza aveva largamente fatto breccia nell'opinione pubblica straniera. Rimbalzando in Italia essa vi contribuiva a consolidare ulteriormente le basi del regime.

L'Italia fascista e l'Italia reale.

Ogni regime totalitario tende necessariamente a cercare di crearsi una propria ideologia. A fornirne una al fascismo ci provò il filosofo Giovanni Gentile, senza dubbio il più autorevole e il più brillante degli intellettuali fascisti. Egli era stato, tra l'altro, nella sua qualità di ministro della Pubblica Istruzione, l'autore di una riforma della scuola con la quale si era cercato di introdurre nell'insegnamento i criteri della pedagogia idealistica, ma che si era in pratica ri-

solta nella riaffermazione del primato delle discipline umanistiche e della delimitazione classista della scuola italiana.
Nella voce « fascismo » dell'*Enciclopedia italiana* (un'altra
delle maggiori e più serie realizzazioni culturali del regime)
egli definì il fascismo « uno stile » più che un corpo di dottrine o, per adoperare il suo linguaggio di filosofo idealista,
un atto piuttosto che un fatto. Ciò equivaleva a un impli-
cito riconoscimento della eterogeneità e contraddittorietà del
movimento fascista, di un movimento cioè in cui taluni
— pochi — si ostinavano a vedere una rivoluzione incom-
piuta « in marcia » e altri — molti — una restaurazione
compiuta e cristallizzata. Di fatto questo secondo e più reale
aspetto del fascismo fu quello che più concorse a dare un
volto al regime. Gentile stesso, che venne sostituito al ministero della Pubblica istruzione da Cesare De Vecchi, esempio vivente di ottusità reazionaria, se ne era forse reso conto
e le sue discettazioni attorno al carattere volontaristico e
attualistico del fascismo suonano alquanto velleitarie e giu-
stificatorie.

In architettura lo stile monumentale e archeologico del
Piacentini, che celebrò i suoi fasti negli sventramenti operati nel centro storico di Roma, è certo più rappresentativo del tempo e del gusto fascista degli esperimenti rinnovatori che, ispirandosi al razionalismo del *Bauhaus*, taluni architetti più attenti e più preparati riuscirono talvolta
a realizzare, ad esempio con la costruzione della bella sta-
zione di Firenze. In letteratura il poeta ufficiale rimaneva
D'Annunzio, per quanto l'inimitabile, che mal tollerava che
la sua fama fosse oscurata da quella del duce, si fosse ritirato nella sontuosa villa assegnatagli dal governo e vi con-
sumasse una vecchiaia risentita e oziosa, senza praticamente
scrivere più nulla. Il volto ufficiale dell'Italia fascista era
dunque marziale o, come si diceva, « littorio »; i suoi eroi
erano i trasvolatori dell'Atlantico e gli assi dell'aviazione,
i Balbo, i De Pinedo; il suo orgoglio i grandi transatlantici che si erano guadagnati il nastro azzurro; il suo motto

preferito una tra tante «lapidarie» frasi del duce che facevano bella mostra di sé iscritte sulle nuove opere pubbliche del regime. La più diffusa suonava: «meglio vivere un giorno da leone che cento anni da pecora».

Questa era la facciata. La realtà era assai più prosaica ed era costituita dall'euforia di un ritrovato benessere borghese. Nessuno dei contrassegni che di solito accompagnano in Italia i periodi di prosperità, mancava all'appuntamento: la speculazione edilizia, il primo modesto *boom* dell'automobilismo con la costruzione della prima utilitaria, la *Balilla*, la passione collettiva per lo sport, per gli spettacoli teatrali e cinematografici con spiccati caratteri di intrattenimento, per le canzonette. Le spiagge e i luoghi di villeggiatura in montagna si popolavano durante l'estate di famiglie borghesi, mentre per coloro che non potevano permettersi il lusso di una vacanza completa vi erano i treni popolari organizzati dall'Opera nazionale dopolavoro, grazie ai quali si poteva trascorrere un piacevole *week-end*, anzi «sabato fascista». Di questa ritrovata agiatezza la fierezza nazionalistica, sollecitata dalla propaganda fascista, era soltanto un piacevole condimento. L'altro, di segno diverso, era costituito dalle barzellette sul regime che ci si raccontava con aria complice, ma senza troppo crederci.

Vi era in questa nuova ondata di modesta e circoscritta prosperità qualcosa di profondamente diverso dagli anni felici della *belle époque* e dell'Italietta: più volgarità, più insensibilità nei confronti dei gravissimi problemi che rimanevano aperti e, soprattutto, più corruzione, una corruzione che aumentava a mano a mano che il regime si consolidava, sino a divenire quasi un'istituzione. Gli *homines novi* portati dal fascismo alla ribalta del potere — i cosiddetti gerarchi — erano per lo più dei *parvenus* e dei provinciali, dai gusti grossolani e dalla cultura approssimativa, del tutto privi di quell'abitudine e di quel distacco, nei confronti del potere, che sono propri delle classi dirigenti stagionate e collaudate. Tali erano Farinacci, il «ras» di

Cremona che divenne segretario del partito, uomo facinoroso e volgare, Augusto Turati, altro segretario di partito e altro « ras » di provincia e, infine, Achille Starace, degno oggetto delle più salaci e indovinate storielle contro il regime.

La pretenziosità della facciata faceva così un singolare contrasto con lo squallore e il vuoto dell'interno, il clamore delle grandi parole con la povertà dei sentimenti. Nessuna meraviglia se la migliore letteratura e la migliore arte del periodo fascista appaiono come dominate dal senso e dal fastidio di questo contrasto e di questa vacuità. Già Pirandello, della cui adesione al fascismo il regime menò gran vanto, aveva popolato i suoi lavori teatrali, che peraltro non incontrarono molto il gusto del pubblico degli anni venti, di un'umanità di borghesi disillusi e allucinati. Ma Moravia nei suoi *Indifferenti* (1929) dette della borghesia del tempo fascista, del suo cinismo e della sua povertà intellettuale, una pittura diretta, senza possibilità di equivoci. Montale, forse il maggiore tra i poeti italiani del nostro secolo, cantò il male di vivere e ad esso oppose il « prodigio della divina indifferenza ». Morandi, con le sue nature morte e le sue bottiglie, offriva una lezione di rigore e di castigatezza che suonava implicitamente come una protesta contro la retorica e il frastuono dell'ufficialità. Petrolini, un attore dotato di una *vis comica* istintiva e autentica, portava sulle scene la macchietta di Gastone, il figlio di papà inetto e viziato.

Gli anni della prosperità passavano così rapidamente, nella volgarità e nel clamore della retorica ufficiale. L'euforia di un benessere provvisorio, circoscritto e fittizio, sarebbe passata ben presto e la vecchia realtà italiana sarebbe tornata a bussare alla porta, come già dopo il primo decennio del secolo, ma questa volta con una urgenza ben più tragica.

Crisi economica ed economia corporativa.

La grande crisi economica del 1929 ebbe sull'economia e sulla società italiana degli anni trenta ripercussioni meno acute e spettacolari che in America o in Germania, ma forse più durature e profonde. Il processo di rimarginamento delle ferite aperte dalla crisi fu infatti assai lento e difficile, comportando mutamenti sostanziali non solo nelle strutture economiche, ma anche in quelle politiche del paese.

A partire dal 1930 la classica sintomatologia della crisi si manifestò con chiarezza anche in Italia: il ribasso dei prezzi e il conseguente tracollo dei titoli azionari provocarono drastiche contrazioni della produzione. Quella dell'industria automobilistica risultò tra il 1929 e il 1932 dimezzata, mentre quella dell'acciaio scese da 2.122.194 tonnellate a 1.396.180 e quella dei filati di cotone da 220.000 a 169.000 tonnellate. L'indice del reddito nazionale *pro capite* scese da lire 3.079 nel 1929 a 2.868 nel 1933, mentre la disoccupazione, che nel 1929 era di 300.000 unità, salì, sempre nel 1933, a 1.019.000. Di conseguenza anche l'indice dei consumi decrebbe e il numero delle calorie consumate *pro capite* subì una brusca riduzione. La frustrazione e, anche, la fame tornarono ad essere fenomeni di massa. La politica di incremento demografico perseguita dal fascismo per ragioni di prestigio nazionale e la chiusura dell'emigrazione certo non contribuivano ad alleviare la situazione.

In un primo tempo il governo fascista pensò di reagire intensificando soprattutto la già avviata politica dei lavori pubblici. Cadono negli anni della crisi i grandi sventramenti del centro di Roma con l'apertura della via dell'Impero e di via della Conciliazione e i grandi lavori per le bonifiche nelle paludi pontine, il cui inizio risaliva al 1928. Si trattò, in quest'ultimo caso, di un'opera davvero imponente che il fascismo non mancò peraltro di propagandare anche al di là della sua effettiva portata. Ma ci voleva

ben altro per superare la crisi e ridare all'economia nazionale
fiato e prospettiva. Occorreva una totale revisione e rimaneggiamento della politica economica sino allora seguita. Quest'ultima, come si è visto, eccezion fatta per la breve parentesi in cui il ministero delle Finanze era stato occupato
dal conte Volpi, era stata improntata a un indirizzo libe-
raleggiante, ma ora quegli stessi industriali che in periodo
di alta congiuntura sollecitavano lo Stato a non occuparsi
dei loro affari, richiedevano invece insistentemente appoggio ed aiuto. E ancora una volta lo Stato volò al loro soccorso: la costituzione dell'Istituto mobiliare italiano (Imi)
prima e dell'Istituto per la ricostruzione industriale (Iri) poi
permise il salvataggio, mediante il finanziamento da parte
dello Stato, di molte industrie severamente provate dalla
crisi.

Si inaugurava così una politica di dilatazione della spesa
pubblica e di restrizione dei consumi privati che rese possibile una attenuazione della stretta congiunturale e, più
tardi, il superamento della crisi. Mentre i salari operai rimanevano a livelli assai bassi e le imposte indirette raggiungevano nuovi *records*, i finanziamenti e le commesse
dello Stato all'industria non cessavano di aumentare. In
molti casi si trattava di finanziamenti e ordinazioni a industrie impegnate soprattutto nella produzione bellica, il che,
a chi tenga presente i successivi sviluppi della storia italiana, non può apparire privo di significato e di conseguenze. Preferire il prodotto nazionale, anche quando esso
avesse un prezzo assai maggiore di quello analogo otteni-
bile sul mercato internazionale (si pensi ad esempio che
taluni prodotti della siderurgia italiana superavano del 50
e anche del 100 per cento quelli dell'industria straniera)
divenne un imperativo patriottico e lo Stato fu il primo
ad applicarlo. Veniva così prendendo forma la cosiddetta
politica « autarchica », una riedizione su scala più vasta e
con una mascheratura patriottica del protezionismo, all'insegna del quale era nato e si era sviluppato il capitalismo

italiano. Nel quadro di essa va vista la costituzione di tutta una serie di enti pubblici, quali l'Anic (Azienda nazionale idrogenazione combustibili) e l'Agip, e lo sviluppo dato alla produzione elettrica nel tentativo di salvare il tradizionale bilancio passivo dell'Italia in fatto di materie prime energetiche. Pure nel contesto della politica autarchica rientra il rinnovato impulso dato alla battaglia del grano con la costituzione della Federazione dei Consorzi agrari e degli ammassi obbligatori. Per impedire infine che la popolazione agricola eccedente continuasse a riversarsi nelle città, si dovette ricorrere a provvedimenti intesi a limitare il fenomeno dell'urbanesimo e la propaganda fascista si diede a esaltare la bellezza della vita rurale: la canzonetta *Campagnola bella* diventò uno dei motivi più in voga.

Si ritornava così ad un'organizzazione dell'economia che ricordava per molti aspetti quella del periodo di guerra e che anch'essa poteva dare agli osservatori più superficiali l'impressione di contenere elementi di collettivismo e di pianificazione. Di fatto lo Stato, attraverso l'Iri, controllava numerosissime aziende e interi settori produttivi, al punto che il settore pubblico dell'economia aveva in Italia dimensioni maggiori che in qualsiasi altro paese capitalistico. Inoltre attraverso le Corporazioni — la cui organizzazione venne perfezionata e resa operante nel 1934 — lo Stato stesso dichiarava di voler assumere la funzione di mediatore tra le istanze e gli interessi dei datori di lavoro e dei lavoratori e di voler armonizzare le esigenze dell'utilità pubblica e di quella privata. Mussolini e i suoi propagandisti non mancarono anzi di proclamare che lo Stato corporativo fascista rappresentava un superamento sia del capitalismo col suo liberismo a oltranza, sia del socialismo col suo statalismo soffocatore. Qualcuno poi, come Giuseppe Bottai, che fu per qualche tempo ministro delle Corporazioni, credette a queste teorizzazioni, salvo poi a dover constatare egli stesso che in pratica le cose andavano ben diversamente.

Se era infatti vero che il settore statale dell'economia

era assai più consistente e vasto, era però anche vero che
lo Stato, per il modo della sua formazione e del suo sviluppo, era in larga misura uno Stato « privatizzato », esposto cioè alle pressioni dei gruppi e delle concentrazioni economiche più forti e più influenti e ad esse largamente in-
feudato. Quanto alle Corporazioni, ben lungi dall'essere quegli strumenti di mediazione tra capitale e lavoro e di in-
quadramento dell'iniziativa privata nel contesto dell'economia nazionale che i fascisti di sinistra avrebbero voluto che
fossero, costituivano invece, infeudate com'erano alla grande
industria, i tramiti attraverso i quali i maggiori gruppi e
concentrazioni monopolistiche — la Fiat, la Montecatini, la
Snia Viscosa — riuscivano a tacitare ogni residua protesta
e rivendicazione operaia e a esercitare la loro pressione sullo
Stato nel senso del rafforzamento delle loro posizioni. Le
superstiti resistenze che essi potevano incontrare da parte
della burocrazia e dell'amministrazione statale erano facilmente aggirate nel clima di dilagante corruzione che siffatta
compenetrazione tra Stato, partito e Corporazioni aumentava e favoriva.

Il superamento della crisi degli anni trenta era stato
così pagato con un'accentuazione del carattere autoritario e
totalitario del regime fascista. Ormai l'inno fascista *Giovinezza* si accompagnava nelle cerimonie ufficiali con la Marcia
reale e talvolta la precedeva. Ormai l'iscrizione al partito
diveniva ogni giorno di più un passaporto indispensabile
per l'accesso agli uffici, e ogni solennità era buona per imporre agli italiani di partecipare in camicia nera alle « adunate ». Nel 1931 i professori universitari erano stati costretti a giurare fedeltà al fascismo: solo 11 di essi si rifiutarono di farlo. Il motto del regime ora era « credere
obbedire combattere ». Finora l'ultimo di questi imperativi
aveva avuto soltanto un valore retorico. Ma il tempo era
vicino in cui ne avrebbe avuto uno reale.

Dall'aggressione contro l'Etiopia all'entrata in guerra.

La crisi economica aveva scosso anche il prestigio politico del regime, specie presso quei ceti popolari che ne erano stati e ne rimanevano le principali vittime. Le altisonanti parole di Mussolini nel suo discorso agli operai di Milano del 1934 sul superamento del capitalismo non bastavano certo a coprire la realtà dei salari decurtati, della disoccupazione perdurante e dei consumi popolari ridotti. Si poneva perciò per il regime il problema di risalire la china anche sotto il profilo della propria popolarità e del consenso delle masse.

La via classica era quella della ricerca di un'affermazione di prestigio sul piano della politica estera, senza contare che le forniture di guerra avrebbero aiutato — come di fatto aiutarono — alcuni settori industriali a uscire definitivamente dalla crisi. L'obiettivo prescelto fu l'Etiopia, l'ultimo Stato africano indipendente, l'ammissione del quale alla Società delle nazioni era stata patrocinata proprio dall'Italia, e il pretesto per sollevare la questione fu trovato nel solito incidente di frontiera. Che i motivi di politica interna e di prestigio fossero prevalenti nella decisione di Mussolini è confermato del resto dal fatto che, nelle febbrili consultazioni diplomatiche che precedettero l'intervento, il duce rifiutò ogni soluzione di compromesso, anche molto vantaggiosa, deciso ad arrivare a una prova di forza e di prestigio. Il 3 ottobre 1935 la parola era ormai alle armi e l'Italia si impegnava in quella che sarà l'ultima impresa coloniale della storia contemporanea.

Le operazioni militari, dopo alcuni insuccessi iniziali, procedettero abbastanza rapidamente e nel maggio 1936 esse si erano concluse con l'occupazione della capitale Addis Abeba, salvo a lasciare uno strascico di guerriglia insistente e tenace. Ad affrettarne il corso certo contribuì la mancanza di scrupoli umanitari dello stato maggiore italiano, che non esitò a ricorrere all'arma dei gas. D'altra parte la scarsa fermezza delle grandi potenze nell'applicazione di quelle sanzioni economiche che la Società delle nazioni aveva decretato contro l'Italia, fece il resto. Malgrado il blocco economico, il petrolio continuò a arrivare in Italia e il canale di Suez non si chiuse alle navi italiane.

La brevità della campagna concorse alla sua popolarità. Il vecchio mito ottocentesco della fertile terra africana aperta alle braccia degli intraprendenti coltivatori italiani aveva ancora una forte presa sui contadini, specie nel Mezzogiorno, mentre il motivo nazionalista del riscatto della umiliazione di Adua ne aveva sulla piccola borghesia. Furoreggiò allora la canzone *Faccetta nera*: in essa si celebravano le virtù civili e amatorie del legionario italiano che, dopo aver emancipato dalla schiavitù una bella abissina, le forniva altri motivi di soddisfazione. Quando il 5 maggio 1936 Mussolini, in uno dei suoi discorsi dal balcone di Palazzo Venezia, proclamò l'avvenuta costituzione dell'impero italiano, la popolarità del regime fascista era tornata ad essere notevolmente alta.

Ma la parabola discendente non tardò a delinearsi e, una volta avviata, essa fu rapida, anzi precipitosa. La campagna d'Etiopia, provocando un serio deterioramento delle relazioni anglo-italiane e franco-italiane, aveva posto l'Italia in una posizione di isolamento diplomatico e l'aveva indotta ad accostarsi a quella Germania nazista, i rapporti con la quale non più tardi del giugno 1934, in occasione del *putsch* nazista in Austria e della minaccia di un *Anschluss*, avevano attraversato un momento di forte tensione. L'avvicinamento alla Germania avvenne dapprima in forme abbastanza prudenti e ovattate (si parlò infatti di un « asse » e non di un'alleanza), ma successivamente i rapporti tra i due paesi presero sempre più la forma di un'alleanza politica e ideologica tra due regimi che si ispiravano agli stessi principi. Tale alleanza fu suggellata nel 1936 dal comune intervento italiano e tedesco nella guerra civile spagnola a sostegno del generale Franco che, se valse al fascismo la simpatia della Chiesa, contribuì a deteriorare ancora di più i rapporti con le potenze occidentali impegnate nella politica di non intervento, e a legare l'Italia alla Germania. Quest'ultima infatti, più che impegnarsi essa stessa nel conflitto spagnolo, badò a comprometterci a fondo l'Italia. Nel 1937 fu la volta della stipulazione tra Italia, Germania e Giappone del Patto Antikomintern e nel 1938 del trapianto in Italia della legislazione razzista tedesca e delle persecuzioni contro gli ebrei. Queste ultime furono senza dubbio l'atto più ingiustificabile e dissennato del regime: tra i cittadini italiani che furono costretti a lasciare il paese vi fu anche il grande fisico Enrico Fermi, che si trasferì in America dove avrà una parte preponderante nelle ricerche che porteranno alla messa a punto della prima bomba atomica. Ma ormai il dado era tratto: il regime scivolava ogni giorno di più sul piano inclinato sul quale si era collocato e ogni giorno di più compiva un nuovo passo verso l'irreparabile.

Per la verità vi fu un momento in cui sembrò che questa spirale potesse essere arrestata e ciò avvenne quando, nel settembre 1938, Mussolini si adoperò attivamente per la riuscita dell'incontro di Monaco. Ma in realtà, consapevole dell'impreparazione militare dell'Italia, egli aveva soltanto voluto guadagnare tempo: l'idea della guerra a fianco della Germania lo aveva ormai conquistato, anche se, come dimostrò nell'aprile del 1939 con l'occupazione dell'Albania, intendeva riservare all'Italia fascista un'autonomia di iniziativa. Un mese dopo, alla vigilia dello scoppio del secondo conflitto mondiale, tra Germania e Italia venne stipulato il « Patto d'acciaio », che prevedeva l'intervento dell'Italia a fianco della Germania. Pare che all'atto della stipulazione Hitler e i suoi collaboratori avessero celato a Mussolini la loro intenzione di aggredire subito la Polonia e avessero lasciato intendere che la guerra non sarebbe scoppiata che tra due o tre anni. Fu solo al convegno di Salisburgo, nell'agosto, che Ciano, ministro degli Esteri fascista, venne messo al corrente dell'imminenza dell'attacco. Ciò spiega come Mussolini, consapevole dell'impreparazione militare italiana, consentì a dichiarare la non belligeranza dell'Italia.

Ma un anno dopo, quando parve che il collasso della Francia
avesse deciso le sorti del conflitto, egli poté tagliar corto a
ogni remora e a ogni esitazione: il 10 giugno 1940 l'Italia
entrava in guerra.

A mano a mano che la situazione internazionale precipitava e l'ombra della guerra si profilava sull'Italia, nuovi
giri di vite venivano dati all'interno e il regime superava
quel limite al di là del quale la dittatura assume i caratteri del grottesco. La legislazione razziale, vero e proprio
insulto alla gentilezza del carattere italiano, venne accompagnata e giustificata da una campagna antisemita, nella quale
si distinsero intellettuali di mezza tacca e scienziati corti-
giani, che era tanto più repellente quanto più assurda e arti-
ficiosa. Venne imposto l'uso del « voi » in luogo della tradizionale forma di cortesia del « lei » e venne dichiarata
guerra alla stretta di mano, da sostituirsi con il saluto fascista. Erano misure il cui velleitarismo e la cui gratuità rive-
lavano chiaramente la debolezza e l'irrequietezza che si celava
dietro l'ostentata sicurezza e onnipotenza del regime.

L'Italia entrava così in guerra, oltre che militarmente
impreparata, anche in uno stato di latente crisi politica.
Il consenso popolare che al momento dell'impresa di Etiopia si era formato attorno al regime, si era rapidamente
dileguato. Le prospettive sempre più ravvicinate della guerra
e l'impopolarità dell'alleanza tedesca avevano rapidamente
fatto dimenticare i successi coloniali del regime, dei quali
del resto, dopo tante promesse, non si vedevano che scarsi
frutti. Quando nel settembre 1938 Mussolini ritornò in Italia
dal convegno di Monaco, lo accolsero grandi manifestazioni
popolari: l'occasione era infatti buona per manifestare al
tempo stesso la fedeltà al duce e l'avversione alla guerra.
Quest'ultimo sentimento prevaleva però presso molti sul-
l'attaccamento al regime, quando addirittura non generava
una netta avversione al medesimo. Non era soltanto la classe
operaia, che non era mai stata fascista, e la grande maggioranza degli intellettuali, disgustati dalla volgarità e dalla
corruzione del regime, a essere all'opposizione. Un vento

di fronda circolava, al momento dell'entrata in guerra, nelle stesse organizzazioni fasciste, specialmente in quelle giovanili e studentesche. Si trattava, nel caso di quest'ultime, di una « fronda di sinistra », ma vi era anche una « fronda di destra » fatta di industriali che vedevano con inquietudine la costante penetrazione del capitale tedesco, di militari preoccupati per l'impreparazione bellica e di alti esponenti della burocrazia che temevano che l'entrata in guerra potesse turbare l'equilibrio sociale faticosamente raggiunto e esporre il paese a pericolosi sconvolgimenti. Il principale esponente di questa corrente era lo stesso ministro degli Esteri e genero di Mussolini, Galeazzo Ciano, il quale, dopo Monaco, era venuto sempre più raffreddandosi nei confronti dell'ingombrante alleato tedesco e aveva tentato, con la timidezza propria di una creatura del regime, di procrastinare l'ingresso in guerra. Condividevano il suo punto di vista, tra i maggiori gerarchi fascisti, Giuseppe Bottai, Dino Grandi, già ambasciatore a Londra e Italo Balbo, il quale ·andrà presto incontro, nel cielo di Tobruk, a una morte sulle cui circostanze si diffusero subito fondati sospetti. Tra i militari erano note le perplessità del maresciallo Badoglio, capo di stato maggiore, e tra gli uomini della burocrazia, quelle di Arturo Bocchini, capo della polizia. Nel luglio 1943, questi uomini, con l'appoggio del re, anch'egli diffidente e ostile verso la Germania, saranno i protagonisti della congiura di palazzo che porrà fine al regime fascista. Ma di ciò parleremo a suo tempo. Prima è necessario uno sguardo retrospettivo alla storia del movimento antifascista per fare la conoscenza di quegli uomini e di quelle forze politiche che si preparavano, dopo anni di sconfitte e di umiliazioni, a rilevare dal fascismo un'Italia prostrata e disorientata.

L'antifascismo.

La figura più nota internazionalmente dell'antifascismo italiano è quella di Benedetto Croce. Inizialmente il suo atteggiamento nei confronti del fascismo, nel periodo immediatamente precedente e immediatamente successivo alla marcia su Roma, non era stato privo di incertezze e, anche, di apprezzamenti positivi. Ma dopo il delitto Matteotti e il discorso del 3 gennaio egli era passato a un atteggiamento di netta opposizione. Nel giugno 1925 egli si fece redattore e promotore di un manifesto che fu firmato da 40 intellettuali e che costituì la risposta della parte migliore della cultura italiana a un analogo manifesto fascista scritto da Gentile, in cui si cantava il *De profundis* allo Stato liberale. Poi si ritirò nel suo studio napoletano, in dignitoso e significativo distacco, ad attendere ai suoi studi. Una delle prime opere che egli pubblicò fu la già ricordata *Storia d'Italia*, un elogio e una rievocazione appassionata dell'Italia liberale e giolittiana. A distanza di anni seguì la *Storia d'Europa*, in cui l'ispirazione antifascista era evidente nella riduzione della storia europea a una « storia della libertà ». Per tutta la durata del regime, la figura di Croce e la sua rivista, « La Critica », non cessarono di essere una lezione di dignità e un punto di riferimento per tutti gli intellettuali italiani antifascisti.

Invano essi cercavano però nelle pagine delle opere di Croce le ragioni storiche per le quali il fascismo aveva vinto, un'analisi cioè del fenomeno fascista e del suo posto nella storia italiana. La sua *Storia d'Italia* si arrestava al 1915, quasi a voler sottolineare che ciò che era avvenuto dopo era irrazionalità e follia e che la salvezza del paese consisteva semplicemente nel ritorno ai valori e ai costumi dello Stato liberale prefascista. Tale, con qualche differenziazione, era del resto il punto di vista dei più vecchi tra gli emigrati politici, di Treves, di Nitti, di Modigliani, di Turati, i quali nel 1927 avevano costituito in Francia una Concentrazione antifascista e iniziato la pubblicazione di un giornale in lingua italiana, « La Libertà ». Anche Gaetano Salvemini, che era stato — come si ricorderà — uno dei più fieri oppositori di Giolitti, rivalutò nei suoi scritti storici del periodo dell'emigrazione l'Italia prefascista. Ma per i giovani come Piero Gobetti, che la morte strappò giovanissimo alla milizia antifascista, o come Carlo Rosselli che, assieme a Ferruccio Parri e altri, era stato il regista della fuga di Turati e che, confinato a Lipari, riuscì a sua volta a fuggire nel 1929, avventurosamente, il problema del perché il fascismo avesse vinto appariva come la premessa indispensabile per il successo della lotta antifascista. La conclusione cui essi giungevano era che la vittoria del fascismo era stata largamente propiziata dalla debolezza e dalla complicità della classe dirigente liberale e che quindi l'Italia postfascista avrebbe dovuto essere radicalmente diversa da quella prefascista. Il movimento politico fondato da Rosselli in Francia — « Giustizia e Libertà » — si ispirava appunto a questi princìpi, il suo programma era chiaramente rivoluzionario e la sua ideologia quella di un socialismo libertario. Un altro motivo del distacco che ben presto si verificò tra gli emigrati della vecchia generazione e della Concentrazione da una parte e i giovani e gli uomini di « Giustizia e Libertà » dall'altra riguardava il metodo della lotta antifascista: i secondi rimproveravano infatti ai primi il loro attesismo, il loro pascersi di platoniche risoluzioni congressuali e sostenevano per contro la necessità di forme più radicali di lotta. Furono gli uomini di « Giustizia e Libertà » che organizzarono nel luglio 1930 il volo di Bassanesi su Milano, con relativo lancio di manifestini antifascisti e altre analoghe iniziative, e che plaudirono all'attentato che un giovanissimo, Ferdinando De Rosa, compì contro il principe di Piemonte a Bruxelles nel 1929.

Erano questi i metodi che i comunisti giudicavano espressione di un attivismo dilettantistico e manifestazione di scarsa serietà. La lotta contro il fascismo — essi sostenevano — era una lotta di tutti i giorni, da condursi con la propaganda, l'agitazione sindacale, gli scioperi, e della quale erano protagonisti le masse degli operai e dei contadini italiani e quei militanti che avessero accettato di rimanere in Italia a contatto con il popolo: la strada insomma che essi avevano scelto. Il partito che si era formato a Livorno nel 1921 aveva superato, non senza travagli e lotte interne, il settarismo dei primi tempi e aveva imparato a sue spese, a prezzo del sangue dei suoi militanti, che non era vero che tutti i governi borghesi — ivi compresi quelli fascisti — si equivalessero e si era gettato con tutta la sua forza nella lotta antifascista. Dopo aver partecipato alla secessione dell'Aventino, salvo a ritirarsene e a ritornare in Parlamento una volta constatatene le incertezze e le debolezze, esso era riuscito a tenere in piedi una rete organizzativa anche dopo essere stato posto nell'illegalità. Il suo organo di stampa — « l'Unità » — stampato alla macchia, riuscì a uscire con una certa regolarità e i suoi attivisti continuarono a essere presenti nelle fabbriche riuscendo in qualche caso anche ad organizzare degli scioperi e delle dimostrazioni antifasciste. A Torino, in Toscana e nella Venezia Giulia una qualche organizzazione comunista non cessò mai di funzionare lungo tutto il ventennio fascista e tra le vittime del Tribunale speciale i comunisti, malgrado la loro rapida assimilazione del metodo di lavoro cospirativo, costituirono di gran lunga la maggioranza.

Ma non si trattava solo di questo: i comunisti furono, tra gli antifascisti, quelli che spinsero più a fondo l'analisi della realtà politica e sociale italiana alla luce della vittoria del fascismo, ricavandone un quadro nuovo e articolato delle forze e delle vie della rivoluzione italiana. Tale quadro è tracciato nelle tesi che Antonio Gramsci presentò e fece approvare al congresso del partito tenutosi a Lione nel 1926. In esse era affermata con grande chiarezza la necessità di contrapporre al blocco industriale-agrario che aveva dominato da sempre lo Stato italiano e del quale il fascismo era la più recente e brutale espressione, un blocco operaio-contadino, degli operai del Nord e dei contadini del Mezzogiorno. La questione meridionale, cui Gramsci aveva dedicato un altro scritto, veniva così indicata come un problema nazionale e non solo peculiare al Mezzogiorno. Contadini e operai avrebbero potuto vincere soltanto insieme e

dovevano procedere uniti, come unito era il blocco della reazione italiana: l'esperienza del 1920, quando gli operai torinesi e il gruppo dell'« Ordine nuovo » si erano illusi di
poter essere la Pietrogrado d'Italia, era stata un salutare
ammonimento e il Partito comunista d'Italia si proponeva
fermamente di non ripetere l'errore dei socialisti che nel dopoguerra avevano, come si è visto, lasciato che il movimento contadino procedesse per proprio conto. Certo lo
schema gramsciano della rivoluzione italiana ricalcava quello
leninista dell'alleanza tra operai e contadini e, anche, la formula staliniana del governo operaio-contadino. Tuttavia, nel
dare corpo e concretezza a questa idea generale, Gramsci
era indotto naturalmente a scandagliare la realtà storica italiana e a dare al proprio pensiero una forte angolatura nazionale, anzi, per usare un termine che ricorre sovente nei
suoi scritti, « nazionale-popolare », accentuando così le peculiarità storiche della rivoluzione italiana e, di conseguenza,
l'autonomia del partito di cui era alla testa. Di qui la perplessità che egli manifestò nel 1926 con una lettera a Togliatti circa gli sviluppi della lotta politica e il processo
di burocratizzazione in atto nell'Unione Sovietica. Di qui
la sua decisione di tornare in Italia, affrontata con la piena
consapevolezza dei rischi che ciò comportava. Nel 1926 egli
venne infatti arrestato e condannato dal Tribunale speciale
a venti anni di reclusione. Il carcere e la malattia che minava il suo debole organismo, l'incomprensione che a tratti
gli manifestarono i compagni di partito che condividevano
con lui la prigione, non furono sufficienti a impedire — come
aveva ordinato Mussolini — che il suo cervello continuasse
a funzionare. I *Quaderni* che redasse in carcere e che furono pubblicati dopo la Liberazione attestano che non un
solo momento egli cessò di pensare e di lavorare e le sue
lettere alla moglie e ai figli attestano che mai si spense in
lui la sua ricchissima e appassionata umanità.

I temi trattati e toccati negli scritti del periodo car-
cerario sono i più vari: dalla filosofia di Benedetto Croce,
alla storia del Risorgimento, al carattere del partito mo-

derno, alla letteratura e alla sua funzione civile. Cercare in questa sede di fornire un condensato del suo pensiero è perciò fatica vana. Si può dire soltanto che il filo rosso che corre attraverso di essi è la concezione del marxismo, che fu già del Labriola, come un sistema aperto e la polemica contro le interpretazioni meccanicistiche e sistematiche del medesimo. Esemplare al proposito è la sua critica del manuale *Sulla teoria del materialismo storico* di Bucharin. Antonio Gramsci morì il 27 aprile 1937, in una clinica di Roma alla quale era stato trasferito dal carcere. Al suo funerale non c'era nessuno.

L'uomo che nel frattempo gli era succeduto alla testa del partito, Palmiro Togliatti, era stato al suo fianco fin dai tempi dell'«Ordine nuovo» e aveva in comune con lui la formazione culturale e il senso della peculiarità e individualità della tradizione rivoluzionaria italiana. Ma la consapevolezza che questa tradizione era fatta anche di anarchismo e di un massimalismo plebeo e inconcludente lo rendeva più scettico e contribuiva a coltivare in lui un atteggiamento pedagogico nei confronti del partito di cui era a capo e a radicare in lui fermissima la convinzione che i comunisti italiani avessero tutto da imparare da quei comunisti russi che avevano saputo fare la rivoluzione e difenderla contro venti e maree. Senza contare che, per Togliatti, nella situazione determinatasi col rafforzamento della reazione su scala europea e nazionale, l'esito delle lotte politiche e sociali dipendeva dall'unità incondizionata dello schieramento di classe attorno all'Unione Sovietica. Di qui la sua fedeltà al Komintern e all'Urss, e il disaccordo in cui egli si trovò con Gramsci nella valutazione degli sviluppi interni della politica sovietica. Per Togliatti — come dirà più tardi in un suo discorso del 1956 — tra Partito comunista d'Italia e Unione Sovietica doveva esistere un « legame di ferro » e egli non esitò negli anni tra il 1926 e il 1945 a seguire tutte le volute della politica sovietica e dell'Internazionale. Sembra che nel 1928, al momento del VI Congresso dell'Internazionale, egli simpatizzasse con le idee di Bucharin,

ma quando poco dopo venne lanciata, nell'eccitazione che
la grande crisi del 1929 aveva generato nelle file comuniste, la parola d'ordine della lotta a oltranza contro la borghesia e i suoi lacché socialdemocratici, egli non esitò a far
espellere dal partito gli esponenti di destra, tra i quali Angelo Tasca, già suo compagno all'« Ordine nuovo » e ingegno acuto e brillante. Più tardi, quando la politica del-
l'Internazionale comunista, della quale egli era un membro
autorevolissimo, si orientò verso la politica dei fronti popolari, poté però finalmente conciliare le sue più intime e più
maturate convinzioni con la fedeltà all'Internazionale stessa.

Questa svolta del Partito comunista italiano contribuì
notevolmente a dare maggiore slancio e unità alla lotta antifascista. Nel 1934 si ebbe la stipulazione di un patto di
unità d'azione tra il Partito comunista e il Partito socialista, che nel frattempo si era riunificato, e, successivamente,
la partecipazione di tutto l'antifascismo italiano alla guerra
civile spagnola. Tra i primi ad accorrere sui campi di battaglia di Spagna era stato Carlo Rosselli. Fu questa la stagione più bella dell'antifascismo italiano: furono 5.000 i
volontari italiani delle Brigate garibaldine e internazionali
che combatterono per la libertà della Spagna. Nel marzo
1937 a Guadalajara, questi autentici volontari si trovarono
di fronte i falsi volontari inviati dal fascismo a sostegno di
Franco e li sconfissero: così la prima delle sconfitte militari del fascismo avveniva per opera di italiani.

Ma dopo Guadalajara vennero anche i giorni tristi e le
esperienze amare: l'assassinio dei fratelli Rosselli perpetrato
a Bagnoles-sur-Orne da sicari francesi al soldo dei fascisti
l'11 giugno 1937, la caduta della repubblica spagnola, il
riaffiorare delle divergenze tra i partiti antifascisti, il patto
germano-sovietico. Ma i legami e la solidarietà di lotta che
si erano formati nel corso della guerra civile spagnola non
andarono del tutto perduti e ben presto essi avrebbero dato
i loro frutti nella Resistenza.

XIII

GLI ULTIMI DECENNI

L'Italia nella seconda guerra mondiale.

Se nella prima guerra mondiale l'Italia era entrata impreparata, nella seconda entrò impreparatissima. Mussolini aveva esaltato la potenza degli otto milioni di baionette che formavano l'esercito italiano. A prescindere dalla cifra e dalla sua esagerazione (all'inizio delle ostilità gli italiani sotto le armi erano circa un milione), la guerra moderna non si faceva con le baionette e neppure con il fucile modello '91 in dotazione all'esercito sin dai tempi della prima guerra d'Africa. Occorrevano carri armati — e ve n'erano in tutto 400 di formato tascabile —, occorrevano aerei — e ve ne erano 1.400, dei quali la maggior parte antiquati e con scarsa autonomia di volo —, occorrevano munizioni, e ve ne erano scorte sufficienti solo per 60 giorni di guerra.

Mussolini stesso era del resto consapevole dell'impreparazione militare italiana, ma era altresì convinto che la guerra fosse ormai agli sgoccioli e che l'Inghilterra tra breve avrebbe subito la sorte della Francia. Quel che gli premeva era di potersi sedere al tavolo della pace dalla parte dei vincitori con qualche successo militare parziale da far valere nei confronti del potentissimo alleato germanico. La sua germanofilia era infatti fatta di opportunità e in cuor suo neppure lui nutriva eccessiva simpatia per i tedeschi e per il loro Führer, verso il quale aveva anzi un netto complesso di in-

feriorità. Gli incontri tra i due capi si riducevano infatti
assai spesso a un monologo di Hitler con rare e timide inter-
ruzioni del duce. La cosa era complicata dal fatto che quest'ultimo si piccava di conoscere il tedesco, ma pare che
quello di Hitler fosse particolarmente ostico. Comunque, dato
che la vittoria tedesca appariva inevitabile, bisognava passare
sopra le simpatie e i risentimenti e sforzarsi però nel contempo di conservare la propria autonomia di iniziativa militare e politica, in modo di arrivare alla pace con delle buone
monete di scambio. L'Italia in altre parole doveva condurre
una guerra « parallela » a quella della Germania, con proprie
forze e con propri obiettivi. Furono considerazioni di questo tipo che indussero Mussolini, cento ore prima dell'armistizio con la Francia, a ordinare un'inutile e ingloriosa
offensiva sul fronte delle Alpi occidentali, che si risolse del
resto in una prima clamorosa dimostrazione dell'impreparazione dell'esercito italiano.

Successivamente la guerra parallela fu continuata in Africa
orientale dove le truppe italiane riuscirono a conquistare la
Somalia britannica, e in Libia, dove una puntata offensiva
portò le armate al comando di Graziani ad occupare Sidi
el Barrani. Sul mare si ebbero nel Mediterraneo varie battaglie risoltesi alternativamente in favore dell'una e dell'altra
delle parti e dalle quali la marina italiana, che era tra le
varie armi quella che aveva saputo mantenere maggiormente
la propria autonomia nei confronti del fascismo, uscì con
onore. Ma di fronte alla strapotenza e al prestigio dei tedeschi occorreva ben altro per sottolineare la presenza e
l'autonomia italiana. L'occupazione tedesca della Romania nel-
l'ottobre 1940 irritò Mussolini e lo indusse a rompere gli
indugi e a porre in atto un'iniziativa politica militare che
da tempo aveva in mente e verso la quale l'alleato tedesco
aveva in precedenza manifestato la sua perplessità, l'aggressione alla Grecia. Raramente un'impresa militare fu prepa-
rata (sarebbe meglio dire improvvisata) con tanto dilettantismo e autentica incoscienza. I risultati non tardarono a
confermarlo: quella che nelle convinzioni di Mussolini avrebbe

dovuto essere una passeggiata militare si risolse in una clamorosa disfatta e fu già molto se le truppe italiane riuscirono a mantenere il possesso dell'Albania di fronte alla controffensiva greca. A migliaia i soldati, gli alpini italiani, calzati con scarpe dalle suole di cartone e privi talvolta di indumenti invernali, perirono per congelamento sui monti della Grecia. Ne nacque una dolorosa canzone di guerra che, come la tedesca *Lilì Marleen*, sembrava un presagio dell'inevitabile sconfitta.

Frattanto le cose si mettevano male anche sugli altri fronti. Le aereosiluranti inglesi avevano inflitto l'11 novembre 1940 perdite gravissime alla flotta italiana all'ancora nella rada di Taranto, mentre sul fronte libico gli inglesi erano alla controffensiva e il 16 febbraio 1941 raggiungevano Bengasi. Anche in Africa orientale le cose cominciavano a volgere al peggio e appariva ormai chiaro che la perdita dell'Etiopia era — come di fatto fu — imminente.

Sul fronte interno la situazione non era certo migliore. Il tesseramento dei generi alimentari e di prima necessità era rigoroso, ma ciò non impediva che i privilegiati — e tra essi i gerarchi fascisti — lo eludessero facendo ricorso al mercato nero. Mentre i figli della povera gente andavano a farsi massacrare in Libia e in Grecia, i figli di papà trovavano il modo di farsi esonerare. La dipendenza economica in fatto di materie prime industriali nei confronti della Germania si accentuava ogni giorno di più e con essa e con le sconfitte militari subite svanivano le illusioni della guerra parallela. Ormai l'Italia era alla mercé del suo alleato e il suo ruolo quello di un comprimario modesto e sottomesso.

Con i primi mesi del '41 iniziava una nuova fase della guerra che vedeva l'Italia in posizione di completa subordinazione politica e militare. L'intervento e la vittoriosa campagna tedesca in Grecia e in Jugoslavia misero fine alle vecchie aspirazioni italiane di egemonia sui Balcani. L'annessione all'Italia della città di Lubiana e la creazione di un regno di Croazia, del quale fu designato re un Savoia, che peraltro non vi mise mai piede, costituivano infatti un ben magro compenso. Successivamente l'invio di un corpo di spedizione tedesco al comando del generale Rommel in Libia e la sua vittoriosa offensiva sino a Sollum suonarono come un riconoscimento dell'avvenuta subordinazione dei comandi italiani a quelli tedeschi. Ultimo atto di servilismo nei confronti di questi ultimi fu l'invio di un corpo di spedizione italiano nell'Urss.

Con l'aggressione all'Unione Sovietica e l'intervento degli Stati Uniti (dicembre 1941) la guerra prese, come è noto, una piega sempre più sfavorevole per le potenze dell'Asse. Nell'autunno del '42 la sensazione della sconfitta era ormai generale: la vittoria inglese di El Alamein nell'ottobre e lo sbarco americano nell'Africa del Nord nel novembre fecero comprendere che l'alterna guerra che per due anni si era combattuta sulle sponde della Libia e dell'Egitto si avviava ormai al termine. Le possibilità di rifornire le truppe combattenti nell'Africa settentrionale divenivano ogni giorno più problematiche e la lunga guerra dei convogli, anch'essa trascinatasi con alterne vicende, si stava risolvendo in favore della flotta inglese, che aveva nel radar un cospicuo vantaggio e in Malta una base che invano gli italiani avevano cercato di espugnare. A dare il suggello alla tragedia giunsero le notizie della Russia: tra il dicembre 1942 e il gennaio 1943 l'armata italiana, forte di 110.000 uomini, era stata travolta e più della metà dei suoi effettivi erano caduti sotto il piombo nemico o per congelamento. I pochi reduci racconteranno che i « camerati tedeschi » si erano rifiutati di fornir loro i mezzi di trasporto necessari per porsi in salvo.

Il malcontento che da tempo si era venuto accumulando nel paese si veniva gradualmente trasformando in collera e in opposizione organizzata. I contatti tra gli oppositori si intensificarono e nel dicembre 1942 fu possibile costituire a Torino un Comitato antifascista in cui erano rappresentati, accanto ai socialisti, ai liberali e ai comunisti, due nuovi partiti, il Partito d'azione, un erede del movimento di « Giustizia e Libertà » cui aderiva la maggior parte degli intellettuali, e la Democrazia cristiana, un partito di recentissima costituzione. Il Vaticano stava prendendo infatti le sue distanze dal regime. Sempre a Torino, la più antifascista e la più operaia delle città italiane, nel marzo 1943 gli operai della Fiat e di altri stabilimenti scendevano in sciopero, imitati successivamente dai loro compagni di Milano. Il significato politico dell'avvenimento non sfuggì a nessuno e tanto meno ai gerarchi fascisti che ricordavano ancora come dopo la marcia su Roma la classe operaia torinese fosse stata piegata soltanto col ferro e col fuoco. Molti di essi cominciarono allora a pensare che una guerra perduta era sempre preferibile a una rivoluzione.

Tale convinzione si venne naturalmente rafforzando a mano a mano che la situazione militare precipitava. Nel maggio le ultime truppe attestate in Tunisia erano buttate a mare e nel luglio gli anglo-americani sbarcavano in Sicilia. Nel frattempo le città italiane erano sottoposte a micidiali bombardamenti. Tra le quinte del regime iniziava così una disperata ricerca di una via d'uscita che permettesse all'Italia di sganciarsi dai tedeschi e di por fine alla guerra con gli alleati. La corte divenne il *trait d'union* tra gli uomini della fronda fascista — Bottai, Grandi, Ciano (quest'ultimo aveva lasciato nel febbraio 1943 il ministero degli Esteri e assunto la carica di ambasciatore presso la Santa Sede) —, gli uomini della vecchia classe dirigente e i quadri dell'esercito, tra i quali il nuovo capo di stato maggiore generale Ambrosio, che erano convinti dell'inutilità di condurre oltre una guerra già perduta. Quando nel luglio 1943 Mussolini tornò da un ennesimo convegno con Hitler senza aver neppure tentato di convincerlo a lasciar libera l'Italia di decidere dei suoi destini, apparve chiaro che la prima cosa da farsi era di togliergli le redini del potere. Nella seduta del Gran Consiglio apertasi il 24 luglio gli oppositori di Mussolini dettero battaglia e riuscirono, dopo una drammatica seduta notturna, a far approvare con 19 voti contro 7 un ordine del giorno che, invitando il re « ad assumere il comando delle forze armate e la pienezza dei suoi poteri costituzionali », suonava praticamente una sconfessione di Mus-

solini e del regime da lui instaurato. Questi però non si rese
conto della portata di tale pronunciamento e rimase sorpreso
quando la sera del 25 luglio, recatosi dal re, che era stato
nel frattempo messo al corrente da Grandi dell'esito della
riunione del Gran Consiglio, si sentì dire che le sue dimissioni erano state accettate e un nuovo governo costituito e
quando, uscito di palazzo, trovò alla porta un'autoambulanza
sulla quale venne fatto salire per essere trasportato in una
caserma di Roma e quindi a Ponza.

Gli italiani appresero l'accaduto dalla radio a notte inol-
trata e la mattina seguente tutte le piazze d'Italia furono
teatro di scene di entusiasmo indescrivibile. Generale era la
convinzione che la fine della dittatura del fascismo sarebbe
stata seguita a breve scadenza dalla fine della guerra e delle
sofferenze. Ma non fu così.

I Quarantacinque giorni e l'armistizio.

I quarantacinque giorni che vanno dal 25 luglio all'annuncio dell'armistizio dell'8 settembre appartengono a quei
periodi storici in cui la farsa si mescola con la tragedia e
costituiscono la testimonianza della più alta prova di insi-
pienza data dalla classe dirigente italiana in tutto il corso
della sua storia.

A capo del nuovo governo costituito dal re vi era il
maresciallo Pietro Badoglio, un militare piemontese che aveva
guidato l'impresa militare contro l'Etiopia e, dopo lo smacco
dell'aggressione contro la Grecia, si era dimesso da capo
di stato maggiore dando al suo gesto il valore di una disso-
ciazione di responsabilità dalle iniziative militari di Mussolini. Incalzato da una parte dalle preoccupazioni conservatrici del re e di alcuni dei suoi ministri e dall'altra da quelle
dei partiti antifascisti, che richiedevano a gran voce la liquidazione del regime e la pace, egli non volle scontentare
né gli uni né gli altri e si impegnò in una politica di tem-
poreggiamento e di piccole astuzie, che era esattamente il

contrario delle grandi decisioni che la gravità del momento richiedeva. I suoi primi atti furono l'emanazione di un proclama in cui si annunciava che la guerra continuava e il divieto di tenere assemblee e riunioni. Il Partito fascista venne sciolto, ma venne altresì ostacolata la ricostituzione degli altri partiti; i prigionieri politici vennero liberati, ma vennero anche mantenuti ai loro posti alcuni militari e funzionari tedescofili. La vita politica — prometteva Badoglio — sarebbe ripresa dopo la fine della guerra, con libere elezioni; per ora agli italiani si chiedeva soltanto di avere fiducia nel governo.

Questo però si mostrava assai poco degno della fiducia che richiedeva. Nel corso dell'agosto 1943, mentre i bombardieri alleati rovesciavano quotidianamente tonnellate di bombe sulle città italiane, esso perse del tempo prezioso nella vana e futile ricerca di soluzioni impossibili. Mentre il 7 agosto il ministro degli Esteri Guariglia dichiarava al suo collega tedesco von Ribbentrop che la politica estera italiana non aveva subito mutamenti, già erano iniziati gli approcci con gli alleati in vista di un armistizio. I preliminari e le trattative furono tirati per le lunghe nella vana speranza di indurre gli alleati a recedere dalle loro richieste di resa senza condizioni e di restaurare così in qualche modo il prestigio di una monarchia compromessa da venti anni di collaborazione col fascismo. Nel frattempo però i tedeschi non perdevano tempo e facevano affluire in Italia quelle divisioni che avevano rifiutato a Mussolini quando questi, nel suo ultimo incontro con il Führer, ne aveva fatto richiesta. Con i suoi temporeggiamenti e le sue indecisioni il governo Badoglio riuscì a alienarsi la fiducia di tutti: dei tedeschi, che fiutavano la piega che gli eventi avrebbero presa; degli alleati, che diffidavano delle tergiversazioni e del machiavellismo dei plenipotenziari di Roma; degli italiani infine che, come dimostrarono gli scioperi dell'agosto attuati a Torino e a Milano, erano sempre più decisi a far sentire la loro volontà di pace. Badoglio e il re avrebbero voluto poter uscire dal conflitto con il consenso dei tedeschi e dopo aver ottenuto clausole di armistizio favorevoli dagli alleati. A questo fine essi sbandierarono di fronte ad entrambi lo spettro di una rivoluzione comunista e recitarono l'*après nous le déluge*. Anche se gli alleati non erano insensibili a questo argomento, per ora le considerazioni militari passavano innanzi a tutto e gli impegni con l'Urss per la resa incondizionata erano formali.

Alla fine ci si dovette ben risolvere a accettare la resa senza condizioni. L'armistizio venne firmato a Cassibile, uno sperduto villaggio siciliano, il 3 settembre dal generale Castellano. Il governo Badoglio riuscì però a ottenere che l'annuncio dell'armistizio fosse dilazionato fino a che le truppe alleate, che già avevano passato lo stretto, avessero effettuato uno sbarco nell'Italia meridionale, che avrebbe dovuto essere accompagnato da un lancio di paracadutisti su Roma. Quando però il 7 settembre il generale Taylor, inviato dal quartier generale alleato in missione a Roma, constatò che il progettato lancio era impossibile perché i tedeschi controllavano ormai gli aeroporti della capitale, questo venne cancellato dal piano di operazioni. Frattanto la flotta era già in mare diretta a Salerno col suo carico di truppe e, ai termini dell'accordo di Cassibile, l'annuncio dell'armistizio era imminente. Invano Badoglio cercò di convincere Eisenhower a ritardare l'annuncio o, addirittura, a far invertire la rotta alla flotta in navigazione. Il comandante in capo alleato fu naturalmente irremovibile e nella serata dell'8 settembre trasmise ai microfoni della radio, due ore dopo che radio Londra ne aveva già dato la notizia, una dichiarazione di Badoglio nella quale si annunziava l'armistizio e si ordinava alle truppe di cessare ogni resistenza contro gli anglo-americani e di resistere invece « ad eventuali attacchi di altra provenienza ». Nel frattempo, assieme a un drappello di generali e di funzionari, egli seguiva il re nella sua fuga verso Pescara, dove un vaporetto attendeva la poco lieta brigata per trasportarla nel territorio già controllato dagli alleati.

Così da un giorno all'altro l'Italia si trovò senza un governo, con un esercito straniero accampato minaccioso sul suo territorio, sconvolta da una ridda di notizie contraddittorie. Per alcuni giorni fu letteralmente il caos e ognuno si trovò solo con la propria coscienza a fare le proprie scelte. Mentre alcuni comandanti militari si arrendevano ai tedeschi e abbandonavano i propri reparti altri, come a Roma il generale Carboni, tentarono di organizzare una resistenza. La flotta, la più antifascista delle armi, non ebbe esitazioni e, ottemperando alle clausole dell'armistizio, si diresse verso Malta, dove giunse dopo aver perduto per via una delle sue migliori unità: la corazzata *Roma* affondata dai tedeschi. Esitazioni non ebbero neppure i soldati del presidio di Cefalonia, 8.400 dei quali furono massacrati dai tedeschi e i molti soldati stanziati nei Balcani che si unirono ai partigiani jugoslavi. Ma per la grande massa degli sbandati, di coloro che da un giorno all'altro si erano trovati senza capi e senza ordini, la scelta era quella più elementare della strada giusta per trovare il cammino di casa: imboccare quella sbagliata significava cadere in mano ai tedeschi e ritrovarsi in un vagone piombato diretto ai campi di concentramento in Germania. Rifulsero in questi giorni di sbandamento e di coas le virtù profonde e modeste, di gentilezza e di tolleranza, del popolo italiano: a nessun militare sbandato fu negato un abito borghese, a nessun prigioniero alleato trovatosi improvvisamente in libertà fu negato un asilo e un aiuto, a nessun ebreo un nascondiglio. Nella sventura il popolo italiano cominciava a ritrovare la sua antica civiltà.

La Resistenza.

Nei giorni successivi all'8 settembre le cose cominciarono a chiarirsi e divenne tragicamente evidente a tutti che l'Italia era spaccata in due. Al Sud vi erano gli eserciti alleati — che il 1º ottobre avevano raggiunto Napoli e si erano quindi attestati lungo una linea che dall'Adriatico raggiungeva Pescara attraverso Montecassino — e il governo Badoglio. Al Nord vi erano i tedeschi e un governo fascista capeggiato da Mussolini che il 12 settembre era stato liberato da un distaccamento di paracadutisti tedeschi. Per la verità l'uno e l'altro dei governi italiani facevano figura di governi-fantoccio. Quello di Mussolini — la Repubblica sociale italiana — non esercitava la sua sovranità nominale nemmeno su tutto il territorio italiano non occupato dagli alleati: buona parte del Veneto era infatti direttamente amministrata dai tedeschi e si trovava in una condizione intermedia tra quella del territorio occupato e quella del territorio annesso. Ma anche il governo del Sud inizialmente aveva sovranità diretta solo sulle province pugliesi e fu solo nel febbraio 1944 che le rimanenti province, in precedenza amministrate dagli alleati, passarono sotto la sua giurisdizione. Nei dettagli il panorama era ancora più sconfortante e caotico: in Sicilia l'antico risentimento contro il fascismo e verso Roma aveva trovato espressione nella formazione di un movimento indipendentista; a Napoli, che pure era insorta contro i tedeschi prima dell'arrivo delle truppe alleate, regnavano lo squallore e la degradazione; nel Nord la popolazione conosceva il terrore dei primi rastrellamenti tedeschi e la tracotanza vendicativa e disperata dei ricostituiti reparti fascisti, nei quali sembrava rivivere lo spirito dello squadrismo delle origini. Ovunque fame, mercato nero, disorientamento. Né vi erano fondate speranze di una rapida soluzione: ogni giorno di più appariva chiaro che il fronte italiano era per gli alleati un fronte secondario e dopo l'incontro di Teheran, anche su sollecitazione di Stalin, le loro forze erano principalmente assorbite dalla preparazione del secondo fronte e dello sbarco in Normandia, e a questo fine anzi alcune divisioni erano state ritirate dal fronte italiano. La guerra ristagnava dunque a sud di Roma e l'Italia sembrava marcire nell'attesa. L'idea che essa potesse esercitare un qualche peso sul corso degli avvenimenti e far sentire in qualche modo la propria voce sembrava ai più un'utopia.

Un primo spiraglio si aprì nell'ottobre quando il governo Badoglio, dopo molte esitazioni, decise di dichiarare guerra alla Germania, mostrando così di prendere in parola l'impegno assunto dagli alleati di modificare le condizioni di pace nella misura del contributo italiano alla lotta antifascista. Tutti coloro per i quali il giuramento di fedeltà al re aveva conservato un valore si trovarono dopo questo momento autorizzati alla disobbedienza verso il governo della Repubblica sociale italiana e verso i tedeschi, e alle prime formazioni partigiane organizzate dai comunisti e dagli uomini del Partito d'azione si vennero così affiancando quelle comandate e inquadrate da ufficiali dell'esercito regolare. I tedeschi di fronte a questo primo insorgere della Resistenza forgiarono il singolare epiteto di « comunisti badogliani », senza probabilmente rendersi conto che l'essere riusciti a far andare d'accordo i comunisti con i monarchici non costituiva certo una prova della loro popolarità in Italia.

In realtà — almeno nei primi tempi — i comunisti e gli altri partiti antifascisti non andavano affatto d'accordo con il re, al quale rimproveravano anzi la responsabilità storica di aver facilitato l'ascesa al potere del fascismo e di avervelo mantenuto sino alla catastrofe. Al congresso dei partiti antifascisti che si tenne a Bari nel gennaio 1944, i partiti di sinistra facenti capo al Comitato di liberazione nazionale furono unanimi nel chiedere l'abdicazione immediata del re, ma il vecchio e saggio Benedetto Croce ebbe buon gioco a dimostrar loro che tale richiesta era puramente velleitaria. Non era infatti un segreto per nessuno che gli alleati, e in particolar modo l'Inghilterra di Winston Churchill, sostenevano la monarchia e vedevano con fastidio l'agitazione degli antifascisti. La situazione sembrava dunque senza via d'uscita e la costituzione di un fronte antifascista e antitedesco assai problematica.

A sbloccare la situazione fu proprio colui che nessuno avrebbe immaginato, il *leader* del Partito comunista italiano, Palmiro Togliatti, sbarcato in Italia nel marzo 1944 dopo 18 anni di esilio e di milizia nelle file dell'Internazionale. Togliatti era certamente al corrente degli orientamenti della politica dell'Unione Sovietica, che proprio in quei giorni aveva riconosciuto per prima il governo Badoglio, e di come essi tendessero in definitiva alla divisione dell'Europa in sfere di influenza. Ma, come già nel '35 all'epoca dei fronti popolari, era profondamente convinto che ciò coincidesse con gli interessi italiani. Egli, che ben sapeva quante lacrime fosse costato e quanto sangue la costruzione di uno Stato socialista, e che, a prescindere dalla presenza delle truppe alleate sul suolo nazionale, non si faceva troppe illusioni sulle possibilità rivoluzionarie di un paese che usciva da venti anni di fascismo, pensava che la « via italiana » al socialismo — come egli la chiamava — dovesse passare attraverso un graduale processo di democratizzazione dello Stato e attraverso la collaborazione dei comunisti con gli altri partiti per il raggiungimento di successivi obiettivi intermedi. Il primo di questi obiettivi era la cacciata dei tedeschi e la liberazione del territorio nazionale e perciò Togliatti non esitò ad accettare la formula di compromesso elaborato da Croce e da De Nicola, per cui il re s'impegnava a rimettere i suoi poteri al figlio, nominato Luogotenente, al momento della liberazione di Roma, e a rinviare la soluzione definitiva del problema istituzionale a dopo la fine della guerra. Subito dopo venne formato un nuovo governo alla testa del quale era ancora Badoglio, ma a cui parteciparono esponenti di tutti i partiti aderenti al Comitato di liberazione nazionale, eccetto il Partito d'azione.

Questo accadeva tra il marzo e l'aprile del 1944. Nello stesso torno di tempo si aveva l'azione partigiana di via Rasella — forse il più celebre degli episodi della Resistenza italiana, che costò la vita a 32 soldati tedeschi e fu seguita dall'eccidio di 335 patrioti italiani alle Fosse Ardeatine — e i grandi scioperi delle città industriali del Nord che lacerarono irrevocabilmente la cortina fumogena della demagogia sociale della repubblica fascista. Questa appariva ogni giorno di più come un corpo estraneo al paese, quasi un *revenant* di un passato ormai sepolto. L'unico suo atto che impressionò l'opinione pubblica — e non certo in un senso favorevole — fu il fosco processo di Verona, un regolamento di conti tra gerarchi fascisti, che si concluse con l'esecuzione di Ciano e di altri protagonisti del colpo di scena del 25 luglio.

La Resistenza entrava così nella sua stagione più piena e accumulava ben presto titoli sufficienti per essere considerata dagli alleati come un valido interlocutore. Quando nel giugno 1944 le truppe alleate entrarono in Roma, il generale Badoglio passò le consegne a un nuovo gabinetto presieduto da Bonomi, cui partecipavano i *leaders* dei partiti antifascisti e che si dichiarava espressione del Comitato di liberazione nazionale. Fu un boccone amaro per Churchill che non mancò di scriverne a Stalin ricevendo dal maresciallo sovietico la risposta che si meravigliava che in un territorio da loro occupato gli alleati avessero permesso un'iniziativa a loro sgradita. In realtà su questo punto Inghilterra e Stati Uniti non avevano agito di concerto e Roosevelt aveva anzi appoggiato la formazione di un governo che fosse espressione dell'antifascismo e della Resistenza.

La liberazione di Roma e di Firenze, rispettivamente nel giugno e nell'agosto del 1944, e la prospettiva di una imminente definitiva vittoria alleata contribuirono certo notevolmente a far sì che l'attività delle formazioni partigiane organizzate dai vari partiti nel Settentrione si intensificasse: i colpi di mano e i sabotaggi si moltiplicarono e si costituirono anche varie « zone libere », interamente occupate e amministrate dai partigiani, quali la Val d'Ossola, la Carnia, la repubblica di Torriglia in Liguria e altre ancora. Il corso che successivamente presero gli eventi dimostrò però che la Resistenza italiana non era un fenomeno effimero e che essa non intendeva in alcun modo di lasciarsi confinare a quella funzione di appendice di guastatori e di sabotatori degli eserciti alleati cui questi ultimi, preoccupati delle sue implicazioni politiche, intendevano ridurla.

Dal settembre '44, quando le truppe alleate vennero arrestate sulla linea gotica, all'aprile 1945, quando l'Italia settentrionale venne liberata, trascorsero dieci mesi e furono mesi durissimi per il movimento partigiano. Cadono in questo periodo i più massicci rastrellamenti tedeschi, le rappresaglie più spietate contro la popolazione civile (tra tutte la più terribile fu forse quella consumata contro il comune emiliano di Marzabotto: 1.830 morti), la rioccupazione da parte tedesca di molte zone libere e fu in questo periodo che caddero la maggior parte dei 46.000 morti della guerra di liberazione. A demoralizzare ancor più il morale dei combattenti venne poi il 10 novembre 1944 il proclama del generale inglese Alexander, che invitava a cessare le operazioni, e le notizie dei disaccordi manifestatisi nel governo Bonomi tra gli elementi antifascisti e quelli conservatori della vecchia emigrazione. Malgrado tutto ciò, le forze partigiane superarono la crisi dell'autunno 1944 e continuarono la lotta malgrado i gravissimi colpi subiti. Quando alla fine dell'aprile 1945, dopo che già sugli altri fronti erano praticamente finite le ostilità, le forze alleate irruppero nella pianura padana, esse trovarono le principali città già nelle mani dell'esercito di liberazione e i principali impianti industriali salvati dal vandalismo tedesco.

Forte di questi successi il Comitato di liberazione nazionale dell'Alta Italia, che aveva diretto l'insurrezione, poteva trattare e agire con gli alleati con l'autorità che gli veniva dalla lotta sostenuta. Sua fu l'iniziativa di ordinare l'esecuzione di Mussolini, catturato dai partigiani mentre cercava, in uniforme da tedesco, di guadagnare la frontiera svizzera, e dei gerarchi fascisti che lo accompagnavano. Essa venne eseguita nel pomeriggio del 28 aprile e successivamente le salme vennero impiccate e esposte in una piazza di Milano in cui erano stati fucilati dai partigiani. Era un gesto che voleva significare soprattutto una rottura col passato e un ammonimento a chi — in Italia e fuori d'Italia — pensava di poter eludere l'ansia di rinnovamento che si era espressa nella Resistenza. Quell'ultima infatti non era stata soltanto un fatto militare, per quanto anche sotto questo aspetto il suo contributo alla vittoria alleata non sia stato trascurabile, ma soprattutto un fenomeno politico di grande ampiezza. Essa non era stata infatti soltanto il fatto degli

operai che avevano sabotato e degli uomini delle formazioni armate che avevano combattuto, ma anche dei contadini che li avevano nutriti e del clero che li aveva nascosti.
Ora tutti questi uomini erano convinti che le cose in Italia
dovessero cambiare, che fosse passato il tempo dei privilegi
e della corruzione, volevano una parte pulita e onesta e erano
decisi a battersi per questo e a non lasciarsi ingoiare dalle
sabbie mobili del vecchio trasformismo politico italiano. Ma
l'impresa era più difficile di quanto, nell'entusiasmo delle
giornate della liberazione, gli uomini della Resistenza pensassero.

Speranze e frustrazioni del dopoguerra.

Chi voglia rendersi conto di quale fosse lo spirito del-
l'Italia della Resistenza pensi ai film di Roberto Rossellini,
che inaugurarono la scuola del neorealismo italiano, da *Roma
città aperta* a *Paisà*. Di questo spirito essi sono rappresen-
tativi non solo perché molti dei loro personaggi sono uomini
e donne della Resistenza — la popolana romana superba-
mente impersonata da Anna Magnani, il militante comunista
e il prete accomunati nel martirio, gli affamati e rassegnati
partigiani del Polesine —, ma soprattutto per il tentativo
in cui essi pienamente riuscirono di fornire dell'Italia e del
suo popolo un'immagine autentica e viva, per il rifiuto di
ogni retorica consolatrice e di ogni recriminazione, per la
serietà del loro impegno e della loro scabra passione. Ma
questi film ebbero in Italia un successo assai minore di quello
che avrebbero avuto all'estero. Perché — si chiedevano infatti molti italiani — ostentare le nostre miserie, la prosti-
tuzione che dilagava nelle città, la disoccupazione, il mercato nero? Perché frugare e scandagliare in un passato troppo
prossimo e troppo amaro? Non era meglio mettere una pietra
su tutto e ricominciare a vivere e a respirare?

Questo rifiuto di rendersi conto di ciò che era accaduto e di guardare in faccia la realtà italiana, con i suoi

mali antichi, i suoi scompensi e le sue ingiustizie, era in definitiva un alibi dietro il quale si mascherava la paura di un rinnovamento e la rinuncia a modificare le cose. Più tardi esso avrà un nome — « qualunquismo » — e diverrà un movimento politico con netto carattere reazionario. Ma, all'indomani della liberazione, molti di coloro che ragionavano così, specie in quelle zone del paese che non avevano vissuto l'esperienza della Resistenza, non si rendevano conto delle implicazioni politiche del loro atteggiamento. Essi volevano soltanto uscire dall'incubo in cui erano vissuti, ricominciare a vivere. Come tutti i dopoguerra anche questo aveva infatti, oltre alle sue miserie, i suoi piaceri e la sua euforia: le sale da ballo si moltiplicavano a vista d'occhio, ritornavano sugli schermi, dopo tanti anni di assenza, i film americani con le loro bellezze atomiche, il ciclista Bartali ritornava a correre e a vincere.

Fu questa seconda Italia « qualunquista » e amante del quieto vivere che alla fine prevalse e, come già nel primo dopoguerra, le forze della conservazione e del privilegio, che all'indomani della liberazione sembravano isolate, riuscirono a trovare quel consenso e quella base di massa che permise loro di conservare il loro predominio. Strumento e tramite di questo processo di involuzione e di rinuncia fu il partito della Democrazia cristiana, guidato da Alcide De Gasperi, un trentino pugnace, già deputato al Parlamento austriaco e membro autorevole del Partito popolare italiano, che durante il fascismo aveva lavorato come bibliotecario alla Vaticana. Malgrado i pronunciamenti della sua ala sinistra e le enunciazioni avanzate del suo programma, le forze della conservazione non tardarono a identificare nella Democrazia cristiana, nella larga base di massa che essa aveva tra la popolazione delle campagne e nell'appoggio di cui godeva da parte del Vaticano, il più sicuro baluardo dell'ordine costituito. D'altra parte la paura del comunismo faceva sì che anche molti agnostici o miscredenti, sia pure *obtorto collo*, decidessero di dare il voto alla Democrazia cristiana.

La cronaca di questa sconfitta della Resistenza e delle

sue istanze rinnovatrici è drammatica e contrastata, e noi ci dobbiamo limitare qui a ricordarne solo le tappe principali. Un primo spostamento a destra dell'asse politico italiano si ebbe nel dicembre 1945 quando il governo presieduto da Ferruccio Parri, un uomo del Partito d'azione, dovette cedere il posto a uno presieduto da De Gasperi. Fu sotto questo governo che si tennero nel giugno 1946 le prime elezioni di questo dopoguerra, alle quali fu abbinato un referendum circa la forma istituzionale dello Stato. La repubblica prevalse di giustezza (12.717.923 voti contro 10.717.284), mentre nell'Assemblea costituente i democratici cristiani ebbero il 35,2 per cento dei voti, i socialisti il 20,7 e i comunisti il 19. Come si vede i tre maggiori partiti totalizzarono il 75 per cento del totale: il resto era disperso tra varie formazioni minori di sinistra (Partito d'azione, Partito repubblicano) e i partiti di estrema destra.

La bilancia politica era dunque ancora equilibrata. Se la Democrazia cristiana era di gran lunga il partito più forte, socialisti e comunisti, che avevano da poco rinnovato il patto di unità d'azione del 1934, pareggiavano e superavano sommati insieme i suoi voti e detenevano il controllo quasi assoluto della Confederazione generale del lavoro, l'organizzazione sindacale unitaria cui aderivano anche, in netta minoranza, i sindacati cattolici. Fu giocoforza tornare perciò a un governo presieduto da De Gasperi con la partecipazione dei democristiani, dei socialisti e dei comunisti, ma ben presto apparve chiaro che la sua vita non sarebbe stata troppo lunga.

A prescindere dai dissidi interni che già cominciavano ad affiorare, troppi erano gli ostacoli che si frapponevano sulla sua strada: dall'atteggiamento punitivo degli alleati al tavolo delle trattative di Parigi, alla questione di Trieste reclamata dalla Jugoslavia, che i partiti di destra sfruttavano come elemento di divisione, alle enormi difficoltà di una politica economica divisa tra la necessità della ricostruzione e quella del soddisfacimento delle rivendicazioni operaie. Ma l'elemento maggiormente dirompente della colla-

borazione fra i vari partiti rappresentati al governo era costituito dagli sviluppi della situazione internazionale. A mano
a mano che la guerra fredda ne appariva come la tendenza
dominante, sempre più insistenti si facevano da parte americana le pressioni politiche perché venisse rotta. la collaborazione con i comunisti e con i loro alleati. Togliatti, con
l'acuta sensibilità che gli era propria per gli affari internazionali, ne era il più consapevole e non fu avaro di compromessi e di concessioni pur di salvare il disegno politico
che egli si era proposto di perseguire sbarcando in Italia
nel marzo 1944. La più vistosa e la più gravida di conseguenze tra queste concessioni fu il voto favorevole dei comunisti all'articolo 7 della costituzione, in base al quale i
Trattati lateranensi stipulati da Mussolini nel 1929 vennero
riconosciuti e convalidati. Non furono probabilmente soltanto
ragioni di opportunità a indurre il *leader* comunista a questa decisione, criticatissima da parte degli altri partiti della
sinistra. In lui probabilmente vi era anche la consapevole
volontà di rompere con il vecchio e sterile anticlericalismo
borghese del movimento operaio prefascista.

Comunque, se si trattò soltanto di una mossa contingente, essa non servì a nulla. A poco più di un mese di
distanza dal voto dell'articolo 7, De Gasperi, reduce da un
viaggio negli Stati Uniti, prendendo a pretesto la scissione
che si era prodotta nel Partito socialista italiano con l'uscita
della sua corrente di destra capeggiata da Giuseppe Saragat,
provocò una nuova crisi di governo che si concluse con la
formazione di un ministero formato da soli democristiani e
da alcune personalità tecniche. Tra queste ultime la più illustre era quella di Luigi Einaudi cui fu affidato il ministero
del Bilancio e il cui avvento alla direzione degli affari economici del paese segnò una drastica svolta degli indirizzi
sino allora seguiti in questo campo. I governi di coalizione,
pressati dalle continue rivendicazioni dei sindacati e dalla necessità della ricostruzione, avevano seguito infatti una politica nettamente inflazionistica e il costo della vita era salito in un brevissimo giro di anni a un indice superiore di

cinquanta volte a quello del 1938. La concessione della scala mobile agli operai aveva però in qualche modo preservato il potere d'acquisto dei redditi da lavoro. La politica economica inaugurata da Luigi Einaudi e da lui rigorosamente perseguita fu invece tutta tesa alla difesa della lira: i rubinetti del credito vennero ristretti, la circolazione diminuita, la produzione, che era ancora inferiore ai livelli dell'anteguerra, ristagnò e la disoccupazione crebbe sino a raggiungere la spaventosa cifra di 2 milioni di unità. Ma la lira fu salva e la continuità dello Stato italiano assicurata anche sotto il profilo economico.

Frattanto l'Assemblea costituente era prossima a finire i suoi lavori e si avvicinava il momento in cui gli italiani sarebbero stati chiamati a eleggere le due Camere elettive previste dalla nuova costituzione. Mai battaglia elettorale fu combattuta in Italia con tanto accanimento e senza risparmio di colpi. Il Fronte del popolo, che raccoglieva comunisti e socialisti e che inalberava come proprio simbolo elettorale la testa di Garibaldi, tentò di far leva sulle difficoltà economiche provocate dalla stretta creditizia di Einaudi e di chiamare le masse alla lotta contro il « governo nero », il governo della restaurazione capitalistica, ma con relativo successo. Dal canto suo infatti la Democrazia cristiana impostò la campagna elettorale nei termini di un drammatico aut-aut tra la libertà e il comunismo, tra l'America e la Russia. Apparve su tutte le piazze e le vie d'Italia un manifesto in cui si vedeva uno sfilatino di pane tagliato a metà, con l'avvertenza che una delle due sue parti era fatta di grano americano, mentre un altro manifesto raffigurava un soldato che da dietro i reticolati di un campo di concentramento russo, scongiurava la mamma perché votasse contro i suoi aguzzini. Tra l'America che dava il pane e prometteva gli aiuti del piano Marshall e la Russia che non restituiva i prigionieri italiani e che soggiogava la Cecoslovacchia chi poteva esitare? Si tenga poi presente che il filoamericanismo era un sentimento che aveva in Italia profonde radici storiche: erano poche nel Mezzogiorno le famiglie che non avessero qualche congiunto in America e parecchie quelle che avevano avuto la fortuna di riabbracciarlo quando era venuto a combattere in Italia con l'armata del generale Clark. Dagli americani in Italia venivano poi i pacchi di viveri e di indumenti che in quei tempi difficili erano qualcosa di più di un gradito regalo. Alla vigilia delle elezioni del 18 aprile 1948 assieme al pacco arrivò anche una lettera: vi si diceva di votare contro i comunisti e per il partito di fiducia dell'America, la Democrazia cristiana. Anche il clero si impegnò a fondo nella campagna elettorale: votarono anche le monache di clausura, i malati degli ospedali e gli internati nei manicomi. Il voto infatti, su proposta dei democratici cristiani, era stato dichiarato obbligatorio.

Il risultato delle elezioni sorpassò addirittura ogni previsione di coloro che pur si erano resi conto della piega che le cose avevano preso: 12.708.263 voti, pari al 48,5 per cento, quasi la maggioranza assoluta, alla Democrazia cristiana; 8.137.467, pari al 35 per cento al Fronte; il resto — poche briciole — disperso tra i partiti minori. Era per la Democrazia cristiana e per le forze che l'avevano sorretta, una vittoria senza possibilità di contestazione.

Frattanto era entrata in vigore la costituzione elaborata dall'Assemblea costituente, ma lo schema di una repubblica — come diceva il suo primo articolo — « fondata sul lavoro » e largamente aperta ad istanze sociali in essa delineato appariva ormai sorpassato dallo sviluppo degli eventi. L'unità della Resistenza, che in quella costituzione aveva trovato espressione, era stata spazzata via dalla guerra fredda e non si sarebbe certo ricostituita finché questa fosse durata. Nel 1949 l'Italia aderiva al Patto atlantico e anche in politica estera la sua scelta era ormai definitiva.

Con le elezioni del 18 aprile 1948 ha termine il periodo del secondo dopoguerra. L'Italia ne usciva nel complesso felicemente, molto meglio comunque di quanto fosse uscita dal primo dopoguerra. Se nel 1919 si era potuto parlare di « vittoria mutilata », nel 1948 si poté dire che, pur avendo perduto la guerra, l'Italia aveva vinto la pace.

Le concessioni territoriali fatte alla Francia (Briga e Tenda) erano infatti insignificanti, mentre l'Alto Adige, rivendicato dalla nuova Austria, era rimasto, anche grazie all'accorta diplomazia di De Gasperi, all'Italia. Solo sul confine orientale l'Italia aveva dovuto cedere alla Jugoslavia i territori abitati prevalentemente da popolazione slava, ma aveva conservato la città di Trieste che, dopo essere stata eretta in territorio libero sotto controllo alleato, ritornò definitivamente all'Italia nel 1954. Andarono perdute le colonie, tranne la Somalia sulla quale l'Italia conservò sino al 1960 un mandato fiduciario, ma non furono in molti a rimpiangerle in un mondo in cui il processo di decolonizzazione procedeva a ritmo sempre più intenso. Sul piano interno la democrazia era stata restaurata, le elezioni si tenevano regolarmente e la situazione economica, grazie anche agli aiuti americani, accennava già a migliorare. Gli industriali tornavano a essere ottimisti e intraprendenti, gli alti funzionari dello Stato e di polizia a essere rispettati, Rossellini si sposò con Ingrid Bergman e fece un film su san Francesco, l'ordine insomma era ristabilito. Coloro che si erano battuti per un ordine nuovo e diverso, le masse operaie, gli intellettuali, i contadini, potevano scegliere tra la continuazione di una lotta sorda, ingrata, difficile, o la rassegnazione, quella che è dipinta sul volto del disoccupato romano protagonista del film *Ladri di biciclette* di Vittorio De Sica.

Miracolo economico e Partito comunista.

Fare una cronaca, anche sommaria, degli sviluppi della situazione politica italiana dal 1948 sino ad oggi mi sembra oltre che difficile, data la prospettiva ravvicinata e deformante, anche inutile. Sotto il profilo politico infatti la situazione è rimasta caratterizzata in politica interna dal predominio della Democrazia cristiana e del suo moderatismo e in politica estera dal costante allineamento sulle posizioni dell'atlantismo filoamericano. Intransigentemente anticomuni-

sta all'ora di Truman e di Pio XII, distensiva a quella di
Kennedy e di Giovanni XXIII, comprensiva della barbarie
americana nel Vietnam, la Democrazia cristiana ha operato
successivi vari riaggiustamenti della sua linea politica, ma
la sostanza della stessa non ha mai subito reali cambiamenti.
L'ingresso dei socialisti, staccatisi dai comunisti dopo i fatti
di Ungheria, nel governo ha portato ben pochi cambiamenti
nella situazione generale politica italiana.

   Ciò non significa naturalmente che nulla sia cambiato
in Italia in questi ultimi vent'anni, ché anzi la stabilità
politica prova proprio che il paese ha nel complesso lavorato tranquillamente e progredito. Gli anni tra il 1948 e
il 1953 furono ancora, sotto il profilo economico, anni difficili, ma a partire dal 1954 la ripresa si delineò nettamente
fino a divenire, dopo il 1956 e l'ingresso dell'Italia nel Mercato comune europeo, travolgente. Fu il cosiddetto « miracolo
economico italiano »: gl'indici della produzione, del reddito
nazionale, dei consumi cominciarono a salire vertiginosamente.
Nessun settore industriale rimase escluso dalla fase di alta congiuntura. L'industria siderurgica, con la costruzione dei nuovi
impianti a ciclo integrale di Cornigliano e di Taranto, triplicò
in un breve giro di anni la propria produzione, mentre l'industria chimica e petrolchimica, sia privata che statale, conobbe
un'autentica esplosione. Gli abiti e le scarpe italiane si affer-
marono sui grandi mercati europei, mentre l'edilizia e le industrie ad essa collegate del cemento e dei laterizi fecero affari
d'oro. Sopra tutte si sviluppò però l'industria automobilistica,
nella quale la Fiat occupa ormai una posizione di quasi monopolio: gli anni tra il 1956 e il 1967 furono quelli della
motorizzazione di massa degli italiani e la produzione del
grande stabilimento torinese, uno dei *big* dell'industria internazionale, supera attualmente il milione di vetture. In
seguito a questo impetuoso sviluppo industriale milioni di
contadini lasciarono le campagne per cercare occupazione
nelle industrie e nei servizi e milioni di meridionali si tra-
sferirono nelle città del Nord industriale. Si è trattato senza
dubbio del più grande *brassage* di popolazione che mai abbia

avuto luogo nella storia dell'Italia unita, la cui non ultima conseguenza è stata di marcare ancora più profondamente la fisionomia dualista del paese. Un'altra vera e propria migrazione di popoli a carattere stagionale e godereccio è invece quella costituita dai venti e più milioni di turisti stranieri che ogni anno si riversano nelle spiagge e nelle città italiane.

Finalmente, dopo anni di stenti e di privazioni, gli italiani conoscevano un certo benessere: il consumo della carne e dello zucchero, già bassissimi, aumentarono e i tetti delle case si popolarono di antenne della televisione, attraverso le quali giungeva a tutti, assieme alle canzonette degli innumerevoli *festival* che si svolgevano attraverso tutta la penisola, la voce paterna e suadente dei predicatori e dei ministri democristiani.

Il miracolo economico ebbe anche i suoi eroi. Tale fu in un certo senso Enrico Mattei, un valoroso partigiano che, come gli ex-garibaldini della seconda metà dell'Ottocento, si fece dirigente industriale e al cui nome è legato lo sviluppo dell'Eni e il tentativo condotto con spregiudicatezza e azzardo degno degli antichi mercanti italiani, di sottrarre l'Italia al monopolio delle grandi compagnie petrolifere internazionali. A questo fine egli stabilì una serie di contatti con i popoli coloniali e di nuova indipendenza e si disse anche che finanziasse il Fronte nazionale di liberazione algerino. Morì nel 1962 in un incidente aereo e si parlò subito di sabotaggio. Né al miracolo mancò il suo artista, Federico Fellini, nel cui eccezionale talento trovano una sublimazione l'esuberanza e la volgarità dei nuovi *parvenus*, il cattolicesimo e il clericalismo carico di atavismi e di complessi della nuova Italia democristiana, il senso del peccato e il gusto del medesimo, l'avanguardismo e la tradizione.

Ma il miracolo economico, come tutti i molti miracoli che abbiamo contato del corso della storia d'Italia, ha anche il suo rovescio della medaglia. Lo sviluppo edilizio, svoltosi sotto il segno della più sfrenata speculazione, ha pregiudicato in modo probabilmente irreparabile l'urbanistica delle principali città italiane e ha irrimediabilmente deturpato paesaggi unici al mondo. La motorizzazione di massa è stata artificialmente gonfiata al di là delle possibilità economiche del paese oltre che da una sapiente tecnica di persuasione occulta, anche attraverso una deliberata rinuncia da parte dello Stato a promuovere i mezzi di trasporto pubblico. Mentre si costruiscono migliaia di chilometri di autostrade, si pensa a sopprimere cinquemila chilometri di ferrovie e i trasporti pubblici urbani, costretti a procedere a passo d'uomo nel caos del traffico cittadino, presentano bilanci paurosamente deficitari. L'esodo dalle campagne ha acuito la crisi di un'agricoltura che in vaste zone del paese è ancora regolata da contratti e da rapporti superati e anacronistici, solo parzialmente intaccati dalla riforma agraria attuata dal governo.

Ma questi — si potrebbe obiettare fondatamente — sono gli inconvenienti e il prezzo del progresso e comunque non si può certo negare che in quest'ultimo decennio l'Italia sia riuscita a spezzare definitivamente le catene dell'arretratezza in cui per secoli era stata mantenuta e si sia inserita nel ristretto novero dei paesi a forte sviluppo industriale. Ma ciò che lascia perplessi e scettici molti italiani di fronte al miracolo economico è la constatazione che ad esso non ha corrisposto un analogo progresso civile. La condizione operaia italiana rimane precaria e dura; la disoccupazione, malgrado la valvola di sicurezza dell'emigrazione, che ha assorbito circa 3 milioni di braccia, rimane ancora a livelli preoccupanti; le attrezzature civili, le scuole, gli ospedali, sono assolutamente inadeguati e solo da qualche anno è stata introdotta l'obbligatorietà dell'istruzione fino a 14 anni, la quale però ancor oggi è largamente evasa. L'amministrazione pubblica rimane insufficiente e elefantiaca, la giustizia lenta, l'università medievale, il sistema fiscale vessatorio contro i poveri e impotente contro gli evasori fiscali, la corruzione dilagante. La vecchia incongruenza italiana, di cui parlava il Labriola, non è affatto scomparsa, ma si è soltanto riprodotta a un livello più alto. L'Italia rimane il paese in cui è stata abolita la pena di morte e in cui si commettono ogni anno numerosi « delitti d'onore », in cui vi sono decine di industriali mecenati e qualche milione ancora di analfabeti, dove i ricchi sono veramente ricchi e i poveri veramente poveri, dove i bambini sono idolatrati e la vecchiaia difficile e amara, dove l'avanguardismo intellettuale convive con il clericalismo, l'alienazione con la superstizione. Questa incongruenza — come diceva ancora il Labriola — genera un disagio universale e si direbbe che quegli stessi italiani che hanno beneficiato del miracolo economico non credano alla loro prosperità, ma che si limitino a godersela nel modo più rumoroso e più spensierato possibile, finché dura.

Su questo disagio si inserisce l'azione del Partito comunista italiano. Dopo la sconfitta del 1948 sembrava a molti che la stella del comunismo italiano volgesse ormai al suo tramonto, ma non fu così. Di elezione in elezione il Partito comunista accrebbe considerevolmente il proprio quoziente di voti sino a raggiungere quasi gli 8 milioni nelle elezioni del 1963. Né il miracolo economico, né la crisi seguita al XX Congresso del Pcus e ai fatti di Ungheria, sono valsi a frenare questa progressione.

Il segreto, se di segreto si può parlare, di questo successo lo si può trovare in quell'esortazione di Togliatti ai suoi compagni ad « aderire a tutte le pieghe » della società italiana, un suggerimento che essi seppero comprendere e applicare. Dal 1947, l'anno dell'eccidio compiuto a Portella della Ginestra dal bandito Giuliano al soldo degli agrari contro dei lavoratori riuniti per la festa del 1º maggio, i comunisti si posero alla testa delle lotte contadine nel Sud e fu in gran parte dovuto ai loro sforzi se il governo dovette decidersi a realizzare una parziale riforma agraria. Ciò non scalzò peraltro le posizioni e i consensi che i comunisti erano riusciti a procurarsi nelle regioni meridionali e rimane al Partito comunista italiano il merito storico di aver saputo risvegliare una coscienza politica in larghi strati di quei contadini meridionali in cui i precedenti movimenti democratici e socialisti non erano riusciti a fare profondamente breccia, dimostrando così di non aver dimenticato gli insegnamenti di Gramsci. La larga penetrazione tra le masse contadine dell'Italia meridionale costituisce certo a tutt'oggi il più cospicuo ma non il solo dei successi ottenuti dal Partito comunista italiano. Evitando le punte più acute dello stalinismo, esso è riuscito ad avere un largo seguito anche tra gli intellettuali. Tra quelli stessi che abbandonarono le sue file dopo il 1956, molti sono rimasti dei « compagni di strada ». Seguono il Partito comunista italiano o comunque votano per esso la maggioranza degli operai e larghi settori di piccola borghesia agraria e urbana, con i quali i comunisti non perdono occasione per stabilire i contatti, ora sposando la causa dei piccoli commercianti contro i supermercati, ora quella dei piccoli proprietari agricoli oberati dalle tasse, ora quella degli artigiani schiacciati dalla concorrenza della grande industria. Particolare rilievo nella più recente politica del Partito comunista italiano ha poi la direttiva del cosiddetto « colloquio con i cattolici » sulla base della comune avversione all'individualismo borghese e capitalista e della comune sensibilità al problema della pace. Si è giunti al punto che, alla morte di papa Giovanni XXIII, alcune organizzazioni comuniste non hanno esitato a esporre la bandiera rossa a mezz'asta.

Come già il Partito socialista all'inizio del secolo, il Partito comunista è divenuto così il grande collettore di tutte le varie e talvolta divergenti spinte e correnti di opposizione che fermentano nella varia e contraddittoria società italiana. Ciò costituisce la sua grande forza, ma ciò costituisce anche la sua debolezza, in quanto lo pone continuamente di fronte al dilemma tra il tener fede alla propria antica vocazione rivoluzionaria e proletaria o il trasformarsi in un partito di opposizione « dentro il sistema », una sorta di laburismo all'italiana. Della difficoltà di conciliare queste due anime del comunismo italiano e della necessità di riuscirvi, così come dell'altra consistente nell'accentuarne le caratteristiche nazionali tenendo fermo il principio del collegamento con la politica internazionale dell'Unione Sovietica, fu pienamente consapevole Palmiro Togliatti. Il suo testamento politico — il celebre memoriale di Yalta — che egli scrisse pochi giorni prima della sua morte, è la testimonianza di come fino all'ultimo egli sia rimasto impegnato in questo improbo sforzo politico e intellettuale.

Quando la sua salma venne riportata in Italia, seguirono la sua bara un milione di persone. Da vivo egli era stato paragonato a Cavour, per la sua lucidità politica e per la sua fermezza. Ma Cavour era morto al culmine della sua gloria, mentre a lui toccava di morire in un'Italia gaudente e volgare. Nella tristezza della folla che lo accompagnava per l'ultima volta, vi era la consapevolezza di un traguardo che non era stato raggiunto e il presentimento di un lungo e faticoso cammino.

POSTFAZIONE

La proposta di scrivere una storia d'Italia mi venne fatta agli inizi degli anni '60 dai compianti François Furet e Denis Richet, che curavano allora la collezione storica delle edizioni Fayard. L'idea generale era quella di offrire al lettore francese una sintesi della storia italiana aggiornata e leggibile e attraverso di essa un'immagine del nostro paese più approfondita di quella che nel suo fortunato e brillante *pamphlet Pour l'Italie* aveva dato ad esempio in quegli anni Jean-François Revel.

La mia formazione culturale di base era quella di quegli studiosi e di quegli intellettuali che alla fine degli anni '60 verranno definiti non senza sufficienza crocio-gramsciani. In effetti sia Croce che Gramsci erano stati per me delle letture che avevano lasciato il segno e che avevano contribuito ad avviarmi agli studi storici. Storicisti l'uno e l'altro, ma di uno storicismo diversamente inteso e concepito, essi offrivano ricostruzioni della storia d'Italia profondamente diverse, anzi alternative, ma proprio per questo complementari, nel senso che non si poteva accostarsi e « scoprire » Gramsci senza aver letto a fondo Croce.

Nel corso del mio soggiorno di studi in Francia dal 1949 al 1952 avevo avuto però occasione di familiarizzarmi con la tematica e metodologia di quella che si suole abbastanza approsimativamente definire la « scuola delle 'Annales' ». Una lettura particolarmente appassionante, che mi aprì nuovi orizzonti di interessi e di ricerca, fu quella delle opere di Marc Bloch, alla cui figura di storico e di maestro dedicai uno dei miei primi scritti, un « ritratto critico » pubblicato sulla rivista « Belfagor » nel 1951 e del quale tradussi una raccolta di saggi che fu pubblicata da Laterza nel 1959 con il titolo *Lavoro e tecnica nel Medioevo*. Molto imparai anche dalla conversazione e dall'amicizia con Pierre Vilar, che stava allora completando la sua fondamentale opera sulla Catalogna.

Tra le mie letture « italiane » e le mie letture « francesi », tra l'approccio etico-politico che caratterizzava la storiografia italiana e quello economico-sociale della scuola delle « Annales », tra i tempi brevi della prima e la « lunga durata » della seconda il raccordo non era facile. Mi sforzai di trovarlo e lo trovai nella lettura degli scritti a carattere storico di Marx e di Engels. Ricordo ancora l'autentica emozione suscitata in me dalla lettura delle pagine del primo libro del *Capitale* dedicate al problema dell'accumulazione originaria e di quelle di Engels sul capitale commerciale nel terzo libro. Sono testi che coloro che oggi parlano di « dimenticare » Marx farebbero bene a rileggersi, se mai li hanno letti, se non altro per misurare il velleitarismo dei loro sforzi e moderare la loro presunzione. Un'altra lettura particolarmente importante fu per me quella degli *Studi sullo sviluppo del capitalismo* di Maurice Dobb, che offriva appunto una sistemazione convincente e chiara del problema delle origini e degli sviluppi delle società capitalistiche secondo un approccio marxista.

Sulla base di queste letture la mia ambizione giovanile sarebbe stata quella di misurarmi con il grande tema delle origini del capitalismo nella Francia del XVI secolo, ma, dopo alcuni tentativi parziali e scarsamente riusciti che mi costarono peraltro anni di lavoro, ebbi il buon senso di rinunciare e ripiegai sul terreno a me più familiare della storia delle idee e del pensiero politico. Nel corso delle mie ricerche sul '500 francese mi ero imbattuto nel tema della fortuna di Machiavelli fuori d'Italia, un tema tipicamente gramsciano, e ad esso dedicai un lavoro che uscì nel 1965 ed è stato ripubblicato in un'edizione aggiornata ed arricchita nel 1995. Il suo filo conduttore e la sua trama sono rappresentati dalla nota tesi gramsciana sulla funzione cosmopolita degli intellettuali italiani. Successivamente abbandonai gli studi di storia moderna per quelli di storia contemporanea che attualmente coltivo.

Mi scuso con il lettore per questa digressione iniziale a carattere autobiografico, ma ho creduto opportuno presentare un sommario inventario dei materiali, degli interessi e delle tematiche che ho riversato in questo lavoro. La sua intelaiatura concettuale è chiaramente derivata dai *Quaderni* gramsciani e a chi ha familiarità con essi non sfuggirà certamente come alcuni temi e alcuni filoni in essi ricorrenti — quali quelli relativi al rapporto città-campagna, al carattere economico-corporativo del comune e della borghesia cittadina italiana, alla funzione cosmopolita degli intellettuali e via dicendo — percorrano come dei fiumi carsici tutta la trattazione. Ciò non significa che io mi sia limitato a « riempire » o a inzeppare di fatti e di « exempla » le varie tesi e affermazioni contenute nei *Quaderni*, operazione del resto che non avrebbe senso non solo perché in essi si possono trovare, come avremo modo di accennare, giudizi non univoci, ma anche e soprattutto perché essi devono essere letti non come un'enciclopedia, ma come un programma di lavoro. Occorreva perciò verificare ed eventualmente modificare questa trama e queste ipotesi sulla base delle acquisizioni e dei progressi compiuti dalla ricerca storica successiva in Italia e fuori d'Italia ed è appunto questo che mi sono sforzato di fare.

Questa operazione di verifica e di aggiornamento critico andrebbe ripetuta in maniera ben più consistente ora che questa *Storia degli italiani* viene ripubblicata a quasi trent'anni dalla sua prima edizione italiana, che è del 1968. Trent'anni sono molti per un libro di storia, tanto più che negli ultimi decenni la ricerca è proseguita a ritmo intenso e ha prodotto importanti risultati. Per limitarci al nostro paese, basterà ricordare gli undici volumi della *Storia dell'Italia moderna* di Giorgio Candeloro (dei quali solo i primi cinque erano disponibili nel 1968), la biografia di Cavour di Rosario Romeo, quella di Mussolini di Renzo De Felice, l'imponente opera di Franco Venturi sul '700, la storia del Partito comunista italiano di Paolo Spriano e molti altri lavori dei quali non potevo ovviamente tener conto che in parte. Ma non si trattava solo di questo: la suggestione e l'influenza della scuola delle « Annales », che allora iniziava a farsi sentire, coniugata con quella della *Social History* inglese, è oggi ben presente, anzi dilagante, nel nostro paese ed essa ha senza dubbio contribuito ad aprire nuove province e nuove frontiere agli studi storici nel loro insieme, dalla demografia storica, alla storia delle « mentalità », alla storia dell'impresa e, più recentemente, alla storia delle donne.

Un aggiornamento del mio libro che tenesse conto di tutta questa produzione comporterebbe evidentemente una sua riscrittura da cima a fondo, il che non è possibile. Posso dire però che se mi dovessi accingere a questo lavoro, manterrei sostanzialmente intatto il suo impianto e le sue strutture portanti, ma modificherei — come avrò modo di specificare più avanti — molti giudizi e interi capitoli. Cercherò di chiarire con esempi e riferimenti concreti, anche se necessariamente generali, quali siano le idee di fondo del libro nella speranza di aiutare così il lettore.

Vorrei anzitutto esplicitare quanto si legge nelle prime righe dell'introduzione del 1968. Scrivendo che « non è concepibile una storia degli italiani del nostro millennio al di fuori del contesto europeo » e che quella che mi accingevo a scrivere era « un pezzo di storia d'Europa » e motivando con queste considerazioni la periodizzazione adottata, io intendevo fin dall'inizio prendere le distanze da ogni tipo di approccio o impostazione provinciale. Non mi riferisco tanto a quella interpretazione della storia italiana di matrice ottocentesca e risorgimentale per la quale la storia del nostro paese si risolve in un lungo processo di incubazione del Risorgimento e dell'unità nazionale e tanto meno alle deformazioni nazionalistiche che di tale linea interpretativa vennero date durante il fascismo. Contro questo rischio la lettura di Croce e di Gramsci e i miei maestri Carlo Morandi e Federico Chabod mi avevano abbondantemente vaccinato. Mi riferisco piuttosto a quelle diverse e ricorrenti interpretazioni di tipo radicale, a quelle « antistorie d'Italia » (è il titolo di un vecchio libro di Fabio Cusin) che convergono nel presentare la vicenda storica del nostro paese come una sequela di « occasioni mancate », dalla Riforma protestante cui la Controriforma sbarrò le porte della penisola, al Risorgimento che venne meno ai suoi obiettivi di rinnovamento economico e sociale e infine alla Resistenza tradita o insabbiata nella « continuità » o nel « consociativismo ». Il « carattere originale » per eccellenza della storia italiana sarebbe insomma alla lu-

ce di siffatte interpretazioni quello della continuità, se non del-
l'immobilismo, e anche recentemente vi è stato chi ha parlato di
un « blocco di quindici secoli » durato sino a tempi recentissimi
e caratterizzato dalla predominanza dell'elemento « feudale »[1].

Contro le « tentazioni » di questa impostazione storiografi-
ca ero meno vaccinato e non sempre ho saputo resistervi. Ero e
rimango però persuaso che se collocati in un'ottica europea molti problemi dei quali molto si è discusso e si continua a discu-
tere appaiono in una luce diversa e maggiormente a fuoco, e che
un più vasto orizzonte consente allo storico di sottrarsi ai rischi
contrapposti della retorica nazionale e della recriminazione. Mi
rendo conto che queste considerazioni possono risultare non
chiare per il lettore e cercherò perciò di spiegarmi con dei riferimenti concreti.

Prendiamo ad esempio il problema del ruolo della città nella storia italiana, un tema che, come è noto, occupa un posto di
rilievo nella riflessione gramsciana e che vanta origini illustri e
lontane, da Sismondi a Cattaneo (il cui saggio Gramsci conosceva solo indirettamente) fino a Sombart e a Henri Pirenne.
Con diverse angolature e accentuazioni tutti questi autori indi-
cavano nella città un fattore dinamico per eccellenza, il protagonista della precoce fioritura mercantile e « capitalistica » del-
l'economia italiana. Per contro si possono trovare in Gramsci
giudizi che vanno nel senso di una revisione di questa collauda-
ta interpretazione, come ad esempio quando egli scrive che « in
Italia l'urbanesimo non è solo, e neppure 'specialmente', un fenomeno di sviluppo capitalistico e della grande industria »[2]. In
precedenza, peraltro, egli aveva osservato che « i rapporti tra popolazione urbana e popolazione rurale non sono di un solo tipo
schematico specie in Italia »[3], e più oltre scriverà che « questo

---

[1] R. Romano, *Una tipologia economica*, in *Storia d'Italia*, vol. I, *I caratteri originali*, Torino 1972, pp. 298 sgg. Recentemente Romano è tornato sul
concetto di « blocco di quindici secoli » sfumandolo e affinandolo in un
senso che mi sembra renderlo più condivisibile (cfr. R. Romano, *Paese Italia. Venti secoli di identità*, Roma 1994, p. 58).
[2] A. Gramsci, *Quaderni del carcere*, Torino 1975, vol. III, p. 2036.
[3] Ivi, p. 2035.

rapporto [tra città e campagna] è molto complesso e si manife-
sta in forme che apparentemente sembrano contradditorie »[4].

Non sono mancate nella storiografia più recente interpretazioni di questi spunti gramsciani che vanno a mio giudizio nel
senso di una forzatura e di una accentuazione radicale. Prendiamo, ad esempio, la *Storia d'Italia* Einaudi, senza dubbio un'o-
pera di grande impegno e che rappresenta un punto di riferimento obbligato per chi si interessi alla storia italiana. Ebbene,
vi leggiamo che « quella città di cui s'è voluto cantare le lodi
più straordinarie, nella realtà ha costituito l'ostacolo più grande
ad ogni cambiamento della vita italiana »[5], oppure che « la ripresa urbana significò essenzialmente il ristabilimento, come tipo predominante, dell'antica città agricola »[6] e che di conseguenza « ricercare il capitalismo in Italia, nei secoli passati, fin
quasi a ieri mi sembra una impresa piuttosto disperata »[7].

Siffatti giudizi non hanno mancato di suscitare reazioni eguali e contrarie quale quella di Rosario Romeo che, recensendo appunto la *Storia* Einaudi e richiamandosi a Cattaneo, indica « nella civiltà urbana più lunga e ininterrotta d'Europa » uno dei
« caratteri originali » della storia del nostro paese[8]. Del resto
nella stessa *Storia d'Italia* Einaudi si possono trovare giudizi diversi, quale ad esempio quello dello storico inglese Philip Jones,
cui dobbiamo il capitolo relativo alla storia economica d'Italia
nel Medioevo, il quale scrive che « le città italiane [...] crearono in Italia un impero universale, che faceva dell'Italia il centro
del commercio, dell'industria e della finanza internazionale »[9].

Rispetto a punti di vista così diversi e divergenti l'approccio
da me seguito è più differenziato per quanto riguarda ovviamente

[4] Ivi, p. 2036.
[5] Romano, *Una tipologia* cit., p. 284.
[6] R. Romano, *La storia economica. Dal secolo XIV al Settecento*, in *Storia d'Italia*, vol. II, *Dalla caduta dell'Impero romano al secolo XVIII*, Torino
1974, p. 1814.
[7] Romano, *Una tipologia* cit., p. 256.
[8] R. Romeo, *Italia moderna tra storia e storiografia*, Firenze 1977, p. 262.
[9] Ph. Jones, *La storia economica. Dalla caduta dell'Impero romano al secolo XIV*, in *Storia d'Italia*, vol. II, cit., p. 1688.

lo spazio (la città meridionale e le città « villane » sono, come rileva Gramsci, cosa diversa dal comune centro-settentrionale), ma anche il tempo.

Organismo composto e ancipite, il comune italiano — mi si permetta un'autocitazione — possiede sin dalle origini due anime e due vocazioni, l'una borghese e imprenditrice, l'altra fondiaria e redditiera. Per ora [il riferimento è ai primi secoli del nostro millennio] nel generale rigoglio di una società in via di espansione e di trasformazione, è la prima che nettamente prevale. Quelle città i cui mercanti corrono il mondo e i cui banchieri prestano ai grandi della terra, sono le stesse che promuovono nelle campagne del loro contado imponenti lavori di bonifica, che liberano i servi, che distruggono i castelli. Ma verrà il tempo in cui anche l'altra anima — quella redditiera e possidente — riemergerà e darà il suo stampo a una nuova e meno esaltante fase della lunga storia della città italiana[10].

Oltre che per lo spazio e il tempo, va fatta, per quanto concerne il rapporto tra città e campagna, anche una distinzione circa i rispettivi ruoli. Non è detto infatti che quello della campagna sia stato sempre e necessariamente un ruolo di freno e di zavorra. Fu dall'agricoltura che nel corso del '700 venne un impulso rilevante alla ripresa dell'economia e della stessa industria dopo una lunga fase di stagnazione e furono le leghe bracciantili e contadine che si formarono nel corso della seconda metà dell'800 nella Valle padana a scuotere l'equilibrio sonnacchioso in cui erano cadute le città e a farvi circolare nuove idee e nuove aspirazioni. La città di Modena era nei primi decenni dell'unità nazionale una delle cittadelle del legittimismo e del clericalismo.

Tutte queste distinzioni non bastano peraltro a spiegare le ragioni per cui l'area più urbanizzata d'Europa, l'Italia centro-settentrionale, non sia stata in grado di esprimere le energie necessarie a costruire un tipo di aggregazione e di organizzazione sociale che andasse oltre quello che Gramsci definisce come

[10] Cfr. *supra*, pp. 23-24.

« economico-corporativo ». La nozione marxiana ed engelsiana di capitale commerciale, di una forma cioè di capitalismo la cui esistenza e fioritura non solo presuppone la presenza di vaste aree di arretratezza, ma è anzi interessata al loro mantenimento come a una delle condizioni della sua stessa sopravvivenza, offre a mio avviso una chiave per una possibile risposta a tale quesito. Lo spazio in cui si collocano e operano le città italiane non è però quello circoscritto dei « confini naturali » della penisola, ma quello assai più vasto dell'Europa feudale e del bacino mediterraneo. Venezia, Firenze avevano più intensi collegamenti con le fiere di Champagne, con le Fiandre e con il Medio Oriente che con talune aree periferiche della penisola. Le fortune dei loro mercanti e banchieri si basavano infatti essenzialmente sulla loro funzione di intermediari tra i grandi empori orientali e i mercati occidentali che essi rifornivano di merci pregiate e costose, inclusa la più costosa di tutte, il denaro. Essi erano di conseguenza interessati al mantenimento degli alti profitti resi possibili da un commercio e da una produzione contingentata e orientata verso una clientela ristretta e verso un consumo di lusso che ad un allargamento del mercato. Analogamente la loro attività finanziaria aveva un senso finché esistevano degli apparati statali incapaci di procurarsi le risorse necessarie a sostenere le loro ambizioni, finché esistevano dei re indebitati. La loro prosperità era un'oasi in un deserto di arretratezza e si spiega perciò come, a mano a mano che in seguito alla progressione dei Turchi in Oriente, alle grandi scoperte geografiche e al consolidamento delle grandi monarchie in Occidente questa posizione privilegiata venne a cessare, venne meno anche la loro prosperità. Ciò ricordato, va anche aggiunto che se il ruolo della città nella penisola non fu quello celebrato da Carlo Cattaneo, esiste anche un ruolo della città e della civiltà urbana italiana in Europa. Firenze, Venezia, Genova, Milano e le altre « cento città italiane » furono, per usare un'espressione di Marx, dei « laboratori » in cui si sperimentarono tecniche e modelli di produzione e di scambio che troveranno altrove applicazione su una più vasta scala. Non è certo un caso che buona parte della terminologia della tecnica bancaria internazionale sia di origine italiana. Nel processo di transizione dell'economia europea dal feudalesimo al capitalismo, nella ricostruzione che ce ne ha dato Immanuel Wallerstein, le vicende e le avventure delle città italiane occupano un posto di rilievo ed è perciò in questo contesto che esse vanno collocate senza vanaglorie e senza recriminazioni.

Ma lasciamo il problema del rapporto città-campagna e occupiamoci altrettanto brevemente di un altro tema, anch'esso tipicamente gramsciano, quello relativo alla funzione degli intellettuali nella storia italiana. Il discorso gravita necessariamente a questo punto su quell'età dell'Umanesimo e del Rinascimento che, da Michelet a Burckhardt fino a oggi, è stata considerata, sia pure con diverse accentuazioni e periodizzazioni, come la stagione più ricca e affascinante della storia italiana, sino ad immedesimarsi con l'immagine stessa del nostro paese. Voltaire aveva parlato di un « secolo di Leone X » ben prima di Michelet e di Burckhardt.

Anche a questo proposito si possono trovare in Gramsci spunti che vanno nel senso di una revisione radicale dei giudizi allora correnti, spunti che peraltro andrebbero letti non isolandoli dal contesto[11]. Resta comunque un fatto che nei *Quaderni* si possono trovare ripetuti riferimenti allo spirito « anazionale e quindi regressivo » dell'Umanesino e dello stesso Rinascimento e degli intellettuali che ne furono protagonisti, in quanto costituivano « una casta cosmopolita, per i quali l'Italia rappresentava forse ciò che [è] la regione della cornice nazionale moderna, ma nulla di più e di meglio: essi erano apolitici e anazionali »[12]. Altrove il suo giudizio è più articolato ed egli si riferisce all'Umanesimo come a « un processo progressivo per le classi colte 'cosmopolitiche', ma regressivo dal punto di vista della storia italiana »[13]. Altrove ancora, redigendo un « catalogo » delle « più

---

[11] Si vedano a questo proposito le penetranti osservazioni di M. Ciliberto, *Rinascimento e riforma nei « Quaderni » di Gramsci*, in Id. e C. Vasoli (a cura di), *Filosofia e cultura. Per Eugenio Garin*, Roma 1991, pp. 759-787.

[12] Gramsci, *Quaderni* cit., vol. I, p. 652. Cfr. anche vol. II, p. 1054.

[13] Ivi, vol. III, p. 1910.

significative quistioni da esaminare e da analizzare » relative alla storia d'Italia, egli pone la questione circa il carattere progressivo o regressivo dell'Umanesimo e del Rinascimento in termini interrogativi, come una questione aperta[14].

Se torniamo a consultare la *Storia d'Italia* Einaudi possiamo facilmente constatare come queste notazioni sono state ben presenti ai suoi autori e come esse abbiano dato luogo a giudizi diversamente calibrati. Se per Ruggiero Romano il Rinascimento fu « una grandiosa operazione in cui una quantità prodigiosa di sforzi, di intelletti, di sensibilità veniva impiegata a difendere — dietro una stupenda facciata — un edificio corroso e costantemente minacciato nel suo equilibrio »[15], Corrado Vivanti, che si richiama esplicitamente a un altro passo di Gramsci, giunge alla conclusione più articolata che « se i risultati della cultura umanistica appaiono incontestabili e l'apporto da essa dato al mondo è giudicato comunque di eccezionale importanza, esiste nondimeno una grave tara — la connessione con lo svolgimento politico-sociale del paese — per cui si può affermare che l'Umanesimo fu un fatto reazionario nella cultura perché tutta la società sembrava diventare reazionaria »[16].

Un concetto non dissimile da quest'ultimo intendevo esprimere quando, concludendo il paragrafo dedicato agli umanisti nella società italiana, osservavo che « l'impegno civile degli umanisti rimaneva confinato nei termini di una nobile scelta individuale e la società italiana si trovava così privata delle sue naturali 'guide' » e che « tutte le grandi rivoluzioni, anche quelle intellettuali, hanno un loro prezzo »[17].

Occorre però dire che ogni « ridimensionamento » dell'Umanesino e del Rinascimento, tenuto conto anche in questo caso delle necessarie distinzioni di tempi, di luoghi e di personaggi, ha senso solo se rapportato alla realtà italiana e collocato in

[14] Ivi, p. 2108.
[15] Romano, *La storia economica* cit., p. 1931.
[16] C. Vivanti, *La storia politica e sociale. Dall'avvento della signoria all'Italia spagnola*, in *Storia d'Italia*, vol. II, cit., pp. 337-338.
[17] Cfr. *supra*, p. 121.

un'ottica nazionale. Se ci si pone dal punto di vista dell'Europa e della formazione della civiltà occidentale, non si può non convenire che ciò che da una prospettiva italiana appare « cosmopolitismo » ed « emigrazione intellettuale » risulta invece un apporto e un arricchimento di un valore inestimabile. Gramsci ne era consapevole e il suo interesse per la figura e l'opera di Machiavelli si colloca all'interno di questa consapevolezza. Le sue tesi sull'autore del *Principe* sono troppo note perché ne faccia cenno qui e mi limiterò perciò a osservare come proprio a partire dal Machiavelli egli formuli un giudizio sull'Umanesimo che suona diverso da quelli citati in precedenza. « L'Umanesimo fu 'politico-etico', non artistico — leggiamo in una nota del quaderno 17 — fu la ricerca di uno stato italiano che avrebbe dovuto nascere insieme e parallelamente alla Francia, alla Spagna, all'Inghilterra: in questo campo l'Umanesimo e il Rinascimento hanno come esponente più espressivo il Machiavelli »[18].

La funzione cosmopolita degli intellettuali italiani è un dato di fatto difficilmente contestabile e non è certo un caso che, per rimanere al Machiavelli, i più acuti interpreti del suo pensiero e coloro che più ne assimilarono la lezione siano stati degli « oltremontani », da Bodin a Bacone a Harrington, fino a Hegel. È anche vero però che l'Italia, per la varietà e la ricchezza della sua vita politica e culturale, per il suo policentrismo era essa stessa un « cosmo » ed è in relazione a questo « cosmo » che va anzitutto valutata la questione del ruolo degli intellettuali. Si pensi ad esempio alla cosiddetta questione della lingua, cui nel mio lavoro è dato particolare rilievo, dagli stilnovisti a Dante, al Castiglione, al Verri sino al Manzoni. Da questo e da altri punti di vista mi sembra evidente che gli intellettuali svolsero una funzione che, se non può e non deve essere definita « nazionale » o « nazionalpopolare » nel senso gramsciano, non può essere definita « anazionale », « apolitica » o anche « regressiva » e che fu anzi decisiva nella formazione di una *koiné*, di una comunità panitaliana.

---

[18] Gramsci, *Quaderni* cit., vol. III, p. 1936.

Le considerazioni svolte sin qui concernono il lungo arco di tempo nel quale la storia d'Italia si svolge sotto il segno del policentrismo e si identifica con quella degli antichi Stati italiani o, se si vuole, degli « italiani », come suona il titolo del libro. Le considerazioni che ho svolto su di essa si proponevano di offrire al lettore alcune indicazioni che ritenevo utili per individuare i fili principali dei quali è intessuta la trama del mio lavoro. Per il periodo successivo, dall'irrompere delle idee della Rivoluzione francese e delle armate napoleoniche nella penisola sino ai nostri giorni, da quando cioè il movimento per l'unità nazionale si sviluppa sino a conseguire il suo obiettivo con la costruzione di uno Stato unitario, il lavoro dello storico diventa più obbligato e risulta in qualche modo facilitato dal disporre di « binari » su cui procedere. Inoltre la letteratura storica sul Risorgimento e sullo Stato unitario, sulla quale necessariamente è fondato un lavoro di sintesi come questo, ha registrato, in larga parte per lo stimolo proveniente dalla riflessione gramsciana, un'autentica fioritura dopo la Liberazione e ciò ha reso più agevole il mio compito. Di particolare utilità mi sono stati i volumi allora disponibili della *Storia dell'Italia moderna* di Giorgio Candeloro, gli studi di Franco Della Peruta sulla democrazia risorgimentale, la sintesi di Giampiero Carocci sull'Italia giolittiana, *Risorgimento e capitalismo* di Rosario Romeo e le discussioni da esso suscitate. L'elenco potrebbe agevolmente continuare.

Quando in precedenza accennavo al fatto che non sempre sono riuscito a resistere a sollecitazioni di tipo radicale-recriminatorio, mi riferivo in particolare alla seconda parte del mio lavoro e soprattutto ai capitoli finali. Vorrei anche in questo caso procedere per esempi.

Un giudizio ad esempio che modificherei sostanzialmente perché lo ritengo riduttivo e anche ingeneroso verso un maestro della mia generazione è quello relativo alla figura di Benedetto Croce. Inoltre non intitolerei il paragrafo relativo al primo dopoguerra *Una rivoluzione mancata?*, a prescindere dall'uso del punto interrogativo. A suggerirmi quel titolo era stato un passo di Gramsci del maggio 1920, che richiamo nella conclusione del paragrafo, nel quale egli sosteneva che « la fase attuale della lotta di classe in Italia è la fase che precede: o la conquista del potere da parte del proletariato rivoluzionario [...] o una tremenda reazione da parte della classe proprietaria e della casta governativa »[19]. In realtà la previsione in esso contenuta si rivelò fondata solo per il secondo corno del dilemma. Ma l'alternativa alla « tremenda reazione » che fu il fascismo non era la conquista del potere da parte del proletariato, ma piuttosto il consolidamento e l'allargamento delle conquiste democratiche realizzate nel dopoguerra, la trasformazione del vecchio e asfittico Stato liberale in una democrazia moderna. È quanto del resto mi sembra nel complesso risultare dalla mia esposizione.

Analoghi rilievi si possono fare a maggior ragione per la parte relativa al secondo dopoguerra, cui sono del resto dedicate poche pagine. La ricostruzione che in esse viene fatta delle vicende politiche e dell'evoluzione del costume può forse risultare colorita e suggestiva, ma è certo schematica, giocata tutta com'è sulla contrapposizione tra un'« Italia qualunquista » che risultò vincente e le forze della sinistra che risultarono soccombenti. Ciò ha comportato dei giudizi parziali e sbrigativi su protagonisti e momenti della lotta politica e, più in generale, una sottovalutazione delle conquiste realizzate con la Repubblica e la Costituzione. Le vicende e i fallimenti del primo dopoguerra non si ripeterono e il nostro paese divenne una democrazia moderna. Questo è il punto principale.

L'ottica riduttiva e il ragionare in chiave di occasioni perdute che caratterizza questo e altri giudizi non è del resto un approccio inedito. Esso vanta anzi precedenti illustri e si riflette anche in sintesi recenti. Ultimamente si è verificato però un fatto nuovo. Nella fase di incertezza e di crisi che il paese ha attraversato e attraversa hanno trovato larga eco e circolazione revisioni più radicali e di diverso segno di quelle ispirate alla logica delle occasioni mancate e delle Resistenze tradite, in quanto investono l'intera storia di quella che è stata definita la « Prima Repubblica » a partire dalle sue origini e dalle sue fondamenta, in-

[19] A. Gramsci, *L'ordine nuovo. 1919-1920*, Torino 1954, p. 114.

clusa la Resistenza. Occorre però d'altra parte riconoscere chiaramente che quest'ultima è stata oggetto di amplificazioni e di strumentalizzazioni che non hanno certo favorito la formazione di un giudizio storico maturo. Qualche considerazione a questo proposito mi sembra perciò necessaria.

Il punto di partenza non può che essere, ovviamente, la giornata dell'8 settembre 1943. Non vi è dubbio che essa rappresenti un evento eccezionale, se non addirittura, come scrive Renzo De Felice, un « unicum nella storia mondiale »[20]. Ma in cosa consiste questa sua irripetibilità e unicità? La migliore risposta a questa domanda la troviamo nell'accurata ricerca che della giornata dell'8 settembre e dei suoi precedenti ha fatto Elena Aga-Rossi. In essa sono sottolineate con particolare evidenza le responsabilità più remote del fascismo[21] e quelle immediate del re, « che non era all'altezza del compito che si trovò ad affrontare »[22] e di Badoglio e del suo governo, che dettero prova di una « totale mancanza di responsabilità »[23], di « una totale noncuranza per gli interessi del paese » e di un « vero cinismo nei confronti dell'inevitabile sacrificio della parte dell'esercito fuori d'Italia »[24].

Sulla giornata dell'8 settembre sono tornati recentemente Renzo De Felice, Ernesto Galli della Loggia ed Emilio Gentile. A differenza dello studio dell'Aga-Rossi lo scopo che tutti e tre questi autori si propongono non è tanto la ricostruzione degli eventi quanto quella dello stato d'animo collettivo che caratterizzò quella giornata e quella congiuntura e a questo fine essi fanno ricorso a una nutrita serie di citazioni da diari, epistolari e memorie. Si deve peraltro osservare a questo proposito che

[20] R. De Felice, *Il rosso e il nero*, Milano 1995, p. 44.
[21] « Gli avvenimenti del settembre 1943 dimostrano che venti anni di regime totalitario avevano annullato ogni capacità della classe dirigente, e particolarmente dei quadri militari italiani, di assumere responsabilità e prendere decisioni» (E. Aga-Rossi, *Una nazione allo sbando. L'armistizio italiano del settembre 1943*, Bologna 1993, p. 154).
[22] Ivi, p. 151.
[23] Ivi, p. 150.
[24] Ivi, p. 152.

questo tipo di fonti, per essere espressione della quotidianità e mutevolezza degli stati d'animo e degli umori, può presentare un certo margine di inattendibilità. È questo ad esempio il caso del taccuino di Corrado Alvaro, in cui momenti di scoramento si alternano a fiammate di speranza. Il rischio è tanto maggiore quando i passi che vengono citati sono isolati dal contesto o anche riprodotti in modo arbitrario e scorretto, come ad esempio il diario di Franco Calamandrei citato da Galli della Loggia.

Attraverso questa giustapposizione e questo montaggio di varie testimonianze Renzo De Felice giunge alla conclusione che la giornata dell'8 settembre fu « la data simbolo del male italiano », in quanto mise a nudo lo « svuotamento del senso nazionale »[25] del popolo italiano e la sua « mancata reazione morale »[26]. L'8 settembre, insomma si consumò un autentico « sciopero morale »[27]. Dal canto suo Ernesto Galli della Loggia va più in là sino a parlare di « morte della patria », come suona il titolo del suo *pamphlet*. Quella infausta giornata fu infatti a suo giudizio la manifestazione di « una paurosa debolezza etico-politica [...] degli italiani »[28], il punto culminante di « una lunga serie di errori, di goffaggini, di impreparazioni, talora di vere e proprie viltà, che gettano una pesantissima ombra sulla capacità degli italiani di combattere e di morire »[29].

A proposito di queste interpretazioni dell'8 settembre mi sembra opportuno a questo punto di richiamare un'osservazione di Elena Aga-Rossi che mi sembra del tutto pertinente. « Il rischio insito in un'interpretazione dell'8 settembre come 'autobiografia di una nazione', — così suona l'osservazione — come manifestazione cioè di una crisi morale di lunga durata, è che, spostando sempre più indietro le origini della crisi, si trasformi in un alibi per la totale irresponsabilità della classe dirigente, e quindi faccia perdere il senso dell'assoluta specificità delle vi-

---

[25] De Felice, *Il rosso e il nero* cit., pp. 31-32.
[26] Ivi, p. 39.
[27] Ivi, p. 43.
[28] E. Galli della Loggia, *La morte della patria*, Roma-Bari 1996, p. 5.
[29] Ivi, p. 11.

cende legate alla resa italiana »[30]. È un giudizio che pienamente condivido: non si si conoscono, che io sappia, nella storia contemporanea altri esempi di un re e di un governo che in un momento decisivo per le sue sorti abbandonano al suo destino il paese di cui sono alla guida lasciando dietro di sé solo oscuri messaggi. In questo consiste la « specificità » e l'« unicità » dell'8 settembre.

Se le cose stanno così, parlare di « morte della patria » equivale perciò ad accomunare in una medesima condanna le vittime e i responsabili dello sfacelo e di conseguenza, se non ad assolvere, a concedere loro le attenuanti. Se qualcosa dunque muore nella giornata dell'8 settembre, questa è certamente, per dirla con Gian Enrico Rusconi, « la dimensione statuale del concetto di patria »[31], o più esplicitamente della concezione della patria come esteriorità e retorica. Ma la patria, quella vera?

Vorrei provarmi a rispondere a questo interrogativo prendendo lo spunto da un passo del diario di Piero Calamandrei citato da Gentile:

> Veramente la sensazione che si è provata in questi giorni si può riassumere, senza retorica, in questa frase: si è ritrovata la patria: la patria come senso di cordialità e di comprensione umana esistente tra nati nello stesso paese, che si intendono con uno sguardo, con un sorriso, con un'allusione: la patria, questo senso di vicinanza e di intimità che permette in certi momenti la confidenza e il tono di amicizia tra persone che non si conoscono, di educazione e professione diverse, e che pure si riconoscono per qualcosa di comune e di solidale che è più dentro... Ci siamo ritrovati[32].

Si può obiettare che Calamandrei scrisse queste righe all'indomani del 25 luglio, in un momento di grandi speranze e di diffusa euforia. L'8 settembre l'atmosfera era profondamente mutata: quella patria che era stata ritrovata sembrava ora nuova-

---

[30] Aga-Rossi, *Una nazione* cit., p. 159.
[31] G.E. Rusconi, *Patria e repubblica*, Bologna 1997, p. 55.
[32] Cit. da E. Gentile, *La grande Italia. Ascesa e declino del mito della nazione nel ventesimo secolo*, Milano 1997, p. 232.

mente perduta. Eppure tutti coloro che hanno vissuto quella memorabile giornata la ricordano soprattutto come quella in cui, come scrivevo in una pagina del mio libro alla quale rimango affezionato, « a nessun militare sbandato fu negato un abito borghese, a nessun prigioniero alleato trovatosi improvvisamente in libertà fu negato un asilo e un aiuto, a nessun ebreo un nascondiglio ». Ma che cosa fu questa generale e affettuosa solidarietà, « questa comprensione umana » se non quel ritrovamento della patria di cui il 25 luglio Piero Calamandrei aveva avuto la « sensazione » e che ora si traduceva in atti concreti? Due mesi dopo, tornando col pensiero ai giorni di settembre, Benedetto Croce annotava in un passo del suo diario citato da Galli della Loggia e da Gentile di « esser stato sveglio per alcune ore, tra le 2 e le 5, sempre fisso nel pensiero che tutto quanto le generazioni italiane avevano da un secolo in qua costruito politicamente, economicamente e moralmente, è distrutto irrimediabilmente »[33]. Solo che il passo non finisce qui, ma prosegue con l'affermazione che « sopravvivono solo nei nostri cuori le forze ideali con le quali dobbiamo affrontare il difficile avvenire senza più guardare indietro, frenando il rimpianto »[34]. Come Benedetto Croce, molti italiani che non avevano la sua altezza d'ingegno trovavano nella sventura le risorse per continuare a vivere e a sperare.

Quegli italiani che difettavano della « capacità di combattere e di morire » sono peraltro gli stessi che pochi mesi dopo si affronteranno e si uccideranno in una « guerra civile ». Tale è infatti per De Felice, per Galli della Loggia e anche per Gentile la Resistenza. Tutti e tre fanno infatti proprio un concetto e un termine la cui formulazione risale a Carl Schmitt e che Ernst Nolte ha assunto come chiave interpretativa della storia europea tra le due guerre e oltre. Dopo il convegno di Belluno del 1988 e dopo la pubblicazione dell'importante libro di Clau-

---

[33] Galli della Loggia, *La morte della patria*, cit., pp. 3-4; Gentile, *La grande Italia* cit., p. 231.

[34] B. Croce, *Quando l'Italia era tagliata in due. Estratto da un diario (luglio 1943 - giugno 1944)*, Bari 1948, p. 44.

dio Pavone nel 1991 tali termini e concetti sono divenuti sempre più frequentemente ricorrenti anche in Italia[35]. Nella prefazione alla seconda edizione del suo lavoro Pavone si è giustamente lamentato del fatto che la discussione e le critiche ad un'opera così ricca e complessa quale è il suo saggio storico si siano appuntate sul termine « guerra civile » che gli fornisce il titolo[36]. Mi sembra peraltro difficilmente evitabile che il dibattito si concentrasse attorno alle novità e ai punti più controversi della sua ricostruzione. Desidero quindi anch'io esprimere il mio punto di vista su di una questione che non è certo secondaria ai fini di una valutazione complessiva della storia dell'Italia repubblicana.

L'Europa del '900 ha conosciuto grandi guerre civili, in Russia tra il 1918 e il 1920, in Ispagna tra il 1936 e il 1939, in Grecia tra il 1946 e il 1949 e in Jugoslavia durante la seconda guerra mondiale e oggi.

In tutti questi casi l'intero paese e l'intera popolazione sono stati coinvolti in un conflitto nel quale ognuna delle due parti era sorretta da valori (o presunti valori) della cui giustezza essa era fermamente convinta talvolta sino al fanatismo ed in cui entrambe disponevano di forze sufficienti per sperare di prevalere. In tali condizioni di surriscaldamento ideologico e di relativo equilibrio lo scontro assumeva le forme di un'autentica guerra combattuta sui fronti e nelle retrovie con l'impiego di eserciti regolari e dotati di tutte le armi disponibili, un conflitto le cui sorti si decidevano perciò prevalentemente sul campo, sul terreno. Per queste loro caratteristiche le guerre civili sono sanguinosissime e in esse la violenza degenera spesso in barbarie ed efferatezza. Così accadde in Russia, così in Ispagna, così in Jugoslavia.

---

[35] Cfr. C. Pavone, *La seconda guerra mondiale: una guerra civile europea?*, in G. Ranzato (a cura di), *Guerre fratricide. Le guerre civili in età contemporanea*, Torino 1994, pp. 87-126. La chiave interpretativa della guerra civile è stata usata anche per il Risorgimento. Cfr. il saggio di P. Pezzino, *Risorgimento e guerra civile. Alcune considerazioni preliminari*, ivi, pp. 57-85. Accenni in questo senso anche in C. Pavone, *Una guerra civile. Saggio storico sulla moralità nella Resistenza*, Torino 1994[2], p. 265.

[36] Pavone, *Una guerra civile* cit., pp. XV-XVI.

Come ex resistente non posso che convenire con Pavone quando scrive che le denunce reciproche di responsabilità e di crudeltà « non debbono tuttavia spingere a dimenticare coloro che sentirono sì la guerra civile come una tragedia generatrice di stragi e di lutti, ma anche come un evento da assumersi con orgoglio, in nome della scelta compiuta e della consapevole accettazione di tutte le conseguenze che essa comportava ». Rimango invece perplesso nei confronti della conseguenza che da questa premessa egli ricava e cioè « che da questo punto di vista la corrente deprecazione può rovesciarsi: fu proprio nella tensione insita nel carattere 'civile' che trovarono modo di riscattarsi gli elementi negativi tipici della guerra in quanto tale »[37]. Né l'affetto per la memoria di Franco Venturi può indurmi a condividere la sua affermazione, ripresa con consenso da Pavone, « che le guerre civili sono le sole che meritano di essere combattute »[38]. Il punto di vista dello storico non può infatti essere quello degli ex combattenti. Le rievocazioni conviviali degli *anciens de Verdun* non devono farci dimenticare che Verdun fu un insensato massacro. Debbo dire anzi che dubito che tutti i resistenti si riconoscerebbero nella formula di « pietà l'è morta », se essa, come mi sembra di capire dal contesto, è intesa nel senso della constatazione e della accettazione di una necessità-virtù. La pietà infatti può morire, ma può anche fortificarsi nella sventura ed è infatti in termini di « storia della pietà » che Gabriele De Rosa e la storiografia cattolica hanno messo a fuoco, come vedremo, l'atteggiamento del clero e della Chiesa nell'Italia occupata dai tedeschi[39]. Dal canto suo un laico quale Benedetto Croce intendeva probabilmente dire qualcosa di simile quando proprio in quel torno di tempo affermava che « non possiamo non dirci cristiani ».

Ma lasciamo queste considerazioni generali per cercare, naturalmente nella misura in cui ci è consentito dallo spazio, di por-

[37] Ivi, p. 225.
[38] *Ibid.*
[39] G. Vacca, *Vent'anni dopo*, Torino 1997, p. 239.

re il problema della Resistenza come guerra civile con i piedi per
terra, sul terreno cioè delle constatazioni di fatto. Disponiamo
per questo di eccellenti lavori quale quello recentissimo di Lutz
Klinkhammer, che è successivo a quello di Pavone, ma cui ci si
è riferiti solo occasionalmente e non sempre puntualmente nelle
discussioni in corso.

Una prima constatazione avanzata da vari studiosi[40] è che la
Resistenza ha interessato solo una parte del territorio nazionale,
quella occupata dai tedeschi, mentre nelle regioni via via libera-
te non si verificarono, salvo sporadici casi isolati e disperati quali il cecchinaggio a Firenze e a Torino, episodi di resistenza da
parte dei fascisti contro gli alleati, come sarebbe dovuto accadere in una guerra civile combattuta a tutto campo ed in cui entrambe le parti fossero sorrette da valori forti e nutrissero fondate aspettative di vittoria. Ci fu qualche esponente della Repubblica sociale, in particolare Pavolini, che pensò di organizzare
dei nuclei di resistenza alle spalle degli eserciti alleati avanzanti,
ma si trattò di un progetto assolutamemte velleitario[41].

Un dato altrettanto e forse più significativo è però a mio giudizio rappresentato dall'assenza di consistenti reazioni di insofferenza e ostilità da parte della popolazione contadina nei confronti dei partigiani. Eppure i motivi di attrito non mancavano:
dalle requisizioni di prodotti e di bestiame, spesso indiscrimina-
te, sino ai pericoli di rappresaglie massicce sulla popolazione civile che le iniziative dei partigiani potevano provocare e di fatto provocarono. L'episodio di Civitella della Chiana puntualmente ricostruito da Leonardo Paggi[42] non mi sembra
contraddire questa osservazione e neppure mi sembra che possa essere considerato come l'eccezione che conferma la regola.

---

[40] Cfr. M. Palla, *Guerra civile o collaborazionismo?*, in M. Legnani e F.
Vendramini (a cura di), *Guerra guerra di liberazione guerra civile*, Milano
1990, p. 91, che cita precedenti scritti di Tim Mason e di Enzo Collotti.
[41] Traggo la notizia dalla comunicazione di Franco De Felice dal recente convegno *Identità e storia della Repubblica. Per una politica della memoria nell'Italia di oggi*, tuttora inedita.
[42] L. Paggi, *Storia di una memoria antipartigiana*, in Id. (a cura di), *Storia e memoria di un massacro ordinario*, Roma 1996, pp. 47-84.

Un terzo elemento che a questo proposito va tenuto presente è quello relativo all'atteggiamento del clero e della Chiesa nelle regioni dell'Italia settentrionale occupata dai tedeschi. In un paese cattolico e in larga parte ancora contadino quale era l'Italia la questione assume particolare rilevanza. Ebbene le ricerche condotte dalla storiografia cattolica hanno messo persuasivamente in luce come il ruolo « di alta e nobile mediazione svolto dal clero e dal laicato cattolico » abbia contribuito a far sì che il rischio di una « guerra civile » venisse soltanto « rasentato »[43]. Il tentativo di don Tullio Calcagno di dar vita a un movimento clericalfascista si risolse in un fallimento. Comunque nulla di simile a quanto in un contesto interno e internazionale ovviamente diverso accadde in Ispagna, paese anch'esso cattolico, dove la guerra civile fu *anche* una guerra di religione che divise non solo la massa della popolazione, tra clericali e anticlericali, credenti e miscredenti, ma anche lo stesso clero, tra una grande maggioranza schierata a sostegno di Franco e allineata con la posizione del Vaticano e la combattiva minoranza dei preti baschi.

Infine sempre a proposito di guerra civile merita di essere segnalato come il movimento partigiano si sviluppò ugualmente e con particolare vigore anche nelle regioni nelle quali la Repubblica sociale era politicamente e militarmente assente quali erano le « zone di operazione » dell'Alpenvorland e del Litorale Adriatico, che di fatto erano annesse al Reich. La cosa è tanto più notevole in quanto si trattava di regioni « bianche ».

Questi rilievi costituiscono già una prima e consistente limitazione dell'interpretazione in chiave di guerra civile. Ciò non toglie tuttavia che episodi di guerra civile in cui degli italiani combatterono contro degli italiani, da soli o associati coi tedeschi, si produssero ripetutamente. Il problema è perciò quello della natura e della rilevanza di questi affrontamenti. Nelle zone sotto controllo tedesco, le sole in cui la Resistenza si sviluppò, lo scontro assunse, salvo che negli ultimi giorni, le forme proprie non della guerra, ma della guerriglia o della guerra per ban-

---

[43] Vacca, *Vent'anni dopo* cit., p. 239.

de basata sulla tecnica dell'imboscata o dei *raids* improvvisi. Battaglie vere e proprie non ce ne furono salvo che nelle amplificazioni della storiografia resistenziale e delle commemorazioni ufficiali. Su di un fronte e sull'altro le forze impiegate erano limitate. Anche se può esser vero che un alto numero dei caduti non costituisce di per sé un requisito necessario delle guerre civili[44], è anche vero che il bilancio delle perdite nel corso della Resistenza non è lontanamente paragonabile ai milioni della guerra civile russa, alle centinaia di migliaia di quelle spagnola e jugoslava e ai 150.000 della guerra civile in Grecia[45], un paese che non raggiungeva i sette milioni di abitanti. Non capisco perciò a chi possa riferirsi Renzo De Felice quando afferma che « l'Italia nel 1943-45 conobbe una guerra civile di dimensioni e drammaticità ignota ad altri paesi »[46].

Stando così le cose, hanno perciò un interesse relativo i calcoli dello stesso De Felice per accertare il numero di coloro che furono coinvolti nella « guerra civile », tanto più che sia da una parte che dall'altra, come ha dimostrato Lutz Klinkhammer[47], si trattava di eserciti eterogenei: quello partigiano era caratterizzato da un *turnover* assai intenso tra le formazioni in montagna e coloro che, per usare un'infelice espressione di De Felice, se ne stavano sì al « caldo », ma in costante pericolo di essere individuati e catturati; quello fascista era in realtà un coacervo di diverse formazioni, l'esercito regolare di Graziani, la Guardia nazionale repubblicana della quale facevano parte anche i Carabinieri, le Brigate nere di Pavolini, la Decima Mas e altre varie bande di irregolari. E non mancarono da entrambe le parti episodi di rivalità e anche di conflittualità interna.

Tutti gli elementi che abbiamo richiamato fin qui — la limitazione alle regioni settentrionali, il rapporto con la popolazione

---

[44] È questa l'opinione di G. Ranzato, *Un evento antico e un nuovo oggetto di riflessione*, in Id. (a cura di), *Guerre fratricide* cit., p. XXXV.

[45] È la cifra fornita da H. Vavlianos, *Greece, 1941-49: From Resistance to Civil War*, Oxford 1992, p. 246.

[46] De Felice, *Il rosso e il nero* cit., p. 22.

[47] L. Klinkhammer, *L'occupazione tedesca in Italia, 1943-1945*, Torino 1993, pp. 294 sgg.

contadina, il ruolo del clero e della Chiesa, la presenza della Resistenza nelle zone occupate dai tedeschi annesse al Reich, le forme dello scontro e le cifre delle perdite — inducono quindi, se non a respingere, certo a ridimensionare radicalmente l'interpretazione in chiave di guerra civile. Ma abbiamo volutamente lasciato per ultimo un ulteriore elemento che mi sembra decisivo per far pendere la bilancia in senso negativo. Per individuarlo e valutarne la rilevanza è necessario collocare la Resistenza italiana nel contesto che fu il suo, quello della seconda guerra mondiale.

L'Italia fu tra i paesi europei in cui si sviluppò un movimento di resistenza quello il cui territorio fu più a lungo teatro di operazioni militari da parte di due eserciti stranieri che se ne contendevano il controllo e il possesso: venti interminabili mesi. Un intervento di eserciti stranieri si ebbe pure nella guerra civile russa, per sostenere una delle parti in lotta, e in quella spagnola, da entrambe le parti, ma nell'uno e nell'altro caso esso non ebbe che una funzione di sostegno e di supporto rispetto ai contendenti interni. In Italia tale rapporto si presenta invece invertito. Ciò è vero per i fascisti, i cui reparti furono nella maggioranza dei casi impiegati contro i partigiani e al fronte solo in forma limitata e subordinata, ma anche per le formazioni partigiane, almeno per ciò che concerne l'aspetto militare. Non era il solo Alexander a considerarle come dei « guastatori » al servizio degli eserciti alleati operanti dietro le linee nemiche. Accettò implicitamente questa concezione anche la delegazione del Clnai quando nel dicembre 1944 sottoscrisse realisticamente a Roma un accordo con i rappresentanti degli alleati in base al quale si impegnava a sottomettersi al loro comando e a disarmare le formazioni partigiane dopo la ritirata tedesca. Le osservazioni di Galli della Loggia su questo punto mi sembrano in parte condivisibili.

L'Italia era dunque un paese occupato e l'occupante tedesco contro il quale si batteva la Resistenza era perciò *di fatto* il « nemico principale », indipendentemente dalle varie e diverse percezioni che Claudio Pavone registra a questo proposito[48]. Il la-

----

[48] Pavone, *Una guerra civile* cit., pp. 267 sgg.

voro di Klinkhammer dimostra del resto persuasivamente che fu
appunto questa, quella del tedesco come « nemico principale »,
la percezione di fatto prevalente tra la popolazione italiana. A
mano a mano che, malgrado gli sforzi del plenipotenziario Rahn
di mantenere il controllo della situazione e di evitarne il deterioramento, il conflitto si radicalizzava, il ruolo dell'occupante diveniva sempre più visibile e intollerabile. Non solo nei territori
annessi al Reich, ma anche nelle regioni che rientravano nella
giurisdizione della Repubblica sociale la percezione era la stessa.
Erano infatti i tedeschi a deportare i lavoratori in Germania e
furono reparti delle SS i responsabili dei principali eccidi, da
Caiazzo alle Fosse ardeatine, a Boves, a S. Anna di Stazzema, a
Vallucciole, a Stia, a Marzabotto. La cacciata dell'occupante dal
suolo della patria, la « liberazione » significavano la fine di tutto questo, il ritorno della pace e della normalità e non potevano
perciò non rappresentare un obiettivo assolutamente prioritario.

  Le considerazioni svolte sin qui non devono essere intese come una sottovalutazione del fenomeno della Resistenza, ma semmai come una messa a punto. Essa non si esaurisce infatti nel
suo aspetto militare di guerra per bande, ma rappresenta anche
e direi anzi soprattutto un fenomeno politico. Se resistenti furono indubbiamente i combattenti di Cefalonia e gli insorti di
Napoli, lo furono anche gli operai dei grandi centri del Nord
che nel marzo 1944 dettero vita a quello che Lutz Klinkhammer
definisce « il più grande sciopero generale compiuto nell'Europa occupata dai nazionalsocialisti », in seguito al quale il Cln si
trovò investito di « una legittimazione su base democratica che
doveva essere d'importanza fondamentale per la fisionomia che
avrebbe assunto l'Italia del dopoguerra »[49]. Un'« altra Resistenza », per riprendere il titolo delle memorie di prigionia di Alessandro Natta[50], fu quella delle centinaia di migliaia di militari
italiani internati in Germania che si rifiutarono di optare per la
Repubblica sociale. Dalla parte della Repubblica sociale rimane-

---

[49] Klinkhammer, *L'occupazione tedesca* cit., p. 225.
[50] A. Natta, *L'altra Resistenza. I militari italiani internati in Germania*,
Torino 1997.

va solo una minoranza largamente consapevole del proprio isolamento e di essere destinata alla sconfitta. Per essa il solo valore superstite, una volta crollati o corrosi i miti del fascismo,
era quello dell'« onore », inteso come fedeltà all'alleato tedesco
e non al re fellone e come tale percepito dall'opinione pubblica
come collaborazionismo. Una solitudine materiale e morale e una
coerenza che, quando non siano degenerate in esasperazione e
crudeltà, meritano certamente rispetto. Anche in questo caso giudizio morale e giudizio storico vanno però tenuti distinti.

Certo esisteva, come sempre è esistita in situazioni analoghe,
una « zona grigia », ma i suoi confini venivano sempre più re-
stringendosi via via che gli sviluppi del conflitto volgevano sempre più chiaramente a favore degli alleati. Non si trattava di
« neutralità », ma semmai dell'opportunismo di chi fingeva di
non vedere e di non sapere o, se, come fa Pavone, si vuole usare un termine più forte, anche di « ignavia »[51]. Ma ciò fa parte
della natura umana e non di quella specifica dell'*homo italicus*.

Alla luce degli elementi fin qui richiamati mi sembra che la
coppia e la contrapposizione Resistenza-collaborazionismo adottata per altri paesi europei e proposta da Marco Palla[52] corri-
sponda più della formula « guerra civile » alla complessa realtà
della Resistenza italiana considerata come un fenomeno interno.
Se poi la si inquadra nel contesto della seconda guerra mondiale, la vecchia formula della Resistenza come una guerra di liberazione nazionale, che del resto è del tutto compatibile con la
coppia Resistenza-collaborazionismo, conserva pienamente il suo
valore.

Giunti a questo punto ed esaurito il discorso sulla Resistenza, occorre però anche dire che se quest'ultima fu una parte importante della traumatica esperienza che il popolo italiano fece
a partire dall'8 settembre, del suo « vissuto », per adoperare un
termine caro a Pietro Scoppola, essa ne fu pur sempre una parte. Non solo perché coloro che vi furono direttamente coinvol-

---

[51] Pavone, *Una guerra civile* cit., p. 33.
[52] Si veda il citato intervento nel volume *Guerra guerra di liberazione
guerra civile*, pp. 92 sgg.

ti erano una minoranza, ma anche perché essa fu una fase e un
momento di un processo complesso e che si prolungò ben oltre
la liberazione e nel corso del quale un popolo che usciva da
vent'anni di dittatura e di retorica portò faticosamente a termine un esame di coscienza collettivo e si riappropriò della dimensione della politica e delle regole della democrazia. Ciò non
deve peraltro esser inteso nel senso che l'esito di tale processo
fosse necessariamente l'adesione all'antifascismo in generale e
tanto meno all'ideologia di uno dei partiti del Cln. Per molti,
forse per i più, il punto di approdo fu semplicemente l'accettazione più o meno convinta di nuove regole di convivenza. Ciò
implicava peraltro il conseguente abbandono, anzi l'esplicito rifiuto, del fascismo, della sua retorica nazionalista e della sua sim-
bologia. Il più consistente, anche se effimero, dei movimenti di
destra dell'immediato dopoguerra si definiva « afascista » e non
aveva per simbolo nulla di marziale e di nostalgico, ma un « uomo qualunque » schiacciato da un torchio.

Risulta evidente dalle considerazioni sin qui svolte che, se è
vero che la natura delle cose consiste nella « guisa dei loro na-
scimenti », ne consegue che è in questa complessa esperienza
che va cercato quello che Galli della Loggia definisce il « codice genetico »[53] della Repubblica, la sua legittimazione. A questo
proposito egli sostiene che la rimozione del concetto di guerra
civile e la sostituzione di quest'ultima con l'immagine e la retorica della Resistenza « unitaria » fu parte di un'operazione attraverso la quale i partiti antifascisti legittimarono il « nuovo regime repubblicano » da essi instaurato, operazione verso la quale l'opinione pubblica rimase largamente estranea, se non
diffidente. « Ne nasceva — scrive Galli della Loggia — per il
nuovo regime un discredito sottile e corrosivo, un'atmosfera di
non credibilità dei suoi valori e delle sue premesse ideologiche »,
uno « stato di cose » che « ha contribuito potentemente a con-
notare in senso oligarchico la classe dirigente politica repubblicana e, fin dall'inizio a conferire alla sfera politica — che pure

---

[53] Galli della Loggia, *La morte della patria*, cit., p. 41.

era democratica —° l'immagine di qualcosa di distaccato, di separato »[54]. Una siffatta situazione non era a lungo sostenibile e infatti il processo di deperimento e di disfacimento della « statualità [...], all'opera da decenni, ha [...] assunto negli ultimi tempi un passo incalzante »[55]. Ancor più esplicito nell'istituire un collegamento tra « lo scarso patriottismo dei partiti italiani da allora a oggi » e Tangentopoli è Renzo De Felice, il quale esclude peraltro la Costituzione dal « deprecato consociativismo delle origini »[56]. Ora, a parte il fatto che non si vede come un paese che, come scrive Galli della Loggia, aveva una « sfera politica che era pure democratica » e che, come afferma De Felice, ha una Costituzione non consociativa, potesse essere un « regime », mi sembra più che evidente che istituire, come fanno entrambi, un nesso di continuità tra quella che De Felice chiama la « baracca resistenziale » e gli approdi tangentizi significa prescindere da una qualsiasi, anche sommaria, ricostruzione di mezzo secolo di storia italiana. Un mezzo secolo per giunta in cui il paese ha conosciuto quella che forse è la più sconvolgente trasformazione della sua storia. Affermazioni di questo tipo, se non forniscono spiegazioni e non offrono risposte, pongono però degli interrogativi che non possono essere elusi, specie in tempi in cui molti e consistenti sono gli elementi che sembrano convalidarne la fondatezza. A questo punto, non potendo per ovvie ragioni procedere io stesso a una ricostruzione di mezzo secolo di storia italiana, non mi resterebbe che rinviare il lettore a quelle letture che possono appagare i suoi interessi. In questi ultimi anni si è lavorato molto sulla nostra storia più recente e disponiamo oggi di varie sintesi, la cui circolazione è stata peraltro più circoscritta di quella dei *pamphlets* più recenti cui ci siamo riferiti in questa postfazione. Tali sintesi, come è naturale, presentano orientamenti diversi e contengono diversi giudizi. Ciò vale anche per un'opera concepita

---

[54] Ivi, p. 84.
[55] Ivi, p. 138.
[56] De Felice, *Il rosso e il nero* cit., pp. 107-108.

unitariamente quali sono i cinque tomi dell'einaudiana *Storia dell'Italia repubblicana*, un'opera imponente, ma non priva di diseguaglianze. In queste condizioni ogni scelta e ogni orientamento presuppone un minimo di discussione nel merito, un confronto che il tempo e lo spazio non ci consentono di fare. Mi limito perciò a segnalare i saggi di Franco De Felice nella citata storia einaudiana per la serietà e la densità della loro problematica e preferisco rischiare in proprio: le considerazioni che seguono e che concludono questa postfazione non sono infatti il frutto di ricerche che io abbia svolto nell'esercizio della mia professione, ma semplicemente delle riflessioni su di un'esperienza che ho vissuto, che abbiamo vissuto.

Cominciamo da una data importante e in qualche modo simbolica, quella del 18 aprile 1948. Indicare in essa, come ho fatto nel mio libro, la conclusione di un processo nel corso del quale una Democrazia cristiana, che prende sempre più le distanze dalle Resistenza, riesce, con l'aiuto della Chiesa e degli Stati Uniti, ad allargare i suoi consensi e a prevalere sulla sinistra è una constatazione di fatto, ma non una ricostruzione esaustiva. Il risultato elettorale va collocato infatti all'interno di un processo di assestamento dell'edificio che si era venuto costruendo dalla Liberazione in poi e del quale la Costituzione aveva delineato le mura maestre. Con le elezioni del '48 tale edificio trova la sua stabilità nella larghissima base di consenso — più dell'80% dei voti — che confluì sui maggiori partiti antifascisti. Se si tien conto anche dei partiti antifascisti minori (Psli, Pri etc.) la percentuale sorpassa il 90%. Mi sembra dunque che si possa dire, riprendendo il filo di un discorso già avviato, che il 18 aprile può esser considerato come il punto di arrivo di un lungo e travagliato esame di coscienza di un popolo uscito da vent'anni di digiuno politico, di un faticoso processo di riappropriazione delle regole democratiche e di « apprendimento della democrazia »[57] e delle sue regole iniziato nel corso della Resistenza. Ciò mi sem-

---

[57] L'espressione è di Rusconi, *Patria e repubblica* cit., p. 54.

bra tanto più vero quanto più aspra e senza risparmio di colpi bassi era stata la battaglia elettorale. In questo senso le elezioni del giugno 1953, nelle quali venne bocciata la « legge truffa » che avrebbe modificato i rapporti di forza in Parlamento a favore dei partiti di governo sono certamente, se si assume come riferimento il rapporto tra i partiti, una modificazione degli equilibri politici esistenti, ma anche, se si assume invece un punto di riferimento istituzionale, una controprova del 18 aprile 1848, in quanto rappresentarono una riconferma della democrazia e della Costituzione così come si erano venute costituendo e stabilizzando. Certo per le sinistre quella del 18 aprile fu una sconfitta storica, ma è anche vero che esse ottennero un consenso assai alto, se si considera la scarsa credibilità — se non l'assenza — della loro proposta politica. Fino a pochi mesi addietro, prima cioè della costituzione del Cominform, i più accorti tra i comunisti italiani si rendevano conto della necessità di quei crediti americani contro i quali ora si schieravano per disciplina di campo.

Agli anni del dopoguerra e della ricostruzione fecero seguito quelli del « miracolo ». Quest'ultimo fu anche il frutto di fattori del tutto indipendenti dalle vicende e dagli sviluppi della vita politica italiana. Esso è infatti parte di quel tumultuoso sviluppo che nel corso degli anni '50 e '60 ha interessato l'intera economia mondiale. E se il suo ritmo fu in Italia più intenso che altrove, ciò è dovuto anche al basso punto di partenza. Anche la guerra fredda ha contribuito a favorire questo decollo e questo slancio dell'economia italiana, in un doppio senso. Non solo perché la scelta « occidentale », costituendo un orientamento largamente condiviso dall'opinione pubblica, rappresentava un elemento e un fattore di stabilità interna, ma anche perché la conflittualità indotta nel paese dalla guerra fredda costituì un incentivo all'impegno politico e, in quanto tale, per quanto ciò possa sembrare paradossale, un fattore di coesione. Nelle assemblee elettive, dalla più bassa alle più alte, nei sindacati, nelle commissioni interne, nelle organizzazioni sindacali e sociali, decine di migliaia di donne e di uomini, molti dei quali avevano alle spalle l'esperienza della Resistenza, impararono a confrontarsi, ma anche a rispettarsi. Ad essi la democrazia italiana deve molto.

Ciò non significa naturalmente che il « miracolo » sia qualcosa di indotto dall'esterno. Ad esso (e alle sue contraddizioni e distorsioni) contribuirono le decisioni dei governi che via via si succedettero nel corso degli anni della ricostruzione, del centrismo e del centro-sinistra. L'egemonia politica della Democrazia cristiana non si spiega solo con l'appoggio della Chiesa e degli Stati Uniti e con la paura del comunismo, ma anche con la sua capacità di iniziativa e di governo. Non mi riferisco tanto alle grandi decisioni di politica internazionale, quali l'adesione al piano Marshall e al Patto Atlantico, perché si trattava di scelte pressoché obbligate nel contesto della guerra fredda. Vorrei solo osservare a questo proposito come in questo stesso contesto rientri pure quella ratifica del trattato di pace nel quale Galli della Loggia scorge il segno di una « vera e propria perdita di sovranità che ha colpito l'Italia in conseguenza della guerra e che ha segnato di sé l'intera storia della Repubblica »[58]. In realtà, come è stato rilevato, « il trattato era 'punitivo' solo in quanto privava l'Italia degli strumenti e dei simboli di una politica estera di potenza che la guerra aveva inappellabilmente condannato come illusoria e insostenibile »[59]. Essa fu inoltre il primo e ineludibile passo per il reinserimento dell'Italia in un sistema di alleanze e attraverso di esso nel sistema dei rapporti internazionali. Mi riferisco piuttosto a scelte meno appariscenti dirette ad inserire l'Italia nel processo di liberalizzazione degli scambi, quali l'adesione al Gatt nel 1949, all'Unione europea dei pagamenti nel 1950 e al piano Schuman nel 1951, grazie alle quali l'Italia poté integrarsi nel sistema di Bretton Woods e successivamente aderire ai trattati di Roma del 1957. Per quanto concerne il giudizio sulle scelte di politica interna e in particolare sulle riforme del centro-sinistra sarebbero necessarie una verifica e, eventualmente una rettifica dei singoli giudizi contenuti nelle pagine conclusive del mio libro e comunque un approfondimento che non

---

[58] Galli della Loggia, *La morte della patria*, cit., p. 106.
[59] F. Romero, *Gli Stati Uniti e l'Italia*, in *Storia dell'età repubblicana*, vol. I, *La costruzione della democrazia. Dalla caduta del fascismo agli anni Cinquanta*, Torino 1994, p. 247.

sono in grado di fare in questa sede. Rimane peraltro assodato che il miracolo ebbe un prezzo elevato che fu pagato soprattutto in termini di bassi salari e di emigrazione di massa. Anche per questo, per i contrasti e le ingiustizie che la caratterizzano, quella degli anni '60 rimane per me ancor oggi un'Italia « gaudente e volgare », come lo sono in genere i nuovi ricchi. Ma non avevo ancora conosciuto quella degli anni '80.

Nel corso degli anni '50 e '60, a prescindere dal giudizio che si può dare sui singoli atti di governo o sul complesso di essi, l'Italia fu comunque un paese governato, intendendo per governo la capacità non solo di amministrare l'esistente, ma anche quella di prevedere e progettare e di assorbire, almeno in parte, gli stimoli e le iniziative dell'opposizione. Ciò equivale a dire che il sistema politico che traeva la sua legittimazione dalle radici nella Resistenza e dall'antifascismo funzionò. Fu a partire dal momento in cui questo sistema cominciò a non funzionare e che l'Italia cessò di essere « governata », che si aprì un nuovo e più oscuro corso della sua storia recente. Non fu insomma la « partitocrazia » a generare la crisi, ma semmai la crisi a generare la « partitocrazia ».

Il punto di svolta deve probabilmente esser fissato tra la fine degli anni '60 e gli inizi degli anni '70 e, al pari del « miracolo », fu anch'esso largamente condizionato da fattori esterni quali la svalutazione del dollaro e la conseguente crisi del sistema di Bretton Woods. Più tardi, nel 1973, sopravverrà il primo shock petrolifero. Questa difficile congiuntura internazionale venne per di più a coincidere con l'irruzione sulla scena politica della prima generazione di italiani che non aveva conosciuto le privazioni della guerra e le frustrazioni del dopoguerra, una generazione per la quale quel tanto di benessere che per la generazione precedente era stato una faticosa conquista era un'acquisizione consolidata, una generazione esigente e tutta proiettata verso il futuro. Furono il '68 e l'« autunno caldo », un'iniezione di fiducia nelle vene di un vecchio paese, una rottura con una tradizione di rassegnazione, uno stimolo potente alla modernizzazione e alla sprovincializzazione. Quando scrivevo la *Storia degli italiani*, io non pensavo che di lì a pochi anni delle leggi che consentivano il divorzio e l'aborto sarebbero state approvate dal Parlamento e successivamente convalidate da un referendum popolare e che il diritto di famiglia, questo pilastro della società italiana, sarebbe stato di conseguenza profondamente modificato.

Valgono anche per il '68 i rilievi e le considerazioni già fatti per la Resistenza: nell'uno e nell'altro caso è necessario distinguere tra l'essenza e la sostanza del fenomeno e le percezioni che di esso ebbero i suoi protagonisti e i suoi soggetti. Anche in questo caso occorre fare i conti con l'hegeliana « astuzia della ragione ». Ritengo di non fare un'affermazione del tutto paradossale se dico che i più coerenti con la domanda di modernità e di modernizzazione che costituiva l'essenza reale del movimento si trovarono ad essere coloro che potremmo oggi definire gli ex estremisti in carriera, in quanto occupano posti di rilievo nell'imprenditoria e nel giornalismo, mentre coloro che continuano a coltivare la memoria dei simboli e degli slogan di una rivoluzione immaginaria sono soltanto dei nostalgici, quando non siano divenuti dei terroristi. Se non si può assolutamente condividere, anzi si deve respingere, l'affermazione secondo la quale il fenomeno del terrorismo, per quanto concerne la sua componente rossa, « può — secondo me, anzi, deve — essere interpretato come il tentativo di una parte, la sinistra [ma quanta e quale? G. P.] di portare a termine la Resistenza in quanto guerra rivoluzionaria di classe »[60], non si può negare che uno dei sottoprodotti del '68 fu una sorta di dannunzianesimo di sinistra, che rappresentò a sua volta uno dei brodi di cultura delle prime manifestazioni del fenomeno terroristico. Una polizia efficiente e non deviata sarebbe facilmente venuta a capo di un tentativo eversivo dilettantesco e, in quanto tale, passibile delle più diverse infiltrazioni dall'interno e dall'estero. Perché ciò non sia avvenuto e perché quella che avrebbe potuto essere un'operetta si sia trasformata nella tragedia degli anni della strategia

---

[60] Galli della Loggia, *La morte della patria*, cit., p. 78, n. 79.

della tensione, rimane a tutt'oggi un mistero sul quale si possono solo avanzare delle ipotesi più o meno plausibili. Sta qui, in questo mistero non chiarito, in questa lunga linea d'ombra il male oscuro della democrazia italiana. Un dato va comunque tenuto presente: la fase più acuta dell'offensiva terroristica si colloca in un quadro internazionale caratterizzato dai prodromi di quella che sarà definita « la seconda guerra fredda ».

La tensione, come è noto, raggiunse il suo apice nel maggio 1978 con il rapimento e l'assassinio di Aldo Moro, un episodio che ha nella storia italiana di questo secolo un rilievo analogo a quella del rapimento e dell'assassinio di Matteotti. È noto come a questa sfida si rispose con la costituzione di un governo sostenuto da una maggioranza che fu detta di unità nazionale e della quale faceva parte il Partito comunista. È noto altresì che quest'ultimo ebbe un ruolo di primo piano nel sostenere quella che fu definita la « linea della fermezza », contrapposta a quella « della trattativa », il rifiuto cioè di ammettere che in un paese democratico la violenza e il ricatto fossero ammessi come strumenti di lotta politica. Ai brigatisti non rimase così altra scelta che quella tra la capitolazione e la coerenza della disperazione. Scelsero quest'ultima, ma il sacrificio di Aldo Moro impedì che si avviasse un processo di degenerazione e di imbarbarimento. La democrazia italiana superò così la sua più difficile prova con il concorso del Partito comunista.

Detto questo, va anche detto che la maggioranza di unità nazionale si limitò a questo compito di arginamento e a un ingrato, ma utile lavoro di tamponamento nei confronti del deterioramento della congiuntura economica. Esaurita questa funzione, essa si dissolse. L'unica idea nuova che venne avanzata in questo periodo fu quella dell'austerità e a lanciarla fu Enrico Berlinguer in un discorso del 1977. Per Stafford Cripps e per i laburisti inglesi, che furono i primi a suo tempo ad usarli e a diffonderli, il termine e il concetto di austerità non erano affatto incompatibili con una politica di riforme e di modernizzazione, anzi ne erano un presupposto. In Italia, per il modo in cui Berlinguer formulò la sua proposta, ma, soprattutto, per l'interpretazione che venne data delle sue parole, l'austerità venne per-

cepita dall'opinione pubblica italiana, compresa la maggioranza
degli iscritti al Partito comunista, come l'annuncio di una politica di sacrifici a senso unico, se non di ascesi. Il termine cadde
perciò ben presto nel dimenticatoio e il Partito comunista, rimasto a mezzo il guado tra governo e opposizione, si trovò privo di una linea politica plausibile e diviso al proprio interno tra
le due « anime », quella riformista e quella massimalista e filo-
sovietica, che convivevano in esso da tempo e che Togliatti era
riuscito, più che a conciliare, a « ibernare ». Quell'unità che era
stata (o era apparsa) il suo elemento di forza, diveniva ora un
elemento di debolezza. La sua stessa immagine di partito serio
e affidabile, quale era riconosciuto anche dai suoi oppositori,
subì un forte danno: per molti italiani esso divenne un partito
« come gli altri », complice anch'esso di un sistema di potere e
di corruzione. A queste critiche non ci si poteva certamente sottrarre, come invece si fece, riaffermando una propria anacroni-
stica « diversità » e cercando rifugio in essa. Occorrerà attendere la caduta del muro di Berlino perché un leader istintivo e
coraggioso tragga le conseguenze di questa situazione costituendo un partito nuovo e scontando la scissione dell'ala radicale e
massimalista.

L'incapacità, se non la rinuncia, dei partiti politici di continuare a svolgere la loro funzione di orientamento e di progetta-
zione divenne un fenomeno cronico nel corso degli anni '80. I
governi che si succedettero si limitarono a vivere alla giornata tra
condoni, moratorie e rinvii. Accade così ad esempio che il Parlamento non sia riuscito nel corso delle ultime legislature ad approvare un provvedimento del quale tutti i partiti senza eccezione riconoscono la necessità e l'urgenza quale l'elevamento del-
l'obbligo scolastico al livello europeo. Abbiamo così la gioventù
meno scolarizzata d'Europa. In questa latitanza dei soggetti e delle istituzioni titolari dell'iniziativa e della direzione politica, non
vi è da stupirsi se, per iniziativa di gruppi minoritari, se non di
singoli personaggi, da vari anni a questa parte a primavera siamo
chiamati a votare per una serie sempre più nutrita di referendum,
molti dei quali pretestuosi e alcuni, come quello che — unico caso tra i grandi paesi europei — ha bloccato la produzione di ener-

gia nucleare, dannosi. Per quanto concerne la politica economica si è proceduto anche qui a vista, tamponando via via le falle che si aprivano e assecondando gli interessi e le richieste corporative ora di questa, ora di quella categoria o lobby. Una politica lassista, quasi una rivincita su di un'austerità che non c'era mai stata, quale è quella che è stata praticata negli anni '80, è necessariamente costosa. A ciò si è riparato con un ricorso sempre più consistente al debito pubblico, che ha raggiunto ormai cifre astronomiche.

In tale contesto il progetto, o meglio la speranza, di Bettino Craxi, che rimane un uomo politico di notevole livello, di far fronte a questa situazione debitoria grazie al dinamismo di una nuova imprenditoria e delle esportazioni, ha avuto respiro e vita breve. Una miscela di lassismo e di rampantismo non poteva che produrre una corruzione generalizzata, come si è potuto ampiamente constatare.

Siamo così giunti a Tangentopoli e alla crisi di fiducia che essa ha generato non solo nei confronti degli esponenti politici indiziati di reato e dei partiti politici cui essi appartenevano, ma nella politica in quanto tale. I termini « politico, politici » hanno assunto una valenza peggiorativa, se non dispregiativa, specie nel linguaggio di quella parte dell'opinione pubblica che è tanto più inferocita verso i « politici » coinvolti nei vari scandali quanto più fino a poco tempo prima li aveva votati per sollecitarne i favori.

La crisi è indubbiamente grave. Per la prima volta dagli anni dell'immediato secondo dopoguerra si è trovato qualcuno che è tornato ad agitare la bandiera della secessione e questa volta non in Sicilia, ma nelle regioni più ricche dell'Italia settentrionale. Ciò che allarma non è tanto la minaccia di una più che improbabile realizzazione di questa rivendicazione, né il limitato, ma preoccupante consenso che essa ha trovato, quanto il sottofondo di ignoranza e di egoismo che il fenomeno leghista ha fatto emergere. Nell'aria ristagna un clima malsano, intriso di tentazioni plebiscitarie e autoritarie.

Chi scrive è però convinto che questo paese conservi anticorpi e disponga di risorse umane sufficienti per uscire, anche questa volta, dal pelago alla riva. Ma perché ciò avvenga non bastano riforme istituzionali, e neppure servono sempre auspicate e generiche « riforme intellettuali e morali ». È necessario piuttosto che tutti e in particolare i giovani ritrovino la passione, il rigore e l'orgoglio dell'impegno politico.

G. P.

luglio 1997

INDICI

INDICE DEI NOMI

INDICE DELL'OPERA